Linda Chaikin

Onder de woestijnhemel

Roman

Vertaald door Lia van Aken

Tweede druk

UITGEVERIJ KOK

Voor Steve.
Ware liefde streeft het allerbeste na.
Jouw liefde en steun hebben dit mogelijk gemaakt.

Tweede druk, 2005

© Uitgeverij Kok - Kampen, 2003
Postbus 5018, 8260 GA Kampen
www.kok.nl

Oorspronkelijk verschenen als *Arabian Winds* bij Multnomah Publishers, Sisters, Oregon, USA
© Linda Chaikin, 1997

Vertaling Lia van Aken
Omslagillustratie Eric Larrayadieu / Tony Stone / Getty Images
Omslagontwerp Douglas Design BNO
ISBN 90 435 0726 1
NUR 302

ONDER DE WOESTIJNHEMEL

Deel 1: *Onder de woestijnhemel*
Deel 2: *Moedige harten*
Deel 3: *Beproefde liefde*

Enkele andere boeken van Linda Chaikin:

De zijdeplantage (trilogie)
Verduisterde schatten
Verborgen belofte
Versluierde toekomst

Historisch voorspel

In de zomer van 1914 stond de wereld op de rand van de afgrond. Ze wachtte het vonnis af overgeleverd te worden door de leidende heren en koningen van Europa. De elite had het op zich genomen een hele generatie te veroordelen tot de wervelwinden van de dood, opdat hun leiders de koninkrijken van de wereld toch maar konden innemen. Goddeloze eerzucht gevoegd bij trots deden de donkere wolken van de oorlog samenpakken. Spoedig zouden miljoenen jonge soldaten geofferd worden in de loopgraven overal in Europa en in het brandende zand van de Arabische woestijn.

Het was het laatste uur van jeugdige stilte, een ogenblik in de tijd dat zweefde in het zachte licht voordat de maan in bloed veranderde. Spoedig zou de grond doorweekt worden van zweet en tranen, en ze zou huilen als een barende vrouw – niet van geboorteweeën, maar als een diep bedroefde engel des doods die haar armen moest openen om de gevallen zonen te ontvangen in de lange slaap.

Die zomer betekende het einde van veel dingen en het begin van een jammerklacht die werd ingeluid door het gestamp van marcherende legers. Heel gauw zouden de koningen der aarde de Wapens van Augustus loslaten in de Grote Oorlog, het begin van veel leed en verdriet.

Toch leefde er hoop in de afscheidskus van het meisje dat de soldaat achterliet – en in de dienst van de jonge vrouwen zoals de Engelse verpleegster Allison Wescott. Zij zou uiteindelijk de Britse en Australische soldaten onder generaal Allenby volgen de Arabische woestijn in naar Jeruzalem. En daar zou ze de gewonden vinden, ijlend van pijn en koorts, en majoor Bret Holden, die heel wat uit te leggen had...

Deel 1

De Arabische Woestijn
1914

1

Zuster Allison Wescott had geen idee van de toekomst. Ze had vier dagen verlof van het medische zendingskamp bij Zeitoun, in Caïro, Egypte en haar grootste zorg was niet de oorlog en bitterzoete romantiek, maar de vraag of ze al dan niet op blote voeten over de vloer van de hut kon lopen. Bedacht op een stroom woestijnschorpioenen reikte ze met een grimas naar haar slippers, keerde ze voorzichtig om, schudde ze uit en trok ze aan voordat ze op zoek ging naar de bron van het griezelige geluid dat haar uit haar slaap gewekt had.

Gespannen en alert stond ze midden in een van de twaalf 'vakantiehutten' die tussen de door de Turken beheerste stad Aleppo in de Arabische woestijn en Bagdad lagen. Allison piekerde over de herkomst van dat geluid en huiverde ondanks de verstikkende hitte. Een woestijnrat, misschien? Haar lange roodblonde lokken glansden in het licht van de grote witte maan als gesponnen zijde. Ze nam niet de moeite de olielamp aan te steken, want door het open raam viel genoeg licht naar binnen van het Arabische woestijnzand en de maan.

Ze stond stil om nog eens te luisteren naar dat nauwelijks hoorbare geluid dat haar een paar minuten geleden wakker had gemaakt. De hete, droge, opstekende wind die de duinen verplaatste, blies fijne zandkorrels over het terrein.

Toen herinnerde ze zich majoor Karl Reuter. Pas een paar uur geleden was de geheimzinnige Duitse officier dood gevonden door de Arabische waterbediende. Kennelijk was majoor Reuter een ongeluk overkomen. Nu wist Allison weer wat ze verontrustend had gevonden aan het sterfgeval: was het wel een ongeluk?

Gisteren waren Allison en een stuk of twintig archeologische enthousiastelingen vanuit alle delen van Egypte en Palestina aangekomen bij deze groep hutten anderhalve kilometer van het Britse consulaat in Aleppo. De hutten, die eens hadden dienst gedaan als barak voor Turkse soldaten van het Ottomaanse Rijk, stonden leeg na de revolutie in Turkije toen de soldaten werden overgeplaatst naar Bagdad. Het was te danken aan de ondernemende pogingen van de Duitse barones Helga Kruger, dat de Ottomaanse regering in Constantinopel het Archeologisch Genootschap van Caïro toestemming had verleend de hutten te renoveren en er een soort toeristenonderkomen voor enthousiastelingen van te maken. De barones had erop gewezen dat elk jaar een groot aantal toeristen Egypte bezocht om de sfinxen en de piramiden te zien, en sommigen bleven langere tijd in het gebied om wat meer van Arabië te bekijken.

Elke zomer, zolang Allison zich kon herinneren, had het Archeologisch Genootschap in samenwerking met het British Museum vakantie gehouden om te werken aan de Carchemish-opgravingen bij de spoorweg Berlijn-Bagdad die in opdracht van de Duitse keizer Wilhelm gebouwd werd. Tijdens deze dagen vroeg in de zomer werden de gerenoveerde hutten opengesteld om de clubleden en hun vrienden onder te brengen. De zomer van 1914 vormde geen uitzondering. Liefhebbers van archeologie en serieuze geschiedenisstudenten uit Caïro waren aangekomen voor wat velen stiekem geloofden dat hun laatste vakantie zou zijn voordat de wolken van de oorlog verdreven werden uit Europa. Zelfs al was de donder van de oorlog in de verte hoorbaar, de Britse Gemeenschap in Caïro bleef er zeker van dat het Ottomaanse rijk, dat nu Arabië en Palestina inclusief Jeruzalem beheerste, niet mee zou doen aan de oorlog. Het leven zou voor de Engelsen in Egypte grotendeels hetzelfde blijven en de zelfgenoegzame cultuur van polo, dinerpartijtjes en theeclubjes kon gewoon blijven voortbestaan.

Het weer was zoals altijd in juli ellendig heet. Allison vroeg zich af waarom het genootschap met de archeologische vakantie had gewacht tot de slechtste maand. De meeste Engelsen met een beetje gevoel voor stijl gingen naar de winderige Middellandse Zee aan de Golf van Akaba en reden paard langs de kust terwijl de blauwe golfjes naar het strand rolden.

Dit jaar waren de clubleden voor het grootste deel gearriveerd in een prettige stemming. Behalve natuurlijk de gepensioneerde majoor-generaal Rex Blaine, die zijn vriendelijke vrouw Sarah begeleidde. Generaal Blaine had op een grappige manier altijd wel iets aan te merken, gewoonlijk op de hitte. 'Het ziet hier zo zwart van de vliegen dat het wel een van de tien plagen lijkt,' klaagde hij bijvoorbeeld schertsend.

En toen had schokkend en plotsklaps de tragedie het genootschap getroffen, toen een van hen dood gevonden werd – een ongeluk.

Het was allemaal begonnen toen Allisons neef, Neal Bristow, van de Carchemish-opgravingen, die door de barones was aangenomen om lezingen te houden en de groep op kamelen mee te nemen op een excursie naar de vindplaats van de Hittieten, niet kwam opdagen. Hij had zich bij zijn zus Leah moeten voegen, die dit jaar de gastvrouw van het genootschap was. Toen was de waterbediende gestuit op het dode lichaam van majoor Karl Reuter, tussen de duinen vlak bij wat de Engelsen de 'Arabische bron' noemden.

De bediende had de man gevonden bij zonsondergang, toen de schitterende schemering van de woestijn viel als een gordijn en de clubleden samenkwamen op de binnenplaats van het kamp om te genieten van de Turkse lamskebab die de barones had georganiseerd als picknick onder de sterren. Ze had ook andere gasten uitgenodigd, waaronder de Engelse consul en zijn vrouw en een paar Turkse officials.

Voor de dood van majoor Reuter had Allison de Duitse officier zien aankomen. Het was een rustige, ernstige man die naar verluidt de supervisie had over de bouw van de Bagdad-spoorweg.

Allison huiverde. Ze had het lichaam gezien, een donkere gestalte in een ontzagwekkend Duits uniform die naar de achterste hut gedragen werd die aan de hare grensde. Eerder op de dag, toen de clubleden buiten van het diner kwamen genieten, werd aangenomen dat majoor Reuter in zijn hut was en gauw bij hen zou komen. En nu was hij dood. Ze had hem een nogal geheimzinnige man gevonden en nu kreeg ze kippenvel terwijl ze zich afvroeg hoe hij gestorven was. Niemand scheen het te weten. De Turkse official, een vriend van barones Kruger, had getelegrafeerd naar de Duitse inlichtingendienst in Constantinopel en wachtte nu op een officier, ene kolonel Brent Holman van de Duitse geheime politie, die de zaak zou onderzoeken.

'Hoe is hij gestorven, denken jullie?' vroeg Sarah Blaine, een tenger vrouwtje met grote bruine ogen. Allison zag dat Sarahs vraag niet Leah van streek maakte. Leahs bleke gezicht toonde dat ze ongeruster was dan ze wilde laten blijken. De dood van een Duitse officier zou niet zomaar over het hoofd gezien worden door het hoofdkwartier in Bagdad, maar Leah leek bezorgder dan de situatie rechtvaardigde.

Professor Blackstone met zijn strenge gezicht, van de Archeologische School van Caïro, had zijn glas met iets te veel vuur leeggedronken en beantwoordde Sarahs vraag met een glimp van ongeduld. 'Hij is vast en zeker gebeten door een giftige slang, mijn lieve Sarah.'

Er viel een stilte en Sarahs man, de gepensioneerde majoor-generaal Rex Blaine, keek de anderen aan. Onverwacht verscheen er een zelfgenoegzaam lachje om zijn harde mond toen hij de onuitgesproken angsten van de anderen moest hebben geraden. 'Wat kan het anders zijn geweest?'

Ja, dacht Allison met een onheilspellend voorgevoel, *inderdaad, wat anders?*

De vraag van generaal Blaine droeg niet veel bij om het pijnlijke ogenblik te overbruggen. Het kolenvuur knetterde, het lamsvlees siste en verspreidde een aroma dat Allison misselijkmakend vond. Haar eetlust was compleet verdwenen.

'Die gifslangen zijn heel dodelijk,' stemde professor Blackstone met hem in. 'Dat weten we allemaal. Het slachtoffer sterft binnen een paar minuten. Hij moet gebeten zijn toen hij naar zijn pakpaard ging om zijn tas te halen.'

Sterft binnen een paar minuten...

'Een paar minuten is lang genoeg om om hulp te roepen,' had Allison gezegd. Ze had naar de anderen gekeken hoe ze reageerden, maar de gezichten van de aanwezigen waren allemaal net zo gespannen en afwerend als dat van Leah. Leah had niet naar Allison gekeken toen ze sprak en Allison had hieruit opgemaakt dat Leah zich zorgen maakte over haar oudere broer Neal en zijn afwezigheid.

Leah was opgestaan en had tegen barones Kruger gezegd dat ze door het afschuwelijke voorval totaal geen zin meer had om mee te doen aan het avondeten, en of de barones het heel erg vond als Leah zich vroeg terugtrok in haar hut. Daar zou ze wachten op Neal. 'Ik ben er vrij zeker van dat hij er morgenochtend wel is,' had ze gezegd met een poging tot optimisme.

Allison was ook vroeg en zonder eten naar bed gegaan en had er lang over gedaan voordat ze slaperig werd. Maar nu was ze weer klaarwakker en omdat ze weinig hoop had dat ze weer in slaap zou vallen, concentreerde ze zich op het geluid dat haar gewekt had. Het geluid dat ze ten onrechte voor een woestijnrat of de wind had gehouden, maakte haar niet minder gespannen.

Allisons gedachten stuitten op neef Neal die niet aangekomen was. Zat hij nog bij de archeologische opgravingen in Jerablus, bij de rivier de Eufraat? Het was Allison niet ontgaan dat Leah tegenover de anderen had geveinsd dat ze zich geen zorgen maakte over Neal. Allison had gehoopt

Leah alleen te spreken voordat ze ging slapen, maar haar nicht had haar ontweken.

'Misschien heeft hij besloten een dagje langer te wachten en mee te komen met T.E. Lawrence en Woolly van het British Museum,' had Leah gezegd met een zwaai van haar mooie, glanzende haar. 'Jullie weten hoe die archeologen zijn, altijd zo dramatisch opgewonden over een of andere nieuwe vondst van Hittitisch aardewerk.'

'Ja,' zei generaal Rex Blaine lijzig met een kwaadaardige vonk in zijn ogen, 'als de Duitsers die aan die spoorweg werken hun vondsten tenminste niet voor hun leergierige neuzen wegkapen.' Zijn terloopse vermelding van de arbeiders aan de spoorweg Berlijn–Bagdad had de hele groep een ongemakkelijk gevoel gegeven, vooral barones Helga Kruger die de Duitse inkoper was voor het Berlijns Museum. Hoewel de barones degene was geweest die het archeologische uitstapje georganiseerd had, was Allison zich er ook van bewust dat de lieveling van de sociale gemeenschap in Arabië inkocht voor keizer Wilhelm.

Het geluid dat haar een paar minuten geleden had gewekt moest de wind zijn geweest, besloot Allison. Die waaide geurig en fluisterend van de warme, mysterieuze geheimen van de woestijn: de schaduw van een bedoeïenentent; een oase met dadelpalmen; en de onmetelijke, lege stilte van Arabië die zich uitstrekte tot ver achter de witte duinen. Dit en de purperzwarte hemel waar dezelfde intens witte sterren brandden waarnaar God Abraham had bevolen op te kijken toen Hij hem vele nakomelingen had beloofd.

Ze verstrakte. Het geluid klonk weer en nu was het duidelijker te horen. Ze zou het niet gehoord hebben als haar raam niet open had gestaan. *Het was de wind niet,* dacht ze, *want de wind maakt geen steelse voetstappen.*

Op haar zachte slippers kon ze stil door de kamer lopen om zonder aandacht te trekken uit het raam te gluren. De houten hutten waren allemaal hetzelfde, elk bestond uit een kleine kamer met een voor- en een achterdeur. Barones Kruger had timmerwerk laten doen en elke hut beschikte nu over een eigen primitieve badkamer met een rond tinnen bad en een achterveranda met een waslijn waar je kleren te drogen kon hangen in de hitte en de wind van de woestijn.

Allison had pas een paar stappen gezet toen ze luisterend stil bleef staan. Ze hield haar adem in en spitste haar oren. Daar had je het weer. Het klikkende geluid van metaal alsof iemand probeerde een slot open te draaien. Háár deur? En dan te denken dat dit uitgerekend gebeurde terwijl ze in bed aan de recente dood van majoor Reuter lag te denken.

Als verpleegster had Allison vaak de dood gezien in Caïro. Maar nu huiverde zelfs zij, als ze bedacht dat in de hut naast de hare een stille bewoner op bed lag te wachten tot de officier van de inlichtingendienst aankwam uit Bagdad.

Een vlaag warme wind deed de jaloezieën ratelen en de houten planken kraken. Opeens begreep ze het, dat dacht ze althans. Haar adem stokte toen ze besefte dat helemaal niemand probeerde haar kamer binnen te komen; hij probeerde de hut in te gaan waar het lichaam van majoor Reuter lag.

Eén ogenblik leek het Allison dat haar hart stilstond. Het volgende moment stond ze voor het kleine raam dat uitkeek op de hut van de majoor. De katoenen gordijnen fladderden en ze gluurde over het kleine stukje woestijn. Het maanlicht viel nog niet op dit deel van het kamp en de drie of vier treden die naar de kleine achterveranda leidden, lagen in de schaduw. Toch kon ze iemand bij de deur zien staan die aan het slot morrelde. Eén griezelig moment draaide de persoon zijn hoofd om in de richting van haar raam, en tot haar schrik herkende ze Leah.

Stap voor stap liep Allison achteruit. Ze had het gevoel dat haar hart even duidelijk te horen was als tromgeroffel. Leah Bristow, haar nichtje. Wat bezielde haar?

Nu ze erover nadacht, wat wist ze eigenlijk precies van haar nicht? Allison aarzelde; toen slaagde ze er met trillende vingers in de grendel van haar achterdeur zacht open te schuiven zodat het geen geluid maakte. Ze stapte naar buiten op de kleine achterveranda en deed de deur van haar hut dicht.

Even bleef ze aarzelend door de duisternis naar de andere hut staan kijken. Op het zanderige reepje woestijn dat in de lengte tussen haar bungalow en die van de Duitse majoor liep, groeide geen struikgewas en het was leeg, afgezien van de onzichtbare insecten die rondkropen in de koele nacht. Ze stelde zich de grote pluizige spinnen voor die windspinnen genoemd werden omdat ze zo hard konden rennen; hagedissen; en dodelijke schorpioenen. Was het een steek van een schorpioen geweest of de beet van een gifslang die majoor Reuter zo plotseling het leven had benomen?

Ze rilde. Leah was niet meer op de veranda. Misschien was ze teruggegaan naar haar eigen hut. Toen werd de kamer verlicht door een geeloranje flikkering, alsof iemand een lucifer afstreek.

Allison daalde het houten trapje af, haar peignoir stevig in haar handen geklemd. Aan weerskanten van haar werd de rij identieke hutten helder verlicht door de maan, en het zand en de rotsen glinsterden grijswit. De schaduwen van de woestijnpalmen die het kamp omsloten, zwaaiden als inktvlekken griezelig over het zand. Verderop, achter de bomen, helde de grond schuin af naar een droge waterbedding. Daarachter kwam de grond weer omhoog om zich uit te strekken naar de heuvels van de Arabische woestijn en de spookachtige zwarte lucht.

De wind was het laatste uur opgestoken en het zand was in kleine gladde bergjes op de trapjes geblazen en lag opgehoopt tegen de hutten als miniduinen. Het zand bedekte alles, het vormde een korrelig tapijt dat knerpte onder Allisons slippers. Dat geluid, hoewel het nauwelijks hoorbaar was, leek Allison haar komst luidruchtig aan te kondigen in de hete stilte van dat onrustige uur terwijl alle anderen lagen te slapen – of hoorden te slapen.

Met het zenuwachtige gevoel dat ze werd gadegeslagen, keek ze achterom naar de andere hutten. De ramen waren als lege zwarte oogkassen die haar aanstaarden.

Ze beklom het trapje naar de veranda van de hut van majoor Reuter en vond de deur op een kier staan. Dus Leah was binnen...

Zacht sloop Allison naar binnen en hoorde een wankelende voetstap uit de kamer waar het lichaam van de majoor uitgestrekt op het bed lag. Alsof Allisons aanwezigheid hem verstoorde, bracht de wind de spanten aan het kraken, waardoor haar hart weer op hol sloeg.

'Ik ben het, Allison,' fluisterde ze.

Stilte. Dan een snelle beweging. Het kleine vlammetje ging uit. In afwachting van Leahs antwoord hoorde Allison alleen de wind die zandkorrels tegen de zijkant van de hut blies. Ze begon bang te worden. Het *was* Leah toch, of niet?

In het ogenblik van onzekere stilte die Allison van haar stuk bracht, kreeg ze bedenkingen. Misschien was het blonde haar dat ze gezien had, van iemand anders dan haar nichtje – iemand anders dan Leah – maar zij was de enige blondine van het archeologiegenootschap...

Nee, dacht Allison, *er was iemand anders, iemand die ik nog nooit eerder had gezien.* Ze had gedacht dat het een nieuweling was.

Een lichte voetstap kwam van achter Allison, niet van waar ze had gedacht dat Leah was. Door angst besprongen probeerde Allison zich met een ruk om te draaien precies op het moment dat een sterke hand zich over haar mond sloot, gevolgd door de koude loop van een pistool die in haar nek werd gedrukt. Verstijfd van schrik hoorde ze de norse fluistering in haar haren. 'Geen geluid.'

Een woordloos gebed kwam op in haar hart. Een ondefinieerbaar geluid kwam uit de duisternis aan de andere kant van de kamer, zo zwak dat ze het nauwelijks hoorde boven het bonzen van haar hart uit. Haar hand streek langs de gladde band van een boek dat op een tafel lag. Toen ze een geschrokken beweging maakte, viel het op de grond met een harde bons die de gespannen stilte verbrak. Op dat onzekere ogenblik vloog opeens de voordeur open en ze hoorde voetstappen van iemand die vluchtte. Haar aanvaller maakte een gefrustreerd geluid. Hij smeet Allison opzij en baande zich met geweld een weg tussen de meubelstukken die op zijn pad lagen.

Allison viel tegen een tafeltje met gammele pootjes, en één precair moment wilde ze zich er wanhopig aan vast klemmen terwijl ze viel en met haar hoofd tegen iets hards sloeg. Even bleef ze in de smoorhete duisternis op de grond liggen. Toen ze ten slotte rechtop ging zitten, voelde ze zich duizelig en wankel. Haar hoofd deed pijn, met trillende vingers tastte ze naar haar slapen. Ze probeerde zich de indeling van de kamer te binnen te brengen, want ze waren identiek.

Langzaam nam haar duizeligheid af en in het maanlicht kon ze de kamer onderscheiden. Ze stond op en werd zich bewust van iets anders: de kamer was doorzocht. Het meubilair stond kriskras door elkaar. Dat kon alleen maar gedaan zijn voordat Leah arriveerde, want ze had geen tijd gehad om het zelf te doen.

Dan had ik haar gehoord. Ik kwam nog geen vijf minuten na haar binnen.

Ook was het niet waarschijnlijk dat de indringer het had gedaan die achter Allison was opgedoken, want die moest maar een paar seconden later zijn binnengekomen dan zij.

De droge palmtakken van de boom voor het badkamerraam ratelden. Allison slikte. Zweet droop langs haar lichaam. *God*, bad ze in stilte. *Misschien is er nog wel iemand anders binnen.*

Op dat moment hoorde ze de badkamerdeur opengaan. Koude paniek greep haar aan met ijzige vingers toen ze de vloerplanken hoorde kraken. Allison deinsde achteruit en gilde zo hard als ze kon, haar benen botsten tegen een omgevallen stoel. Ze viel. De indringer streek langs haar heen toen hij naar de achterdeur bewoog, naar buiten op de veranda en het trapje af de nacht in.

Ze was alleen. Ze hoorde de deur die in de wind heen en weer kraakte in zijn niet geoliede scharnieren, toen kwam iemand binnen door de voordeur en tastte naar het knopje van het elektrische licht.

Allison schermde haar ogen af voor het harde gele licht van de kale gloeilamp aan het lage plafond. De kamer, net als die van haar spaarzaam gemeubileerd en onflatteus functioneel, kwam langzaam tot leven. Op het bed in de hoek lag het lichaam van majoor Reuter, bedekt met een deken. En in de deuropening stond een ruige en donkere, knappe Duitse officier.

Allison knipperde met haar ogen en staarde hem bleekjes en geschokt aan.

2

De inhoud van een beschadigde ladekast was op de vloer gesmeten. Papieren uit een tas lagen ook door elkaar gegooid, en kleren waren over een stoel gegooid. Allisons aandacht werd getrokken door een stapel felgroene, luxueuze handdoeken en washandjes met een ongeopend stuk geparfumeerde zeep – duidelijk de hand van barones Kruger – die onaangeroerd op een krukje lagen naast een open, lege kast.

De kale houten vloer met spleten tussen de planken was bezaaid met de onvermijdelijke zandkorrels en iets anders dat wegkroop tussen de planken – een grote, harige spin.

Allison rilde, want ze kon er nooit aan wennen, maar toen besefte ze dat die spin wel de kleinste van haar zorgen was. Ze kneep haar ogen halfdicht tegen het felle licht en liet haar blik langzaam omhoog gaan van de planken naar de Duitse officier in de deuropening.

Allison nam het intimiderende uniform in zich op met het koude IJzeren Kruis, het koper, de zwart met rode band om de kraag, de platte pet diep omlaag getrokken en de gepoetste zwarte laarzen waar de broek was ingestopt zodat de pijpen bloesden tot de knie. De Duitser droeg een sabel en een donkerbruine leren schouderholster, maar de revolver was getrokken en recht op Allison gericht.

Ze werd bekropen door een ziekmakende wanhoop. De uitzonderlijk knappe man in het uniform was versmolten met alle meedogenloosheid waar het voor stond, maar hij was meer dan een gewone soldaat die blind orders uitvoerde; hij droeg het uniform van een kolonel van de gevreesde geheime politie.

Haar blik gleed van de glanzende loop van de revolver

naar de opwindendste nachtblauwe ogen die ze ooit had gezien. Zijn haar was heel donker en hij had een klein litteken op zijn kin dat alleen maar bijdroeg aan zijn harde knappe uiterlijk.

Met een diepe, ruwe fluisterstem die haar een nieuwe paniekaanval bezorgde, stelde hij op eisende toon een vraag in het Duits. Ze had er geen idee van wat hij had gezegd en probeerde ernaar te raden.

'Ik – ik spreek geen Duits. Ik ben zuster Allison Wescott uit Caïro. Ik – eh, dacht dat ik een inbreker zag en kwam kijken wie het was, en – en toen kwam u door de achterdeur binnen…'

Er viel een korte stilte terwijl zijn waakzame blik over haar heen gleed. Ze schrok toen hij een weloverwogen, droog Engels begon te spreken. Afgebeten zei hij: 'U komt een inbreker aan de kaak stellen zonder wapen, in nachtkleding?' Hij leunde met zijn schouder tegen de deurpost, het wapen nog in zijn hand. 'U bent erg dapper, *Fräulein*. Misschien te nieuwsgierig en te dapper. U neemt me niet kwalijk dat ik u niet geloof?'

Ze bloosde en haar blik dwaalde af, om afwezig tot rust te komen op het boek dat ze van de tafel had gestoten. Elke andere man, vooral een Britse officier, zou onmiddellijk op haar toe komen om haar overeind te helpen, om te vragen of ze zich bezeerd had, om zich te verontschuldigen voor het feit dat hij haar tegen de tafel had gegooid. De Duitse kolonel maakte een kort, bruusk gebaar met zijn revolver.

'Sta op, *Fräulein*.'

Allison slaagde erin dat te doen met meer waardigheid dan ze dacht bij elkaar te kunnen rapen. Zijn onverhulde arrogantie bracht de wens boven hem te trotseren. Ze wilde niet ineenkrimpen of in zwijm vallen. In plaats daarvan keek ze hem recht in zijn doordringende ogen.

'Uw nationaliteit,' eiste hij.

'Dat heb ik u al verteld.'

'Geef antwoord!'

Ze kon er niets aan doen; haar wenkbrauwen gingen omhoog. 'Engelse,' beet ze hem toe. 'Wat had u anders verwacht?'

Het was waarschijnlijk gevaarlijk om zijn woede op te wekken, maar de hatelijkheid was haar ontglipt. Ze verwachtte dat hij zou opzwellen in al zijn waardigheid en zou dreigen te schieten; in plaats daarvan werd ze onverhoeds getroffen door de schaduw van een cynisch lachje om zijn mond.

'*God save the king.*' Met een scherp knikje van zijn hoofd gaf hij een spottend eerbetoon aan koning Edward. 'Mag ik zeggen, *Fräulein,* dat uw koning er zeer wijs aan doet onschuldige types op zijn spionagewerk uit te sturen? Wie verwacht een charmante dame met een grote bos vlammende krullen?' Zijn donkere wenkbrauwen gingen omhoog toen zijn blik over haar half ontklede staat gleed. 'Sluipt u altijd rond in een zijden pyjama? Ik had vanavond wel een gat in uw hart kunnen schieten. Een vreselijke verspilling – trouwens, één sterfgeval is genoeg voor een avond, vindt u niet?' Hij knikte in de richting van het verstijvende lichaam.

Ze voelde dat de vlammen haar uitsloegen en trok haar peignoir dichter om zich heen. Het arrogante beest. 'Ik ben geen spion voor Engeland, kolonel. Maar één sterfgeval is inderdaad genoeg, ja. Het doet me genoegen dat u als Duitse soldaat het leven ziet als een waardevol goed. Dat is meer dan waar uw keizer ons mee vereert.'

Hij keek haar een ogenblik bijna nieuwsgierig aan, maar ging er niet op in. 'Ga zitten. Alstublieft.'

Ze deed het omdat haar knieën zwak waren en het dwaas zou zijn hem verder te prikkelen. Hij keek de doorzochte kamer rond. Onwillig gleed haar blik langs de mannelijke lijn van zijn kin en kaak, strak van ingehouden woede. Ondanks de verstikkende hitte, voelde ze een rilling.

Hij deed de deur dicht en schoof de grendel ervoor. Hij controleerde de twee kleine ramen, trok ze dicht en zette ze vast, trok de gordijnen dicht. Meteen werd het nog heter in de kamer. Ze voelde het zweet op haar voorhoofd staan en maakte een voorzichtige beweging om een lange lok haar weg te strijken die aan haar keel geplakt zat, bang dat hij zou denken dat ze naar een wapen greep.

Ze bleef naar hem kijken, zich bewust van zijn gespierde gestalte die vrouwelijke belangstelling in haar wekte voor de man die een uniform droeg dat ze normaal gesproken akelig zou vinden. Hij liep door de kamer naar de badkamerdeur, duwde hem langzaam open en knipte het licht aan. Zijn kobaltblauwe ogen keerden naar haar terug en ze dacht dat ze enigszins verzachtten. 'Wacht hier. En wees niet zo dwaas om te proberen te vluchten. U komt niet ver.'

'Ik heb geen reden om te vluchten,' zei ze met voorgewende zelfverzekerdheid terwijl hij de achterdeur op slot deed die ze op een kier had laten staan. Allison zat stijfjes te luisteren terwijl hij de badkamer doorzocht op een manier die niets onaangeroerd liet.

Ze hoorde hem door laden rommelen en haastig dingen in het rond gooien. Wat zocht hij? Had Leah het al gevonden? Als dat zo was, kon Allison haar nu niet verraden. Allison zou de volle laag krijgen van de beschuldigingen van de officier tot ze haar nicht alleen kon spreken om te ontdekken wat er allemaal aan de hand was. Wat de kolonel verwachtte te vinden tussen de spullen van majoor Reuter moest iets te maken hebben met de Duitse inlichtingendienst.

Zacht stond ze op uit de stoel en sloop naar de deuropening van de slaapkamer. De kolonel had het tapijtje opgetild om de houten vloerplanken te onderzoeken. Toen hij niet vond wat hij zocht, legde hij het kleed weer neer, stond op en keek om zich heen. Zijn blik viel op haar in de deuropening en zijn ogen vernauwden onder zijn roetzwarte wimpers.

'Als u zich afvraagt waarom ik hem niet achterna ben gegaan, dat is omdat hij weinig tijd heeft gehad om te vinden waar hij voor kwam – tenzij hij precies wist waar hij moest zoeken. Dat is een mogelijkheid die ik niet uitsluit, *Fräulein*. Maar ik hoef me nu over hem niet druk te maken. Ik krijg van u wel te horen wie hij is en waar hij heen is gegaan. En als het hem niet gelukt is, kan wat hij zocht nog hier zijn. Dus nu gaat u rustig zitten en u bent stil terwijl ik zoek.'

Ze besefte dat hij dacht dat Leah een man was. Allison bedacht dat ze iets kon zeggen over de derde indringer, degene die vóór Leah was aangekomen. Maar ze zag ervan af. Ze had geen reden deze Duitse officier van de inlichtingendienst uit Bagdad te vertrouwen.

Hij liep recht op de lege tas af. Ze verwachtte dat hij eerst de verspreid liggende papieren zou doorzoeken, maar hij haalde behendig de buitenste bekleding van de tas los en na een kort onderzoek gooide hij hem opzij. Ze keek toe hoe hij snel de papieren doorkeek.

Ze zag aan zijn gespannen gezichtsuitdrukking dat hij niet gevonden had wat hij wilde. Hij onderzocht het bureau en keek onder de matras, liet niets onberoerd.

Allison bleef stil zitten toekijken terwijl hij zocht op elke denkbare plaats. Ze draaide haar hoofd om toen hij het dode lichaam onderzocht, de kleren en de laarzen. Kennelijk tevredengesteld liep hij met koele, afgemeten Duitse passen naar het bureau van de majoor en begon weer dingen door elkaar te gooien alsof hij vreselijk haast had.

Toen het grondige onderzoek was voltooid, stond hij stil en keek haar achterdochtig aan. Ze zette zich schrap voor een gruwelijk verhoor nu hij het voorwerp dat hij zocht niet gevonden had. Ze streek haar haren naar achteren en ging rechter zitten.

Ze verwachtte dat hij woedend zou uitbarsten, maar hij was rustig en kalm en scheen te aanvaarden dat het hem niet gelukt was te vinden wat hij zocht. Ze werd nieuwsgierig toen hij bedachtzaam met zijn schouder tegen de muur leunde en kennelijk in zichzelf beraadslaagde over wat hem dwarszat. Hij leek haar helemaal te zijn vergeten.

Het was smoorheet en ze keek verlangend naar het raam naast haar.

'Niet opendoen,' zei hij, als bewijs dat hij haar helemaal niet vergeten was.

Hij bekeek haar lui terwijl hij zijn Duitse uniformjasje uittrok en het over de rugleuning gooide. Hij maakte zijn overhemd los bij de hals terwijl hij haar goedkeurend opnam. Ze wendde haar blik af en wuifde zich koelte toe met een vel papier van de tafel. Hij liep langzaam op haar af en trok het met een halve glimlach uit haar hand en hield het tegen het licht.

Allison bestudeerde zijn gezicht terwijl hij zich naar het licht boog, en was woedend op zichzelf dat ze zijn veel te aantrekkelijke uiterlijk zelfs maar opmerkte. Het papier was kennelijk niet van belang, want hij liet het naar de grond dwarrelen. Hij keek op haar neer met een spoor van een glimlach.

'Wat doet u hier?'

'Ik ben hier op vakantie uit Caïro. Ik ben met vrienden gekomen.'

'Wat heerlijk. Een verrukkelijk vakantieplekje, *Fräulein*,' merkte hij droog op.

Ze negeerde hem. 'Ik ben hier als lid van het Archeologisch Genootschap uit Caïro. Ik denk dat u dat al weet.'

'Wat zijn uw naam en beroep?'

'Dat weet u ook al, dacht ik.'

Met één hand op een heup keek hij haar onderzoekend aan. 'De vragen. Geef antwoord,' verklaarde hij op zachte toon.

Ze haalde diep adem en wendde haar blik af. 'Zuster Allison Wescott. Mijn vader is gouverneur-generaal, dus kijkt u maar uit. Eén overtreding met mij en uw regering hoort ervan. Dan komt u voor de krijgsraad.'

Hij lachte. De warme, blauwzwarte ogen flikkerden en namen haar op. 'Als ik u nou eens vertelde dat ik een geldige reden heb om u te beschouwen als een Turkse spion?'

Ze snakte naar adem. 'Absurd! Als ik een spion was in Aleppo, kolonel, zou ik het er nu dan niet beter van af brengen?'

Zijn ogen twinkelden. 'O ja, zuster Wescott? Misschien is het uw taak mijn waakzaamheid weg te nemen.'

'U weet mijn naam en beroep al. Dus waarom wilt u nog –'

Geamuseerd trok hij een wenkbrauw op. 'Denkt u dat het onredelijk is dat ik geloof dat u een spion bent uit Constantinopel?'

'Jazeker! Ik ben een volbloed Engelse en daar ben ik trots op.'

Hij keek haar onderzoekend aan. 'Dat kan voor sommigen misschien interessant zijn. Maar ik heb gehoord dat het Engelse vrouwen ontbreekt aan de warmte van Duitse vrouwen. Ik ben benieuwd of dit waar zou kunnen zijn?'

Ze staarde recht voor zich uit. 'Ik kan niet instaan voor wat u heeft gehoord, maar ik vind het prima als u dat denkt, kolonel.'

Zijn glimlach was ontwapenend. 'Jammer. U kunt de ernst van de beschuldiging maar beter begrijpen. Ik kan u als gevangene mee terugnemen naar Constantinopel, tenzij u met de waarheid op de proppen komt.'

Stomverbaasd keek ze hem aan en zag een glans van blauw vuur in zijn vernauwende blik. Hij liep naar haar toe, zijn donkere hoofd arrogant omhoog. Hij stond stil met zijn handen op zijn heupen en bestudeerde haar gezicht. Voor het eerst in haar leven had Allison een man willen slaan. Ze durfde niet, niet deze Duitse officier. Ze twijfelde er niet aan dat hij zijn dreigement kon uitvoeren en haar het leven uiterst zuur kon maken totdat haar vader haar via de regering kon laten bevrijden.

Opeens voelde ze zich zwak en ze boog haar hoofd.

Hij stond even met een lichte frons op haar neer te kijken en zei vriendelijk: 'Beheers u, *Fräulein*. Wat doet u hier, waarom neemt u zo'n enorm risico?'

'Dat heb ik u verteld. Ik hoorde een geluid.'

Hij sloeg zijn armen over elkaar en keek naar majoor Reuter. 'Heeft u hem gekend?' informeerde hij.

Haar mond was droog en ze slikte een paar keer. 'Nee. Ik kwam hier niet om uit liefdesverdriet te treuren om de dode, als u dat soms denkt.'

'Ik verzeker u dat dat niet bij me is opgekomen. Hoe is hij gestorven?'

'Ik – ik weet het niet.'

Ze stelde voor zichzelf vast dat deze kolonel een uiterst onaangename man was die droop van arrogantie.

Hij begon te ijsberen. 'Wie heeft majoor Reuter verzorgd toen hij binnengebracht werd van de plaats waar de paarden en de muilezels stonden?'

'Ik geloof dat het de Turkse official was. Er is een plaatselijke dokter bij geroepen, maar de majoor was niet meer te helpen. Hij was al dood.'

'Weet u dat zeker, *Fräulein*?'

'Jazeker –' Ze zweeg. Ze wist het niet zeker, maar waarom zou ze hem dat vertellen?

'U weet het niet zeker,' zei hij wrang.

Ze hief haar kin. 'Nee.'

'Heeft u dan de oorzaak van zijn dood gecontroleerd?'

'Als u bedoelt of ik hem op enig ogenblik verzorgd heb, kolonel, nee, dat heb ik niet gedaan. Ik hoorde pas tegen etenstijd van het geval. Later, toen we eenmaal wisten was er gebeurd was, besloot een aantal vrouwen van onze club, waaronder ikzelf, dat onze eetlust was verdwenen en we zijn vroeg naar bed gegaan.'

Hij bekeek haar met scherpe belangstelling, om zijn mond een glimp van een lachje. 'Een Britse spionne met groene ogen en kastanjebruin haar misschien...?'

Ze bloosde. 'Ik ben verpleegster, kolonel, zoals ik u al heb verteld.'

'Dat heeft u gedaan, *Fräulein*. Heeft u geen geruchten gehoord? Hoe hij zo onverwacht heeft kunnen sterven?'

Allison verschoof onrustig in haar stoel. 'Er is gesproken over een slangenbeet,' gaf ze toe.

'Als u verpleegster bent, moet u het me kunnen vertellen.'

Ze staarde hem aan en in dat ogenblik van ongemakkelijke stilte was alleen de wind te horen. Allison bewoog niet en ze voelde het zweet op haar bovenlip staan. Ze keek door de kamer naar het bed in de schaduw.

'Een verpleegster die bang is voor een dood lichaam?' vroeg hij zacht. 'Nogal vreemd, maar interessant.'

'Dat is het niet.'

'Wat is het dan?'

Ze keek hem half beschuldigend aan. 'Kunt u het niet navragen bij de Turkse official? Hij heeft vast de medische papieren wel. Hij logeert in het huis van een Duitse vriendin van u – barones Kruger. Met nog meer mensen uit Aleppo, waaronder,' voegde ze er veelbetekenend aan toe, 'de Britse consul en zijn vrouw.'

Zijn mondhoeken gingen naar beneden. 'U staat me toe dat ik de Turkse honden niet vertrouw?'

'Maar mij vertrouwt u wel?' vroeg ze met gespeelde verbazing.

'Ik verzoek alleen om uw mening in de zaak. Misschien weet ik het al en neem ik de proef op de som of u wel verpleegster bent. Nu gaat u kijken naar majoor Reuter. U geeft me uw professionele diagnose, zuster Wescott – tenzij u me als gevangene terug naar Bagdad wilt vergezellen.' Hij glimlachte plezierig.

Ze stond op en beantwoordde koel zijn blik. 'Ik heb licht nodig. Maar zelfs als ik naar hem kijk, kan ik u weinig informatie geven.'

'Niettemin doet u wat ik vraag. U weet dat er giftandafdrukken zouden moeten zijn. Omdat hij volledig in uniform gekleed was en zijn laarzen aan had, hoeft u niet onder zijn knieën te kijken.' Hij wenkte met zijn hoofd. 'Kom, we gaan een kijkje nemen. U bent toch niet teergevoelig?'

Ze bleef stijfjes staan. 'Ik heb u al gezegd, kolonel, dat ik verpleegster ben.'

'Vlug dan.'

Ze liep voor hem uit en stond stil. 'Er is niet genoeg licht.'

Zijn ogen vernauwden. Hij stak een lantaarn aan en bracht hem naar het bed, haar voortdurend in de gaten houdend. Allison werkte met een neutraal gezicht mee en voelde slechts één keer de onprofessionele aandrang om te kokhalzen, zeker wetend dat die reactie werd versterkt door de doordringende blik van de kolonel.

'Er zijn sporen van giftanden,' zei ze diep en hees fluisterend.

'Waar?'

'Hier, op zijn linkerpols. Er zit een donkerpaars gebied omheen.'

Hij boog zich eroverheen en bekeek de sporen zorgvuldig onderzoekend alsof hij zichzelf wilde overtuigen, toen sloeg hij de deken weer over het lichaam. Met zijn armen over elkaar geslagen bleef hij speculatief zwijgend staan.

Allison liep weg, verlangend naar een hap frisse lucht. 'U ziet dus, kolonel, dat hij niet vermoord is zoals u zei. Misschien bukte hij om iets op te rapen uit het zand bij de rotsen en heeft de gifslang in een flits toegeslagen,' tartte ze hem, in de hoop hem te overrompelen.

'Die redenering snijdt geen hout, *Fräulein*. Waarom heeft hij dan nadat hij was gebeten zijn revolver niet getrokken om de gifslang te doden, wat ook de anderen gealarmeerd had op zijn toestand? Ook heeft hij zijn mes niet gebruikt om het gif uit te laten bloeden. U wilt dus zeggen dat hij gewoon maar is gaan zitten wachten tot hij stierf?'

Dat was precies wat zijzelf had gedacht toen Sarah Blaine het te berde had gebracht. Ze keerde hem de rug toe. 'Hij was in shock,' wierp ze tegen. 'Dat overkomt sommige mensen na een slangenbeet. Ze hebben geen tijd om te reageren. Dat moet bij majoor Reuter ook zo zijn geweest.'

'U zult me toestaan die argumenten af te wijzen. Ik kende Karl —' Hij zweeg abrupt. Behoedzaam draaide ze haar hoofd naar hem om, ze verwonderde zich niet over wat hij had gezegd, maar over het feit dat hij het niet graag toegaf. Natuurlijk kende hij de majoor, ze waren beiden uit Bagdad gekomen.

Hij negeerde haar alerte blik en zei vlot: 'Als ik er tijd voor of zin in had, zou ik zijn laars kunnen uittrekken om u nog een litteken te laten zien — een slangenbeet die hijzelf heeft behandeld en overleefd. Waarom heeft hij nu niet hetzelfde gedaan?'

'Ik weet het niet. Maar het is tijdverspilling om mij te ondervragen. Ik heb niks te maken met dit ongelukkige voorval.'

Ze wankelde en greep zich vast aan de rand van een tafel. Ze schrok toen ze zijn hand op haar arm voelde. Vlug keek ze hem aan en de zorgzaamheid in zijn ogen verwarde haar.

'U kunt beter gaan zitten.'

'Liever niet, kolonel,' zei ze stijfjes. 'Laten we alstublieft opschieten.'

Hij haalde een leren portefeuille uit de binnenzak van zijn jasje en klapte hem open. Ze ving een glimp op van zijn foto en weinig anders voordat hij hem weer dichtklapte en op zijn plaats stopte. 'Ik ben kolonel Brent Holman, kortgeleden vanuit Berlijn in Bagdad aangekomen. Mijn belangrijkste orders zijn uitgesteld omdat ik de dood van majoor Reuter onderzoek.'

'Ik zie niet in dat er iets te onderzoeken valt,' probeerde ze vriendelijk.

'O nee? Dus uw geheimzinnige gifslang heeft ook besloten de hut te doorzoeken?'

Dat negeerde ze en ze haalde haar schouders op. 'Misschien een bedoeïen, op zoek naar sieraden.'

'Wie het ook was die hier de boel overhoop gehaald heeft, zocht meer dan sieraden en waarschijnlijk weet u wat ze wilden,' suggereerde hij zuur.

'Nee, dat weet ik niet. Ik ben gisteren pas aangekomen.'

'In welk ziekenhuis in Caïro bent u verpleegster?'

'Niet in een ziekenhuis. Op een schip. De Mercy. We reizen over de Witte Nijl van Alexandrië tot de Soedan.'

Bewust van zijn blik, wendde ze haar zeegroene ogen af.

'De Mercy,' herhaalde hij zonder uitdrukking in zijn stem.

'Het is privé-bezit, kolonel Holman. Het is van mijn tante. Zij is ook verpleegster en ze heeft dertig jaar lang op de Nijl gediend.'

'Dus... in plaats van een spionne met groene ogen en kastanjebruin haar heb ik een zorgende engel gevangen, is dat het? En u kwam met het archeologisch genootschap op vakantie naar Aleppo?'

Ze hief haar hoofd op, voelde de hitte op haar wangen. 'Ja, dat klopt. Met vrienden van mijn ouders.'

'Ook leden van het genootschap?'

'Ja. Gepensioneerd generaal Rex Blaine en zijn vrouw Sarah. Ze vertrekken binnenkort om in Kaapstad te gaan wonen.'

'In plaats van Engeland? Vreemd.'

'Niet vreemd. Hij heeft hier een ranch gekocht. Hij is het soldatenleven beu. Maar u kunt het hun zelf vragen, kolonel.'

'Wie was hier in de kamer die u tegen het lijf liep voordat hij ontsnapte? Of kwam u om de indringer zelf tegen te houden?'

Allison zonk in de stoel en greep met haar bezwete handen de armleuningen stevig vast. 'Ik hoorde iets waarvan ik wakker werd. Mijn hut is hiernaast en mijn raam stond open. Ik wist dat dit de kamer van majoor Reuter was en dat hij door de Turkse official was afgesloten tot u arriveerde uit Bagdad –'

Ze zweeg. *Hoe is hij hier zo snel gekomen?*

Bij haar plotselinge waakzaamheid vernauwden zijn ogen tot spleetjes. 'Zo! Dus u maakte van mijn afwezigheid gebruik om in te breken!'

Hij probeerde haar af te leiden! Allison bleef kalm. 'Ik heb geen reden om in te breken.'

'Ik trof u hier aan.'

'De deur was al van het slot. Ik heb u al verteld dat ik vanuit mijn raam iemand zag inbreken.'

'Zag u wie het was?' vroeg hij te kalm.

Ze ontweek zijn ogen en wuifde zich koelte toe. 'Ik heb het gezicht van de indringer niet gezien.'

'Dat vroeg ik niet, *Fräulein*. Herkende u hem?'

'Waarom blijft u me toch zo ondervragen? Waarom gaat u niet op zoek naar de indringers die hier eerder waren dan ik? Voordat een van ons tweeën aankwam?'

'Indringers? Meer dan één?'

Ze aarzelde, vroeg zich af of ze hem moest vertellen van haar ervaring in de hut nadat hij Leah achterna gezeten had – als het Leah was geweest. Ze wist het niet goed.

Ze haalde diep adem. 'Ik weet het niet. Zoals ik al zei, kolonel, ik hoorde een geluid en daar werd ik wakker van. Dat neem ik tenminste aan, want wat kan het anders zijn geweest? Ik stond op en keek uit mijn raam en zag –' Ze zweeg. Hij keek naar haar. Vlot vervolgde ze: 'Ik zag iemand op de achterveranda die kennelijk aan de deur stond te rommelen. En toen – toen kon ik niet zien wie het was.'

Ze slikte en staarde neutraal terug. Hoe kon ze hem vertellen dat het een vrouw was? Dan verraadde ze Leah misschien. En ze moest niets zeggen voordat ze ten minste met Leah had gepraat.

'U liegt tegen me,' verklaarde hij vlak, vriendelijk zelfs. 'Waar was u naar op zoek?'

'Op zoek?'

Zijn ogen vernauwden van ingehouden ongeduld. 'Ja. De echte reden dat u hier bent – u heeft het niet gevonden, en toch moet u hebben geweten waarnaar u zocht.'

Dus Leah is waarschijnlijk ergens naar op zoek geweest. Maar waarnaar?

'En u kwam. Een vrouw alleen. Zonder wapen.'

'Ik geef toe dat het stom was, maar –' Ze beet op haar lip toen zijn glimlach haar ontmaskerde.

'U dacht dat het veilig was omdat u de indringer herkende en nieuwsgierig genoeg was om te kijken wat hij midden in de nacht van plan was. Gelukkig kwam u in plaats daarvan mij tegen.'

Ze wendde haar blik af. 'Gelukkig?'

Zijn mondhoek krulde. 'Aha, dus de onschuldige *Fräulein* is ten slotte toch niet zo onvoorzichtig.'

'Ik weet wat mijn ogen hebben gezien, kolonel; dat de hut was doorzocht. Ik weet niets méér. Ik weet niet eens wat u wilt – of wat de indringer hier deed. Maar ik neem aan –' Ze zweeg.

Zijn wenkbrauwen gingen omhoog. 'Ja? Ik wacht ademloos. Wat neemt u aan, *Fräulein*?'

'Hetzelfde als u. Iemand – ik weet niet wie – had een goede reden om hier vanavond te komen. Wat het was waar ze naar zochten, dat kan ik u niet vertellen. Maar goed, het uitstel door dit hele verhoor geeft de echte verdachte de kans te ontsnappen.'

Maar als het inderdaad Leah was geweest die ingebroken had, dan gaf dit uitstel haar nichtje de tijd om haar verhaal voor te bereiden voor de Duitse autoriteiten. En zolang kolonel Holman Allison verdacht, kon ze Leah afschermen.

Allison wierp hem een steelse blik toe en merkte het kuiltje op in zijn kin, de mooie kaaklijn en dat van dichtbij zijn ogen lang niet zo ijzig waren als op het eerste gezicht. Haar ogen dwaalden weg toen hij haar zag kijken en haar veelbetekenend een zijdelingse blik toewierp.

'U moet eerlijk tegen me zijn. Het is voor de Engelsen net zo belangrijk als voor de Duitsers dat u meewerkt.'

Waarom dat precies van belang was voor de Engelsen zei hij niet, en ze verdacht hem ervan dat hij dat alleen suggereerde om haar te misleiden.

'Ik heb geen reden om niet mee te werken, kolonel

Holman, want Engeland en Duitsland zijn niet in oorlog, ondanks uw cynisme.'

Hij glimlachte als een boer die kiespijn heeft. 'Wie dacht u vannacht te zien inbreken?'

Ze bleef kalm en vermeed rechtstreeks oogcontact. 'Dat heb ik u al verteld. Ik weet niet wie het was. Misschien vertelt u mij ook de waarheid niet, kolonel Holman.'

Hij hief zijn hoofd met een rukje alsof hij overvallen was. Hij herstelde zich gemakkelijk. 'Het is uw plicht mij, lid van de geheime politie, alles te vertellen.'

Allison weigerde zich te laten intimideren. 'Ik weet niets, kolonel.'

'U krijgt er spijt van dat u niet hebt meegewerkt, *Fräulein*. Ik kan zorgen dat u hier in Aleppo langdurig wordt vastgehouden voor verhoor. Ik kan u laten overbrengen naar Constantinopel. Ik kan u maandenlang onder arrest laten plaatsen. En uw regering mag klagen wat ze wil, maar u, *Fräulein*, zult mogen genieten van het onplezierige en eenzame gezelschap van de ratten. Is dat wat u wilt?'

Haar ogen ontmoetten kalm de zijne en ze verborg een huivering. 'Niets wat de Duitse politie doet, kan mij verrassen, kolonel Holman.'

Even zweeg hij, keek haar aan. Hij zag er moe en grimmig uit, alsof hun gesprek hem vermoeid had. 'Ga naar uw hut,' zei hij zacht. 'Blijf daar tot morgenochtend. Anders breng ik u voor uw eigen veiligheid naar het hoofdkwartier.'

Ze geloofde dat hij het meende. Beverig stond ze op, bleek in het licht. Een kort ogenblik dacht ze iets als spijt in zijn ogen te zien voordat hij zijn blik afwendde.

'Zoals u wilt, kolonel,' zei ze, bewust dat haar stem ook spijt verraadde.

Ze was al bij de achterdeur, toen hij zei: 'Wacht.'

Ze deed het, zich angstig afvragend of hij zich bedacht had.

Toen ze zich omdraaide, liep hij op haar toe en overhandigde haar een revolver, een eigenaardig vriendelijke halve glimlach op zijn gezicht.

'Dit zal u helpen te slapen. Ik zou niet willen dat mijn kroongetuige onverwacht dezelfde dood sterft als majoor Reuter. Feit blijft dat u nog een hoop vragen te beantwoorden heeft, zuster Wescott.'

Verbijsterd keek ze neer op de revolver in hand. Wilde hij die echt aan haar geven?

Hij legde hem in haar hand. 'Goedenacht, *Fräulein*. Ik hoop u terug te zien onder minder... gespannen omstandigheden.'

Verward zweeg ze.

'Ga nu. Voordat ik van gedachten verander,' beval hij zacht.

Ze draaide zich om en snelde het trapje af en over de maanverlichte strook grond naar haar eigen hut.

3

Het moest tegen twee uur in de ochtend zijn geweest toen Allison haar donkere hut binnenkwam. De maan stond hoog boven de heuvels, en haar heldere licht, versterkt door het glinsterende woestijnzand, verleende een griezelig lichtgevend effect aan de duisternis van de kleine hut.

Even stond ze stil in de deuropening, onzeker of ze naar binnen wilde gaan en de deur achter zich dichtdoen. Er kroop een eigenaardige sensatie langs haar rug toen ze de kamer rondkeek, die zoveel leek op de kamer die ze net had verlaten.

Vreemd, dacht Allison, de zware revolver betastend, *dat kolonel Holman me deze heeft gegeven*. Als hij geloofde dat ze verdacht werd van de dood van Karl Reuter, waarom vertrouwde hij haar dan met een wapen? Hij wist toch niet zeker of ze er al een had? *Hij gedroeg zich eigenaardig*, dacht ze, *in meer dan één opzicht*.

Bekende vormen in de kamer, het bed en haar bagage die op de vloer stond, waren donker afgetekend. Een dwalende windvlaag ruiste onder de dakrand en fluisterde langs het dak, verspreidde zand en deed haar denken aan voetstappen.

Even later klonk het heimelijke knarsen van scharnieren. Het licht van de openstaande badkamerdeur schoof tegen de muur, een schaduw verduisterde het glanzende licht en een stem fluisterde: 'Allison, ik dacht dat je nooit meer terugkwam!'

Allison stortte bijna in tegen de deur. Haar zenuwen waren uitgeput, haar hand met de revolver viel slap langs haar zij. 'Leah –'

'Doe de deur dicht. Vlug! Hier zal de geheime politie me niet zoeken.'

Allison trok de deur dicht en schoof de grendel ervoor. Toen ze haar zelfbeheersing hervond, zocht ze tastend haar weg langs een stoel naar de tafel met een halfleeg doosje lucifers naast de olielamp. 'Niet aansteken! Gebruik de kaars,' zei Leah schor.

Allison stak met onzekere vingers een lucifer aan. Een klein vlammetje flakkerde op en ze hield het bij de half opgebrande, dikke kaars op het metalen bordje.

Ze kneep haar ogen tot spleetjes tegen de vlam, keek naar haar nichtje en schrok toen ze het korte, glimmende pistool zag in Leahs hand. Haar nicht was in de twintig en een aantrekkelijke, atletisch gebouwde blondine. Maar er was geen spoor van knapheid over in het gezicht dat nu naar Allison terug staarde. Er was alleen maar wanhoop in te zien. Leahs blauwe ogen waren hard als graniet en vastberaden. 'Hoe kom je aan dat wapen?' vroeg Leah. 'Heb je het meegebracht uit Caïro?'

'De Duitse kolonel uit Bagdad heeft het me gegeven. Vraag me niet waarom. Hij was net zo koud en meedogenloos als de rest van zijn soort. Maar hij scheen te denken dat ik in gevaar was.' Ze probeerde te glimlachen. 'Hij wil dat ik de komende dagen in leven blijf om verder verhoord te worden. Net zoiets als een bewaker neerzetten bij de kip met de gouden eieren.'

Leah slikte en glimlachte niet terug, ook liet ze haar pistool niet zakken. 'Wist hij wie ik was?'

'Ik geloof van niet.'

Leah aarzelde, liet het wapen zakken en schoof het in haar jaszak met een verontschuldigend: 'Sorry. Ik kan geen enkel risico nemen. Er zijn er maar weinig die ik vertrouwen kan.'

Ze liep de kamer in, trok de badkamerdeur achter zich dicht en fluisterde: 'Het was niet mijn bedoeling je daar alleen met hem achter te laten. Je moet begrijpen dat ik geen keus had. Je had me niet achterna moeten komen. Je had moeten weten –' Ze zweeg en zuchtte geïrriteerd.

'Dat je redenen had in overvloed om midden in de nacht te lopen rondsluipen? Je hebt nogal een lekkere tijd uitgezocht om voor detective te spelen! En dan nog wel in de hut van een hoge Duitse officier.'

Leah toonde geen spoor van verontschuldiging of intimidatie. Haar blauwe ogen vlamden. 'Was het maar zo schoolmeisjesachtig als jij het voorstelt. Helaas zijn die dagen voorgoed voorbij. Dit is dodelijk ernstig. Zie ik er stom genoeg uit om daarheen te gaan zonder een goede reden? O, het spijt me, Allison! Ik wil niet zo ongeduldig klinken.'

'Als je maar weet dat ik net een derdegraads verhoor heb gekregen van die Duitse kolonel.'

'Heb je niks over mij gezegd?'

'Nee, en –'

'Weet je zeker dat je niks hebt gezegd?' viel Leah haar hard fluisterend in de rede.

'Nee, dat zeg ik toch net. En is dat mijn dank, een wapen dat op me gericht wordt door een nichtje dat ik drie jaar niet heb gezien?'

Leah zuchtte. 'Ik zag de kolonel een uur geleden aankomen. Wie is hij, wat zei hij?'

'Kolonel Holman.'

'Ik heb van hem gehoord. Hij is hard en meedogenloos. Het ziet ernaar uit dat je het overleefd hebt, maar het spijt me dat je het moest doormaken.'

Dus ze wist wie kolonel Holman was. Maar dit was allemaal heel onbegrijpelijk.

'Waarom ben je me achterna gekomen?' eiste Leah.

'Allemensen, waarom zou ik niet?'

'Je had geen reden.'

'Geen reden? Om uit mijn raam te kijken en te zien dat mijn nichtje inbreekt in de hut van majoor Reuter?' vroeg ze ongelovig.

'Inbreken? Waarom denk je dat?'

'Wat moet ik anders denken?' vroeg Allison, vechtend tegen haar frustratie. Ze was meer geschokt dan ze wilde laten merken. Leah was degene die gezegend was met een persoonlijkheid die onder spanning koelbloedig bleef.

'Waarom keek je uit het raam?' vroeg Leah achterdochtig. 'Ik deed zo stil als een rondsluipende rat.'

'Ratten doen helemaal niet stil,' schimpte Allison. 'En jij ook niet. Hoe dan ook, mijn raam stond wijdopen en kijkt uit op de achterveranda van de hut van majoor Reuter. Ik werd wakker van een geluid en ik ging kijken en zag jou, althans ik zag je haar. Ik nam aan dat jij het was, al moet ik toegeven dat je me gruwelijk hebt laten schrikken toen ik je riep in de hut en je geen antwoord gaf.'

Leah liep naar de deur en controleerde de grendel, alsof ze handelde uit de macht der gewoonte, en kwam terug. 'Ik kon geen antwoord geven,' fluisterde ze. 'Ik ben blij dat je mijn naam niet hebt genoemd. Helaas was het een fout dat jij de jouwe wel hebt genoemd, omdat −'

Ze zweeg en Allison zag haar kaakspieren straktrekken van spanning.

Omdat wat? dacht Allison, maar voorlopig was het Leah die de vragen stelde.

'Dan was ik niet erg handig als ik je wakker heb gemaakt,' zei Leah. 'Ik dacht dat ik buitengewoon voorzichtig deed. Als jij me gehoord hebt, hebben zij me misschien ook gehoord.'

'Zij? Wie zijn "zij"? De Duitse officier van de inlichtingendienst uit Bagdad?'

'Ik had het niet over kolonel Holman,' klonk Leahs stem gespannen, en ze keek de kamer rond alsof ze verwachtte iemand uit de schaduw te zien opduiken. 'Maar goed, hij kwam niet uit Bagdad zoals de Turkse official dacht. Neal had iets gezegd over kolonel Holman die vorige week per trein arriveerde bij de Carchemish-opgravingen. Neal was al vertrokken bij de opgravingen toen ik hierheen reed om op hem te wachten. Hij had hier nu moeten zijn.'

Allison bleef gefixeerd op de informatie die Leah haar zojuist had gegeven over de aanwezigheid van kolonel

Holman in de afgelopen week. Wat betekende dat?

'Waarom heb je zoveel belangstelling voor de dood van majoor Reuter?'

Leah keek haar nadenkend aan, alsof ze tot een of andere dringende beslissing probeerde te komen.

'Hoor es, Leah, er is iets vreselijks aan de gang met jou en Neal, en ik vind dat ik als familielid hoor te weten wat het is. Als jullie in moeilijkheden zitten bij die opgravingen wil ik graag helpen als ik kan.'

Leah keek haar uitdrukkingloos aan. 'De opgravingen?'

'Archeologie. Als Neal een voorwerp heeft verkocht aan barones Kruger wat niet mocht en het British Museum is daar ontstemd over, dan kan ik misschien iets doen om te helpen.'

'Moeilijkheden bij de opgravingen... iets verkocht wat niet mocht...' Leah liet een kort, hysterisch lachje horen. 'Tjonge, was het maar zo'n kleinigheid.'

'Mijn vader komt over een paar weken uit Bombay. Misschien kan hij iets doen. Hij is hooggeplaatst in de regering en hij heeft veel vrienden. Je kunt me vertrouwen. Als je denkt dat het niet zo is, zou ik erg teleurgesteld zijn. Het is waar dat we nooit zo'n hechte band hebben gehad, maar ik heb altijd het gevoel gehad dat we, nou ja, toch vriendinnen waren. En als je wilt uitleggen –'

'Het was allemaal een fout van mijn kant,' ratelde Leah. 'Een persoonlijke kwestie, en een domme. Nou, ik kan het je denk ik wel vertellen. Zie je, ik heb vorig jaar iets stoms gedaan toen ik voor het museum op bezoek was in Bagdad. Ik ontmoette majoor Reuter en belachelijk genoeg kregen we iets samen. Het is verkeerd afgelopen en ik moet bekennen dat ik mijn vingers heb gebrand. Hij had een foto van me in zijn portefeuille zitten. En die wilde ik terughalen voordat die officier van de inlichtingendienst hem vond. Het kon pijnlijk worden, nou ja, voor mij en mijn werk bij de opgravingen...'

Haar stem brak plotseling af en ze zette een paar stappen

naar de dichtstbijzijnde stoel en ging abrupt zitten alsof haar benen haar niet langer konden dragen. Toen schonk ze zich een glas verschaalde, warme limonade in uit een kan die over was van die middag.

'En dat is alles,' zei ze vermoeid.

Allison sloeg haar gade en een tijdje stond ze te wrijven over het warme metaal van de revolver in haar zak. 'Je liegt erg slecht, Leah,' zei ze kalm. 'Ik heb het gevoel dat je majoor Karl Reuter nog nooit van je leven had gezien voordat hij arriveerde. En ik zie wel dat ik kan vergeten dat het om een misstapje bij de opgravingen gaat. Dit is veel ernstiger. Ik ben niet helemaal achterlijk, weet je. Als Reuter iets van jou in zijn portefeuille had, was het heus geen foto met "Veel liefs" erop. Maar als je wilt dat ik dat denk, waarom kwam je dan naar mijn hut, terwijl je bleek en bang was, alsof je tegen een geest was aangelopen?'

Leah zei niets, maar staarde in de kaarsvlam.

'Je had naar je eigen kamer terug kunnen gaan,' zei Allison zacht. 'Je had kunnen volhouden dat je er niet uit was geweest als kolonel Holman je kwam ondervragen. Het is jouw woord tegen het mijne, zelfs al had ik hem verteld dat jij het was die ik volgde, wat ik niet van plan ben. Het is duidelijk dat je hem ontglipt bent. Op zichzelf een behoorlijk goeie zet als je bedenkt met wat voor soort man we te maken hebben. Ik trotseer nog liever een jager met twee geweren. Hij kwam terug zonder te weten wie hij achternagezeten had.'

'Ik kan niet terug naar mijn kamer. Daar komt hij me zoeken. En de andere kant ook.'

'De andere kant?'

Leah keek Allison ongerust aan. 'Wat heb je Holman verteld?'

'Alleen dat ik iemand volgde die inbrak in de hut.'

'Hij is te slim om dat te geloven.'

'Dat heb ik begrepen. Maar vannacht kon hij er weinig aan doen. Ik moest met jou praten om te weten te komen wat er aan de hand was. Ik ben op het ogenblik zo in de war dat ik je niet had tegengesproken als je volgehouden had dat je lag te slapen als een blok terwijl dit allemaal gaande was. Eerlijk gezegd,' zei Allison moe, 'was ik er niet zeker van dat jij het was.'

Leah keek haar gespannen aan. 'Wat bedoel je?'

Allison fronste licht. 'Ik zag je haar uit mijn raam. In het maanlicht leek het wel een stralenkrans. Later herinnerde ik me nog een blondine in de club. Ze kwam samen met doctor Blackstone. Ik denk dat ze iets hebben samen, maar dat heb je niet van mij gehoord. Het mag niet aan de grote klok. Hij is veel ouder dan zij.'

Allison zei dit allemaal expres om haar nichtje de tijd te geven om zich te herstellen, na te denken, en de beslissing te nemen of ze haar vertrouwde of zich terugtrok in geheimzinnigheid. Ze zou er niet op aandringen dat Leah haar alles vertelde. Ze zou wachten tot Neal arriveerde.

Allison liep naar het open raam en keek naar buiten, ze voelde de wind. De sterren glansden en het kamp lag in mysterieuze schaduwen van de woestijn gehuld. Ze had het gevoel dat ze ongeacht de hitte het raam moest dichtdoen en de gordijnen dichttrekken, zoals kolonel Holman had gedaan in de hut van majoor Reuter.

'Je hebt gelijk,' zei Leah. 'Ik ben hier gekomen omdat ik hulp nodig heb. Ik ben wanhopig.'

Allison glimlachte dapper. 'Waar heb je anders familie voor dan om je te helpen in wanhopige situaties? En als ik niet al had besloten dat ik aan jouw kant stond en aan die van Neal – want ik denk dat hij hierbij betrokken is – dan was ik je vannacht niet achterna gegaan. Ik moet toegeven dat ik nog liever met een gifslang te maken krijg dan nog eens met kolonel Holman. Dus ik ben een en al oor. Waar gaat het om, Leah?'

'Vind je het goed als ik eerst de ramen dichtdoe? Het zal hier wel stikheet worden, maar we moeten geen risico nemen.'

'Mijn idee,' zei Allison. Ze deed een raam dicht en trok de jaloezieën naar beneden. Leah sloot het andere raam, controleerde nog een keer beide deuren of de grendel er goed voor zat, en kwam toen op de rand van het beslapen bed zitten.

Allison stak de stekker van de kleine metalen ventilator in het stopcontact en trok een beschadigde stoel bij met misplaatst weelderige stoffering in een afzichtelijk felgroene kleur. *Barones Kruger mag dan heel wat weten van archeologie, maar ze weet duidelijk niets van interieurinrichting*, dacht Allison met een treurige glimlach. Ze had diezelfde kleur gezien op de handdoeken in de hut van majoor Reuter. De gedachte aan het lichaam op het bed en de harde, blauwzwarte starende blik van de officier ontnuchterde haar snel en ze richtte haar volle aandacht op haar nichtje.

Leah zat haar gespannen aan te kijken. Ze zag er helemaal niet uit als een vrouw die gevaarlijke risico's neemt en wordt achternagezeten door een Duitse officier van de inlichtingendienst. Ze zat op de matras, haar ogen stralend van jeugd, haar lange, blonde haren golvend over haar schouders.

'Dit is niet bepaald een geschikt moment, maar je zult het me vergeven dat ik geen risico kan nemen. Ik moet eerst meer over jou weten, voordat ik de waarheid kan vertellen.'

'Over mij weten? Je eigen nichtje?' lachte Allison.

Leah haalde kort haar schouders op. 'Het is een hele tijd geleden dat je me vertelde wat je doet in Caïro. Ik heb wat in te halen wat de familie betreft. Vertel me eerst eens wat je doet. Wat voor werk, bedoel ik. Je hebt belangstelling voor archeologie, maar je bent er niet echt mee bezig, hè?'

'Nee. Ik ben verpleegster, weet je nog? Ik heb twee jaar geleden mijn opleiding in Londen afgerond. De school was heel toepasselijk genoemd naar mijn favoriete heldin, Florence Nightingale.' Ze glimlachte. 'Een creatieve naam voor een school, vind je niet? Maar goed, na de opleiding voelde ik me door God geroepen – dat vind je vast een

eigenaardige formulering – om naar de Oswald Chambers'
School voor Bijbeltraining in Londen te gaan. Ik heb er
maar een jaar op gezeten, maar het was een goed jaar. Ik heb
een paar prachtige en toegewijde mensen leren kennen.
Maar de beste vrienden waren meneer Chambers en zijn
vrouw Biddy. Ik was daar toen hun baby werd geboren,
Kathleen. Het was net een grote familie, een heel bijzondere. En het was een van de gelukkigste jaren die ik in Londen
weg van huis heb doorgebracht.'

Leah luisterde, maar Allison zag dat haar ogen steeds naar
de ramen dwaalden. 'Ja, dat herinner ik me allemaal nog,'
fluisterde Leah. 'Je hebt Neal erover geschreven. Je zei dat je
zoveel leerde over het gebed en wachten op God.'

'Ja...'

'Neal vond het altijd makkelijker om over God te praten
dan ik,' zei Leah. 'Je weet hoe ik grootgebracht ben. Mijn
vader en moeder stonden nogal vijandig tegenover alles wat
christelijk was. Maar goed, ga verder.'

'Even kijken... Toen mijn sabbatical aan de School voor
Bijbeltraining in Londen om was, kwam ik thuis in Caïro
en ging een paar maanden met vader op reis naar India voor
de regering. Toen kwam er een brief van tante Lydia die me
vroeg haar te komen helpen met medisch zendingswerk op
de Nijl. Je kent toch het hospitaalschip, de Mercy?'

'Ik heb gehoord van het werk dat Lydia doet. Neal heeft
het soms over haar. Hij heeft altijd veel respect gehad voor
"die goeie ouwe heilige", zoals hij haar noemt. Hij zegt dat
ze met haar zestig jaar moediger is dan sommige Engelsen
als ze aan oorlog denken.'

Allison glimlachte bij de gedachte aan haar vrijgezelle
tante die haar onder haar vleugels had genomen en erop
gestaan had dat Allison de juiste roeping had gekozen – verplegen – zelfs terwijl ze bedenkingen had. Ze was een keer
flauwgevallen toen ze tante Lydia hielp een arm te ampute-
ren van een *fellahin*, een Egyptische boer die katoen ver-
bouwde aan de Nijl.

'Neal heeft gelijk,' zei Allison zacht. 'Tante Lydia is een fantastische vrouw. Neal kijkt natuurlijk zo tegen haar op omdat ze hem praktisch heeft opgevoed nadat jullie ouders stierven.' Ze keek Leah aan, haar droefheid verbergend. 'Ik wilde dat ze jou ook had kunnen grootbrengen.'

Leah haalde haar rechte, ietwat atletische schouders op. 'Ik heb het haar nooit kwalijk genomen. Ze kon ons niet allebei nemen. Hoe dan ook, ik vond het niet erg in India. En al was oom George een harde, strenge militair, ik mocht altijd de kerst doorbrengen bij jullie in Caïro.' Ze zuchtte, alsof haar onrustige geest dwaalde langs lang vergeten, prettige paden. 'Dat waren mooie tijden, hè? Jammer dat we in onze studietijd allemaal uit elkaar gegroeid zijn.'

'Ja,' zei Allison zacht, en ze vroeg zich weer af waarom de familie had besloten Leah naar India te sturen om te worden opgevoed door oom George, een brigadegeneraal, en Neal aan tante Lydia te geven. De logica scheen te pleiten voor het omgekeerde.

'Lydia heeft altijd een voorkeur gehad voor Neal,' zei Leah, alsof ze haar gedachten kon lezen. 'Ze zei dat hij op zijn vader leek – de spreekwoordelijke lange, blonde en knappe man. Niemand leek veel op te hebben met papa's keuze voor een vrouw, hè?' Ze lachte hard en kortaf.

'Ik heb je moeder nooit gekend. Ik vroeg me vaak af waarom ze nooit meekwam naar de familiebijeenkomsten toen we kinderen waren. Ze zeiden altijd dat ze een hekel had aan Caïro.'

Leah haalde haar schouders op.

Allison vermaande zichzelf. *Ik had de band met Leah nauwer moeten aanhalen. Ik had beter mijn best moeten doen, maar mijn eigen leven sleurde me langs een ander pad, een pad met zijn eigen verdriet.* Maar ze wilde nu niet aan Nevile denken...

'Nou ja,' zei Leah. 'Vertel eens wat meer over de laatste tijd. Dus je hebt met Lydia samengewerkt op het hospitaalschip? Je zult wel dol zijn op dat werk, anders deed je het niet.'

'Het geeft meer voldoening dan alle andere dingen die ik

had kunnen doen met mijn verpleegkundigenopleiding. Het is veeleisend, soms prachtig, meestal verschrikkelijk, en vreselijk hartverscheurend als er eigenlijk zo weinig kan worden gedaan voor de stervenden en de zieken. We doen ons best, maar er is zoveel dat we gewoon niet kunnen doen, vooral voor kinderen en oudere mensen.' Ze glimlachte. 'Maar al houdt het me vele nachten uit de slaap, ik zou het zelfs niet opgeven om met de prins op het witte paard te trouwen. Ik zal wel oud worden zoals tante Lydia en mijn hele leven vrijgezel blijven, maar ik geloof dat dat het waard is. Ik ben van plan in Egypte te blijven, hoewel tante Lydia grootse plannen heeft om de Nijl helemaal tot Ethiopië te volgen. Dat wordt een hele reis. En misschien gaan er een paar studenten van Oswald Chambers' school met ons mee. Er zijn er verscheidenen die belangstelling hebben om te gaan evangeliseren en één zoekt een buitenlandse missie. Tante Lydia wil een soort David Livingstone-achtige hut bouwen en de Bijbel vertalen in een of ander stamdialect.'

'Lijkt me moeilijk en emotioneel uitputtend.'

'Is het meestal ook,' zei Allison zacht. Ze keek onderzoekend naar het bleke, gespannen gezicht van haar nichtje. 'Maar we weten dat geen enkele omstandigheid ons ooit kan scheiden van de liefde en de zorg van Christus. Vind je het vervelend als ik over die dingen praat?' vroeg ze.

Leah stak beslist haar hand op en schudde haar hoofd. 'Nee, helemaal niet. Ik respecteer je. Ik vermoed dat al dat gepraat over Gods zorg een hint was dat Hij ook voor mij zou kunnen zorgen. Maar daar ben ik niet klaar voor. Als je het niet erg vindt, vertel ik mijn moeiten liever aan jou.'

Allison glimlachte. 'Ik ben helemaal tot je beschikking. En nu ik je bijgepraat heb, hoe zit het met die problemen van jou?'

Leah haalde haar vingers door haar lange haren en duwde het uit haar gezicht. Ze keerde haar gezicht een ogenblik naar de zoemende, klapperende ventilator, op zoek naar verkoeling.

'Hoe ben je geïnteresseerd geraakt in de archeologie?' vroeg Leah.

Allison haalde diep adem en gaf antwoord. 'Via Neal. Hij schreef zulke interessante brieven vanuit de verschillende opgravingen in Arabië, vooral uit Carchemish. En toen Neal betrokken raakte bij Bijbelse archeologie vond ik het nog interessanter. Toevallig had moeder vrienden bij het Archeologisch Genootschap van Caïro – generaal Rex Blaine en zijn vrouw Sarah. Ze zijn net peetouders voor me. Ken je ze? Maar goed, via hen kwam ik bij het genootschap en van het een kwam het ander.'

'Is generaal Blaine een vriend van je moeder?'

Allison verwonderde zich over haar reactie. 'Ja, hij kende mijn vader in Kartoum toen vader in buitenlandse dienst was. Generaal Blaine is nu gepensioneerd. Sarah en hij bezoeken alle sociale clubs in Caïro en ze hebben vrienden onder de andere buitenlandse ambassadeurs en officials. Met al die spanningen rond Duitsland is het nu natuurlijk niet meer zo populair om uitgenodigd te worden voor een dineetje met Duitse officials als een maand of zes geleden. Maar de officials in Caïro – Duitsers, Fransen, Turken en alle anderen – kennen elkaar en hebben door de jaren heen vriendschappen opgebouwd. We kunnen nog steeds samen aan een Egyptische maaltijd zitten en Turkse koffie drinken en lachen.'

Leah glimlachte kort, maar ze lachte niet.

Allison werd ernstiger. 'Ik snap wat je bedoelt. Ik ga zelf ook niet graag met ze om. En na vannacht wil ik dat denk ik helemaal niet meer.'

'Er komt oorlog, Allison. Zo zeker als wij hier zitten. En miljoenen zullen sterven. De gezelligheid tussen ambassadeurs in Brits Egypte is niet zo onschuldig en hartelijk en vriendschappelijk als jij misschien gelooft.'

Allison keek onderzoekend naar Leahs ernstige gezicht. 'Heb je het over generaal Blaine?'

'Ik heb het over hen allemaal – al die gepensioneerde

militaire "maten" zoals ze elkaar plegen te noemen. Je zult ontdekken dat ze allemaal een bepaalde eigenschap bezitten die kwaadaardig wordt onder de juiste omstandigheden. Niet dat ik speciaal generaal Blaine bedoel, denk erom. Ik ken hem niet eens.'

'Ja, ik begrijp het. Sarah en hij zijn al jarenlang vrienden van de familie. Moeder en Sarah hebben een hechte band. En generaal Blaine en mijn vader hebben samen gereisd.'

Leah knikte dat ze het voor kennisgeving aannam. Toen keek ze onderzoekend rond alsof ze zeker wilde weten dat er niemand meeluisterde. Allisons onrustige blik volgde de hare, bleef hangen aan de deur naar de donkere badkamer, waartegenover de lange schaduw lag van de grote ladekast. De zware jaloezieën voor de twee ramen hingen stil in de hitte en het kaarslicht flikkerde op het lage plafond. Ineens was de stilte in de hut afschrikwekkend. Allison had de plotselinge en onrustbarende sensatie dat de drukkend hete, stille nacht en de hete zandduinen die verplaatst werden door de wind dichter naar de buitenmuren waren geslopen om te luisteren.

'Vind je niet dat we het badkamerlicht aan moeten laten?' vroeg Allison zacht. 'Je weet dat die grendels zacht gezegd niet veel voorstellen. En als er iemand loopt rond te snuffelen, dan bedenken ze zich nog wel een keer voordat ze proberen zich met ons te bemoeien, want ze weten dat het licht uit het raam op de achterveranda valt.'

Allison ging aan het koordje trekken waarmee de kale, gele gloeilamp aanging, sloot de deur en kwam terug. Leah was opgestaan van het bed en beende heen en weer.

'Ik zou je hier niet in willen betrekken, maar ik heb geen keus meer. Neal had hier nu moeten zijn. En hoewel hij nog kan arriveren voordat het ochtend wordt, bestaat de kans dat dat niet gebeurt...' Ze keek Allison vlak aan. 'Dat hij dat niet kan.'

Allison voelde een knoop in haar maag. 'Wat bedoel je, "dat hij dat niet kan"?'

'Ik bedoel dat hij misschien weet dat ze hem op het spoor zijn. En dan zou hij rechtstreeks naar Jeruzalem gaan volgens plan, hij zou weten dat ik het begreep. Ik moet me zo gauw ik kan bij hem voegen. Een paar uur hiervandaan is een voertuig verstopt, en noch de Turken noch de Duitsers weten daar waarschijnlijk van.'

Allison slikte. 'Ga door. Waarom? Waarom kon hij niet komen?'

'Of hij is op de vlucht geslagen, of ze hebben hem te pakken zoals ze Karl Reuter te pakken hebben. Het spijt me,' zei ze toen Allison haar aanstaarde, haar gezicht bleek in het flakkerende kaarslicht. 'Maar we moeten geen overhaaste conclusies trekken. Ik probeer alleen het ergste te benoemen dat er gebeurd kan zijn. Je moet weten hoe het ervoor staat.'

'Maar waarom? Waarom zou Neal zulke moeilijkheden hebben?'

'De dood van Karl Reuter was geen ongeluk,' zei Leah rustig maar ferm.

Dat was wat kolonel Holman had gezegd. 'Waarom denk je dat? Ik bedoel, waarom kan hij niet gewoon gebeten zijn door een giftige slang? Dat gebeurt hier in de buurt vaak genoeg. Dat weet je net zo goed als ik.'

Leah boog naar voren en zei: 'Luister goed. Hij was niet de echte majoor Reuter. Hij was een Britse agent. Hij deed bewakingswerk in Constantinopel tot het te gevaarlijk werd. Iemand anders heeft zijn plaats daar ingenomen; ik weet niet wie. Reuter kwam naar Bagdad om informatie door te geven aan Neal.'

Allison was verbijsterd. 'Bedoel je dat hij geen Duitse officier was? Werkte hij voor Engeland?'

Leah knikte. 'De andere kant moet het ontdekt hebben, want ze hebben hem gisteravond vermoord voordat hij Neal kon ontmoeten om de informatie door te geven.'

Allisons tanden klapperden. 'Wat voor informatie?'

'Wist ik het maar.'

'Dus neef Neal zit niet in de archeologie, maar in de Engelse inlichtingendienst?'

'Zoiets,' fluisterde Leah. 'Het is een te lang en ingewikkeld verhaal om nu uit te leggen.'

'En jij?' vroeg Allison ongerust.

'Ik ben er ook bij betrokken, maar ik ben maar een klein radertje vergeleken bij de anderen. Ik krijg mijn orders van Neal. En Neal krijgt ze van iemand anders; ik weet niet van wie. Iemand die hoger zit. Ze dachten dat een vrouw het kon redden zonder ontdekt te worden; daarom ben ik voor Neal uit gestuurd als eerste contactpersoon voor majoor Reuter. Als ik hier was, dan moest Reuter weten dat alles volgens plan moest doorgaan. Was Neal zoals verwacht gisteren aangekomen, dan moest hij het genootschap naar de Carchemish-opgravingen leiden en Karl Reuter moest een ontmoeting met hem hebben.'

Leahs witte gezicht stond gespannen. 'Maar iemand bereikte Reuter voordat ik hem kon waarschuwen dat Neal hier niet was. Je hebt gezien wat er gebeurd is. Iemand weet een heleboel, en op het laatst moet Karl het geweten hebben. Hij – hij probeerde me te waarschuwen. Ik geef toe dat ik bang ben, Allison. Als Neal niet op komt dagen, ben ik de enige die over is. En degene die Karl heeft vermoord, is nog hier.'

Allison staarde haar aan. Dit kon niet echt zijn. Maar Leahs vaste blik overtuigde haar dat het wel echt was. Leah was inderdaad doodsbenauwd – en de Engelse agent die zich had voorgedaan als majoor Karl Reuter was dood. Allison beheerste zich, in de hoop Leah te bemoedigen. Met vaste stem, maar met een siddering die Allison niet kon onderdrukken, zei ze: 'Misschien is alles in orde met Neal, is hij gewoon opgehouden.'

'Dat is mogelijk.'

'Hij is taai; dat weet je net zo goed als ik. En als hij op een of andere manier te weten is gekomen dat ze hem op het spoor zijn, dan verschijnt hij niet.'

Leah stond op en begon te ijsberen. 'Dat is het hem nou juist. Ik weet het niet zeker, maar ik kan geen risico nemen. De informatie is te belangrijk. Onze plannen waren dat als er iets mis ging en Neal werd tegengehouden, ik kon verwachten dat ik iets zou horen van een andere contactpersoon, iemand hogerop.'

Allison wrong haar zwetende handen en keek naar de vergrendelde deur in de schaduw. 'Heb je geen idee wie het was?'

'Nee. Het kan iedereen zijn. Het kan een lid van het genootschap zijn, iemand in Aleppo, een vrouw, een man,' ze gebaarde met haar handen, 'Engels, Turks, Duits – meestal degene van wie we het het minst verwachten.'

'Dus – dus daarom heb je in die hut ingebroken, om te proberen die informatie te lokaliseren?'

Leah keek haar aan, alsof ze weer op haar hoede was. 'De echte informatie zou daar niet zijn.'

'Ik begrijp het niet,' zei Allison, opstaand. 'Als het daar niet was, waarom is de hut dan doorzocht? Waarom zou je dat risico nemen?'

Even ging Leah zitten, ze keek om zich heen en luisterde naar de wind. Toen keek ze Allison aan en zei zacht: 'Ik moet het erop wagen met je. Ik vertrouw je – niet omdat je mijn nichtje bent, al helpt dat wel. Maar je bent in zoveel dingen oprecht. Ik geloof echt dat je zou sterven voor je land en voor je God. Dat bedoel ik als een compliment.'

Allison slikte en probeerde zuur te glimlachen. 'Ik zou liever voor ze leven – als je het niet erg vindt.'

'Luister, Allison, ik heb je hulp nodig. Wil je?'

'Natuurlijk. Ik zal doen wat ik kan,' zei ze zonder aarzeling. 'Ik zou mezelf niet elke ochtend in de spiegel kunnen aankijken als ik dat niet deed.'

Voor het eerst glimlachte Leah. 'Daar rekende ik al op.'

Allison ging weer zitten, en voorovergebogen met haar ellebogen op haar knieën luisterde ze zwijgend terwijl Leah met zachte stem begon. 'De reden dat ik vannacht naar Karls hut ging, was omdat ik vermoedde dat hij wist dat ze hem op het spoor waren, maar dat het te laat was om te ontkomen. Hij kan niet meer dan een paar minuten hebben gehad. Maar hij zou een teken voor Neal hebben achtergelaten. Lang geleden hebben we dat uitgewerkt. Het is standaardprocedure. Dus ik moest het proberen.'

Allison wreef haar armen en keek de beschaduwde kamer rond. 'Als ik de vijand was, had ik niet gewacht tot ik in de hut zijn spullen kon doorzoeken. Ik zou het lichaam hebben onderzocht en ik had gehad wat ik hebben moest voordat die Arabische bediende hem vond bij de bron.'

Leah glimlachte vermoeid. 'Zo werkt het zelden. Er zijn voorzorgsmaatregelen. Aan niemand wordt meer dan een deel toevertrouwd van elk kritiek geheim, en die persoon draagt het niet in geschreven vorm bij zich. Neal weet meer dan ik. En zijn contactpersoon weet een ander deel dat Neal niet weet. Elk van ons weet stukjes en beetjes. We schrijven zelden of nooit iets op, behalve korte codes van één zinnetje die we afgesproken hebben.'

'Dat is logisch, maar zou de vijandelijke agent dat ook niet weten? Kan hij geen code gevonden hebben die voor jou bestemd was? De hut was doorzocht voordat jij kwam. Wie hem vermoord heeft, moet de boodschap gevonden hebben.' Haar ogen hielden Leahs blik vast. 'Er was iemand voordat jij kwam, want toen Holman jou achterna ging, was ik daar in het donker – en nog iemand anders. Ik ben in mijn hele leven nog niet zo bang geweest. Toen kwam het geluid ertussen van Holman die terugkwam – God zij dank! En wie het ook was, glipte naar buiten op de achterveranda.' Ze huiverde toen ze zich een donkere leegte zonder gezicht voorstelde die iedereen kon zijn. 'Hij moet het gevonden hebben en vertrokken zijn.'

Leah antwoordde niet onmiddellijk en keek neer op haar vingernagels. 'Wie Neals contactpersoon heeft vermoord, is niet vertrokken. Hij is hier nog. Al heeft hij Reuters spullen doorzocht, hij heeft de code niet gevonden die Karl voor me had achtergelaten. Ik heb hem.'

Allison wist niet of ze een vaderlandslievende opluchting moest voelen of zich moest laten overspoelen door angst om Leah. 'Maar hoe? Je was er maar een minuut.'

'Ongeveer vier minuten.'

'Maar iemand moet twintig minuten bezig zijn geweest de hut te doorzoeken. Hoe heb jij het dan kunnen vinden?'

'Omdat ik precies wist waar ik naar zocht, iets dat iemand anders links had laten liggen. De meeste mensen kunnen er vlak langs lopen zonder er iets van te denken. Toen ik binnen was, heb ik een lucifer aangestoken – en ik ben recht naar het bureau gelopen om te kijken. Daar was het niet, maar op de vloer. Ook ik dacht een voetstap te horen voordat jij binnenkwam – ik had net genoeg tijd om de boodschap op te pakken toen ik jou een gesmoorde kreet hoorde slaken. Ik vluchtte – en Holman kwam achter me aan. Maar ik rende niet door. Ik glipte onder de achterveranda, onder het trapje. Daar zit een ruimte. Het is donker en het zal er wel krioelen van de spinnen en schorpioenen, maar het was het beste wat ik doen kon.'

'Dus jij – je moet de voetstappen van de echte moordenaar gehoord hebben op de veranda voordat kolonel Holman binnenkwam door de voordeur en het licht aanknipte.'

'Ja.'

'Heb je gezien wie het was?'

'Te donker. Ik durfde niet te bewegen. Ik hoorde voetstappen wegsterven in het zand. Ik wachtte misschien tien minuten, toen sloop ik zachtjes over het stuk grond tussen Karls hut en de jouwe. Ik wachtte op je tot je ongeveer twintig minuten later terugkwam.'

Allison slikte en er viel een diepe stilte. Samen luisterden ze naar de wind die tegen de hut blies, het hout dat kraakte en het geluid overstemde van voetstappen die buiten in de nacht hadden kunnen klinken.

'Dus je hebt wat je wilde?' fluisterde Allison. 'Maar als je die lucifer hebt aangestoken, ben je waarschijnlijk gezien. En – en hij moet gezien hebben dat je iets oppakte van de vloer. Die voetstap die je hoorde, had je dood kunnen betekenen.'

Leah knikte, bleek in het kaarslicht. 'Het is waarschijnlijk waar dat jouw aanwezigheid zoveel verwarring veroorzaakte dat ik kon ontsnappen. Zelfs Holman schijnt hem toen hij kwam, bang te hebben gemaakt, al moeten ze beiden aan dezelfde kant staan.'

'Wat wil je dat ik doe? Naar de Britse consul gaan?' vroeg Allison.

'Nee, nog niet. Mijn orders zijn dat ik hier moet wachten op een nieuwe contactpersoon.'

'Maar je kunt hier niet wachten. Als iemand je vannacht gezien heeft, is je leven in gevaar.'

'Wie het was, heeft me niet hier binnen zien gaan – en Holman weet het ook niet. En hij komt niet bij je hut rondsnuffelen nu hij je al ondervraagd heeft. Dit is de veiligste plek die ik kan vinden tot mijn contactpersoon arriveert. Het geeft me tijd om na te denken over de boodschap die Karl in zijn hut heeft achtergelaten. En misschien komt Neal nog. Al vindt hij me niet in mijn hut, hij weet dat jij hier bent en dat ik jou waarschijnlijk zou vertellen waar je me kunt vinden. Nee,' zei ze ernstig, 'ik zal het een paar dagen moeten afwachten.'

'Morgenochtend zullen ze naar je vragen. Holman zal vast eisen dat je naar hem toe gebracht wordt voor verhoor. Als je nu gewoon verdwijnt –'

'Dan moet hij een van zijn mannen sturen om me te zoeken bij de opgravingen. Het uitstel zal hem op het verkeerde spoor zetten. Hij zal denken dat ik daarheen ben gegaan. Dat zullen ze allemaal denken. En dat is een goed excuus voor mijn afwezigheid. Je vertelt ze maar dat ik Neal ben gaan zoeken. En degene die Karl vermoord heeft, zal hetzelfde denken. Hij weet dat ik iets van de vloer pakte, en hij zal vastbesloten zijn dat in handen te krijgen. Hij zal ook naar de opgravingen gaan.'

Allison knikte, maar haar onrust groeide. Het kaarslicht flakkerde. 'Het zal moeilijk zijn om je hier te verstoppen, maar dat krijgen we wel voor elkaar.'

'Intussen,' zei Leah, 'ga jij gewoon door alsof er niets gebeurd is. Je bent hier op vakantie en je bent van plan de ontspanning en de lessen te krijgen waarvoor je gekomen bent, zelfs als een Duitse officier per ongeluk is gebeten door een giftige slang. En meer was het niet wat jou betreft. Niemand verwacht dat een jonge Engelse verpleegster rouwt om de dood van een Duitser. En wat kolonel Holman betreft, je gedraagt je gewoon alsof de manier waarop hij je behandelde, precies was wat je verwacht van zijn soort. Maar het zal beter gaan als je daden hem laten zien dat je je niet laat intimideren.

Je vader zit in de Engelse buitenlandse dienst. Jullie hebben hooggeplaatste vrienden. De Engelse consul en zijn vrouw zijn allebei hier. En vrienden van je familie, generaal Blaine en zijn vrouw. Je gedraagt je zo normaal als je kunt. Je doet natuurlijk of je ongerust bent over mijn afwezigheid en die van Neal. Je mag zelfs volhouden dat er niet genoeg gedaan wordt om ons te vinden. Maar ondertussen doe je zo normaal mogelijk. Ga mee met de archeologische excursies, luister naar de lezingen. Zie wat je in stukjes en beetjes kunt oppikken van gesprekken van de anderen van het genootschap.'

Allison knikte. 'En generaal Blaine en Sarah? Kan ik ze in vertrouwen nemen?'

'Nooit! Je mag er geen woord over loslaten, tegen niemand, hoezeer je ook denkt dat je ze kunt vertrouwen. Niemand anders behalve Neal – en de nieuwe contactpersoon.'

'Hoe moeten we weten wie de contactpersoon is?'

'Dat weten we niet, totdat hij een teken geeft. Je kunt er zeker van zijn dat het niemand van het genootschap is, of in

Aleppo. Hij kan nog niet zijn aangekomen. Het is te snel.'

'Komt hij van de inlichtingendienst in Caïro?'

'Ja, maar daar hoef jij je niet mee bezig te houden.' Leah stond op van het bed en liep naar het tafeltje naast de lamp, pakte Allisons Bijbel en kwam bij Allison terug die nieuwsgierig en aangenaam verrast was door Leahs onverwachte belangstelling.

Leah sloeg hem open bij het Oude Testament en haalde er een opgevouwen stuk papier uit. Allison herinnerde zich niet dat ze er iets in had gestopt en boog zich over om te kijken wat het was. In het kaarslicht zag ze één woord, geschreven in een mannelijk handschrift: *HITTIETENebg*.

Leah keek haar ernstig aan. 'Ik dacht niet dat iemand het hier zou vinden als me iets overkwam voordat je terugkwam.'

'Je bedoelt dat dat de hele boodschap is?' fluisterde ze.

Leah knikte. 'Niet iets wat je zou verdenken of ongewoon vinden in een bijeenkomst als deze. Maar het bevat verschillende stukken informatie. Het is gedrukt, in zwarte inkt, helemaal in hoofdletters behalve de laatste drie letters en geschreven in het derde kwadrant van de pagina. Hij kan een code hebben gebruikt die kan worden toepast op één enkel woord. Karl schreef het en liet het liggen onder de ladekast. Het onthult dat hij weet dat hij opgespoord was en dat hij de informatie heeft verstopt die hij aan Neal had moeten geven.'

De maan was ondergegaan en de hut was nu in duisternis gehuld. Het kaarslicht wierp bibberende schaduwen op het plafond.

'Het zegt nog iets,' fluisterde Leah, 'maar ik weet nog niet wat het is. Neal zou het weten. Ik moet nadenken!'

'Het kan iets met archeologie te maken hebben,' zei Allison.

'Ja, maar wat? En het antwoord ligt misschien vlak voor onze neus!'

'Nu moeten we ernaar raden. Kwam Neal toch maar.'

Leah pakte Allisons arm zo stevig vast dat ze ineenkromp. 'Jij bent vannacht langer in die hut geweest dan ik. Je hebt ruim twintig minuten in het licht gezeten. Denk na, Allison. Was er ook maar iets dat je zou kunnen doen denken aan de Hittitische beschaving of het Oude Testament?'

Allison stond op en beende heen en weer, probeerde het zich te herinneren. Maar al dacht ze nog zo lang en hard na, terwijl ze weer ging zitten en haar ogen dichtdeed om zich alles in de hut voor te stellen, er wilde niets van betekenis in haar opkomen, behalve de mannelijke, knappe trekken van de mysterieuze Duitse kolonel.

'Alles wat ik voor me zie, is kolonel Holman die aan het zoeken is, alles ligt overhoop – en het dode lichaam van Karl Reuter.'

Leah legde het stuk papier terug in de Bijbel en legde het op het bed. 'Misschien schiet het je nog te binnen. Intussen zal ik ook goed nadenken. Als het onmogelijk te begrijpen was, had Karl het risico wel genomen om nog een paar woorden meer te schrijven. Omdat hij dat niet heeft gedaan, weet ik dat hij verwachtte dat ik het begreep. En het afgrijselijke is dat ik het *niet* begrijp!' Ze greep met haar handen haar hoofd vast en zwaaide haar lange, blonde haren wanhopig heen en weer. 'Ik had me hier nooit voor moeten opwerpen. Het is allemaal misgegaan.'

'Dat is niet waar. Je hebt het codewoord toch achterhaald? Je hebt het veilig naar mijn hut gebracht en je hebt mij erbij gehaald om te helpen. We zijn net begonnen. Een goede nachtrust zal helpen; het beste wat we kunnen doen, is naar bed gaan. Het wordt algauw ochtend. En als ik er onder het ontbijt uit moet zien als een toerist, kan ik maar beter wat rust zien te krijgen. O, trouwens, het zal niet meevallen hier eten naar binnen te smokkelen. En ik zal de bediende duidelijk moeten maken dat ik niet wil dat hij het bed opmaakt.'

'Dat was ik vergeten –'

'Ik bedenk wel wat. Als je hem aan hoort komen bij de

achterdeur, duik je onder het bed. Daar vegen ze in elk geval nooit,' zei ze met een poging tot humor.

Leahs mondhoeken gingen omhoog, maar haar ogen keken ongerust. 'Ik zal eraan denken,' zei ze. 'Misschien is het beter als je niet gaat ontbijten tot hij vertrekt. Je kunt gaan zitten Bijbellezen terwijl hij schoonmaakt. Niemand zal er iets van denken omdat ze allemaal weten dat je op het zendingshospitaalschip werkt. Het past bij het beeld dat ze hebben van een jonge medische zendelinge.'

'Ja, en ik hoop maar dat alle andere dingen die ik doe daar ook in passen.'

4

Allison was vroeg opgestaan en had zich gekleed in blauwe katoen. Ze had haar weelderige haardos uit haar gezicht getrokken voor koelte en zat nu aan een van de lange eettafels met generaal Blaine en zijn vrouw. Vanbinnen knaagde de spanning, maar ze probeerde het te verbergen.

Barones Helga Kruger, die zowel in Caïro als in Aleppo weelderige huizen aanhield om buitenlandse hoogwaardigheidsbekleders en hun vrouwen te ontvangen, stond op en deed een aankondiging. Haar Duitse accent was niet zwaar, maar charmeerde haar toehoorders.

Ze verwees kort naar de tragische dood van majoor Karl Reuter en herinnerde iedereen aan de waarschuwing die haar assistent eerder had gedaan dat de locatie van de expeditiehutten gevaarlijk kon zijn vanwege het grote aantal giftige slangen en schorpioenen. Iedereen moest bijzonder op zijn hoede zijn, en niemand mocht onder geen enkele omstandigheid een trektocht maken naar ruïnes in of bij de hutten zonder een Turkse gids. Iedereen die dat deed, zou tijdelijk geschorst worden als lid en door de Turkse autoriteiten op het matje geroepen worden voor verhoor.

'Nou, Sarah,' zei generaal Blaine zacht, 'dat is dan het einde van je uitstapje naar de opgravingen.'

'Nonsens,' antwoordde ze. 'Ze zei niet dat we niet met de auto mochten gaan. Trouwens, ze overdrijft als je het mij vraagt.'

De assistent van de barones stond op en informeerde de groep dat het lichaam van majoor Reuter die dag naar Aleppo zou worden gebracht om begraven te worden. Kolonel Holman van de Duitse politie in Bagdad zou de clubleden gedurende de komende dagen enkele vragen stellen. 'Onze vrienden, de Turkse officials hier in Aleppo, verzoeken de clubleden hun volle medewerking te verlenen.'

Rond de tafel brak een gebabbel los van op zachte toon gevoerde gesprekken. Allison hoopte dat haar spanning niet zichtbaar was en ze keek door de eetzaal naar Helga Kruger die vlak bij het van een hor voorziene raam zat. Afgezien van haar lofwaardige belangstelling voor archeologie was de barones niet het type vrouw dat Allison bijzonder interesseerde. Maar na gisteravond en de informatie die Leah haar had gegeven, stond niemand van de club boven verdenking – en zeker de Duitse vrouw van achter in de veertig niet. Allison probeerde zich de stukjes en beetjes informatie over Helga te herinneren die de afgelopen jaren haar kant op gekomen waren. Barones Kruger was de weduwe van een Berlijnse financier die veel militaire contracten had gemaakt voor de regering van keizer Wilhelm. De baron was gedood bij een treinongeluk op de spoorlijn Berlijn-Bagdad in het bergachtige gebied van Bulgarije. Helga, die naar verhouding jong en aantrekkelijk was, was nooit hertrouwd, maar had, zoals Sarah Blaine Allison had verteld, een enorm fortuin ontvangen van defensie.

Uit belangstelling voor archeologie en Palestina was barones Kruger eerst naar Constantinopel gegaan, waar ze zich in het gezelligheidsleven had begeven, waarna ze naar Caïro was verhuisd waar ze bekendheid kreeg als een van de machtigste Europeanen op sociaal gebied. De afgelopen jaren was ze hevig betrokken bij de aanschaf van Hittitische beeldhouwwerken en inscripties voor het Caïro Museum. Ze concurreerde met de vertegenwoordigers van het British Museum in Carchemish en overal in Arabië. Neal had eens in een brief aan Allison geschreven dat de barones een 'vriendelijke wraakgodin' was. En hoewel ze een elegante en modieus geklede vrouw was, kon men haar vaak door de woestijn zien rijden met haar Turkse chauffeur en lijfwacht, terwijl ze een broek droeg en laarzen en een revolver bij zich had. Maar als het op archeologie aan kwam, omhelsde ze de clubleden uit vele landen en nam een moederlijke houding aan ten opzichte van de jongere mannen en vrouwen van de club.

Ze reisde met een Turks dienstmeisje die barones Krugers haar kapte en haar make-up aanbracht. Als resultaat daarvan zag ze er aantrekkelijk uit op deze heldere, hete ochtend terwijl enkele oudere vrouwen in het gezelschap al een beetje begonnen te verwelken in de hitte. Ze wuifden hun afgetobde gezichten koelte toe met waaiers met kraaltjes uit Caïro. Terwijl de andere vrouwen van het genootschap vrijetijdskleding droegen in de woestijnomgeving, had Helga vandaag een eenvoudige, maar verbluffend mooie, lichtgroene linnen jurk aan met een hoge halslijn afgezet met smaragden.

Nu Allison naar barones Kruger zat te kijken, stelde ze vast dat er meer met Helga was dan haar sierlijk gekapte blauwzwarte haar en het fortuin dat haar echtgenoot haar had nagelaten. De zorgvuldig met lippenstift geverfde mond had een ietwat bittere trek die geen enkele hoeveelheid make-up kon verbergen. *Waar zou ze verbitterd om moeten zijn?* vroeg Allison zich af. *De dood van haar man? Een of ander geheim verdriet?*

'Een charmant stukje bagage,' fluisterde generaal Blaine. 'Ik vraag me af of ze nog wel eens denkt aan d'r arme mannetje als ze elke ochtend die smaragden en diamanten om haar nek hangt. Ik heb gehoord dat ze een jong danseresje was in een Berlijns café toen hij haar oppikte en haar tot zijn elegante dame maakte.'

'Rex!' vermaande Sarah Blaine hem mild.

De mollige majoor-generaal, die was gepensioneerd van het Departement Buitenland en Politiek in India, gaf Allison een knipoog om te tonen dat zijn opmerking niet kwaad bedoeld was en gaf haar een vaderlijk klopje op haar hand. Toen richtte hij zijn aandacht weer op zijn vrouw. 'Tja, je kunt het me niet kwalijk nemen, Sarah. Als peetoom van mijn engelachtige kleine Allison ben ik inderdaad bevooroordeeld als het gaat om een stralend voorbeeld van karakter. Als Allison hier smaragden en linnen zou dragen midden in de Arabische woestijn zou ik erin geloven.'

Allison lachte. 'Ik bezit geen smaragden, Rex. En als ik dat wel deed, zou ik ze niet dragen op een excursie.' Ze glimlachte naar het oudere echtpaar, die al voor haar geboorte vrienden van haar ouders waren geweest. Generaal Blaine had haar absoluut niet geshockeerd, want hij was altijd joviaal en ze vatte alles wat hij zei op als afkomstig van een innemende persoonlijkheid.

'Je ziet eruit of je laat op bent gebleven,' zei hij. 'Kon je niet slapen in die beroerde hutjes?' Hij keek haar nieuwsgierig aan. 'Misschien moesten we maar met z'n drieën teruggaan naar Caïro.'

'O, ik denk er niet aan,' verzekerde Allison hem. Er viel een stilte alsof hij wachtte tot ze haar stemming van die ochtend zou verklaren. Het lag op het puntje van haar tong hem in alle gruwelijke geuren en kleuren te vertellen waarom ze neerslachtig was en wat er de nacht tevoren was gebeurd. Maar ze dacht aan Leahs bezorgde gezicht en de waarschuwing die ze haar had gegeven er tegen niemand een woord over te zeggen. Hoewel Allison generaal Blaine en Sarah volkomen vertrouwde, omzeilde ze het onderwerp met een geeuw en keek de tafel rond om te zien hoe het ontbijt eruitzag.

'Je had moeten uitslapen,' zei Sarah. 'Kwam die Arabische bediende op je deur bonzen om het bed op te maken? Toen hij bij ons kwam, heb ik gezegd dat hij weg moest gaan. Het was vreselijk!'

'Wat jij nodig hebt, arme meid, is een slokje hiervan,' zei de generaal, en hij schonk Allison een kopje *qahwa* in, een speciaal mengsel van uitstekende Turkse koffie. 'De barones, die een zelfverklaarde deskundige is op het gebied van alle Turkse zaken, heeft de koffie in stijl laten serveren,' zei hij luchtig. 'Er is *saada*, zonder suiker, *ariha*, weinig suiker, *mazbut*, gemiddeld suiker, en *ziyada*, mierzoet.'

Allison glimlachte. 'Deze keer ga ik voor sterk en zwart. Sarah, hoe kun je dat stroperige brouwsel drinken alsof je ervan geniet?'

'En dat op een lege maag,' kreunde Rex.

'En de barones beledigen door het niet te doen?' fluisterde de opgewekte Sarah, een kleine vrouw die delicaat grijs was aan de slapen. Generaal Blaine noemde haar liefkozend zijn 'kleine musje'.

Sarah boog zich naar Allison, die ze als een nichtje beschouwde aangezien de generaal en zij geen eigen kinderen hadden, en fluisterde met wijd opengesperde ogen: 'Dit was de eerste keer dat ze ooit tegen me gesproken heeft, en ze stelde voor dat ik het probeerde. Ik zou nog benzine drinken als dat betekende dat ze me eindelijk zou opmerken.'

'Ik merk je op, lieverd. Dat is het enige wat er werkelijk toe doet,' kwam Rex tussenbeide.

'Wie denk je dat ze deze kerstvakantie in haar huis in Caïro ontvangt?' vroeg ze Allison.

'Moet je haar horen!' grapte Rex. 'Ze zit te popelen om het je te vertellen en ze doet of ze kalm is. Vertel het haar, lieve Sarah, voordat je knapt. De farao in eigen persoon. Ben je niet onder de indruk, Allison?'

Allison glimlachte toen Sarah haar neus optrok tegen haar man. 'Ja hoor, inderdaad, de farao, maar het scheelt niet veel. De prins van Caïro, die is het,' vertelde ze Allison. 'En deze keer krijg ik een uitnodiging voor de kerstpartij, al wordt het mijn dood.'

'Wat heb jij toch een verwende, snobistische neigingen, Sarah,' zei generaal Blaine. 'Nou, ga je gang en kibbel maar om die uitnodiging te krijgen. En terwijl jij idolaat naar de prins van Caïro staart, haal ik een paar Turkse sigaren van haar herenbijeenkomsten in de bibliotheek. Ik hoor dat ze sigaren verzamelt en ze zelfs oprookt...'

'Rex,' zei Sarah half vermanend, 'hou toch eens op!'

'Ze rookt toch niet echt sigaren?' vroeg Allison zachtjes lachend.

'Ja hoor,' zei Rex, maar hij gaf Allison een knipoog toen Sarah hem een boze blik toewierp. Allison herkende al te vriendelijke antipathie in generaal Blaine's stem als hij over de barones sprak. Als gepensioneerd officier van het Engelse leger, was zijn minachting voor wat hij noemde 'het bloeddorstige Duitse rijk' bekend bij de anderen, de barones inbegrepen.

'Rex, hoe kun je?' siste Sarah. 'Als ze je hoorde, krijg ik *nooit* een uitnodiging.'

'Dat zou natuurlijk het eind van de wereld zijn,' klaagde hij goedgehumeurd. 'Nou, dan zal ik me uit liefde voor mijn dierbare Sarah maar weer netjes gedragen.' Hij reikte over de tafel naar de schaal *ayish*, brood gevuld met geklopte rijst en room, en *gibna*, warm en gesmolten opgediende kaas. Hij schepte twee porties op zijn bord.

'Dat moet gezegd worden over deze ouwe-botten-opgraaf-vakantie elk jaar: het weer is absoluut afschuwelijk en de mensen zijn volkomen gestoord in hun belangstelling voor dode dingen, maar het eten is fantastisch,' vertrouwde hij Allison toe.

Ze lachte. 'Ik vroeg me al af waarom je niet in Caïro bleef, als ik zie hoe je het verafschuwt om met Sarah en mij naar de opgravingen te gaan.'

'En nu weet je de waarheid. Ik ben gekomen omdat ik hoorde dat de barones over het menu ging.'

'Wat een ontzettende gulzigaard ben je toch, hè lieverd?' zei Sarah. 'Maar ik hou evengoed van je, hoor.'

'Na twintig jaar?' plaagde hij. 'En nu ik mijn rug heb bezeerd, heb ik een goed excuus om in de buurt van de hut te blijven. De blauwe kraal werkt kennelijk totaal niet.'

'De blauwe kraal?' vroeg Allison.

'Vertel het haar, Sarah. Ik ga eten nu het nog kan.'

'Wist je dat niet?' vroeg Sarah. 'Blauwe kralen weren het boze oog af. De Arabieren hebben ze voor hun kamelen en ezels, en zelfs hun huizen hebben een blauw geverfde strook. Kijk maar – vind je het geen prachtig turkoois?'

Allison keek ongemakkelijk naar de blauwe kraal aan de zilveren ketting om Sarahs nek, maar Sarah scheen het iets onschuldigs te vinden.

'Leuk, hè?' zei Sarah. 'Rex heeft hem gisteravond voor me gekocht in het dorp. Ik vroeg me al af waar hij heen was gegaan.'

'Alles voor mijn liefste. Ik ben *zo* opofferend.'

'Wat een flauwekul,' zei Allison. 'Niet jouw toewijding, Rex,' voegde ze er haastig aan toe. 'Ik bedoel het idee dat een blauwe kraal het kwaad kan afweren. Dat geloof je toch zeker niet?' vroeg ze Sarah.

Sarah haalde haar schouders op en hief haar *ayish* om een hap te nemen.

'Kwaad is veel subtieler en persoonlijker,' zei Allison. 'De satan deinst nergens voor terug, behalve –'

'Nou, nou,' viel generaal Blaine haar met opgeheven hand in de rede. 'Het is geen zondagochtend, hoor lieverd. Geen gepreek voordat ik ontbeten heb. Maar misschien had majoor Reuter een blauwe kraal bij zich moeten dragen. Had hem kunnen behoeden voor die slangenbeet.'

'Rex, ik vind niet dat je grapjes moet maken over de dood,' zei Sarah. 'Het was een afschuwelijke gebeurtenis, al was hij – was hij –'

'Ze is te edelmoedig. Ik zal haar zin voor haar afmaken. Een soldaat van keizer Wilhelm II,' zei Rex.

'Ik snap niet hoe het een slang geweest kan zijn,' peinsde Allison, drinkend van haar Turkse koffie.

'Waarom niet?' vroeg Sarah belangstellend, maar generaal Blaine kwam tussenbeide.

'Je gaat me toch niet vertellen dat jij ook denkt dat hij vermoord is?' zei hij tegen Allison.

'Ook? Dus jij gelooft het ook?' vroeg ze tamelijk verrast.

'Allemensen, nee! Al begrijp ik best waarom een heel stel Engelsen hem zouden willen mollen – en die weerzinwekkende en arrogante kolonel uit Bagdad. Hoe heet hij ook alweer? O ja, Holman.' Hij keek om zich heen. 'We hebben de charmante vent nog niet ontmoet.'

'Rex, praat alsjeblieft een beetje zachter,' smeekte Sarah.

'Dit is niet bepaald Brits grondgebied, weet je.'

'Natuurlijk niet. Het is Turks. En dat is jammer.'

'Dus jij denkt dat het een ongeluk was?' vroeg Sarah.

'Dat is zo klaar als een klontje, lieve.'

'Dan had ik graag dat je het zou uitleggen. Ik vind het afschuwelijk.'

'Afschuwelijk, ja, maar nogal begrijpelijk voor iemand die die woestijnwezens kent. Neem nou bijvoorbeeld de cobra,' stelde hij voor.

'Je mag hem houden,' zei Sarah huiverend. 'Haal het niet in je hoofd zo'n geval mee naar huis te nemen voor je rare verzameling van schepsels.'

'Van alle reptielen,' vervolgde hij, 'is de cobra misschien wel de bekendste, en een spugende cobra is het meest opmerkelijk van allemaal. Als de cobra toeslaat, mikt ie op de ogen van het slachtoffer. Hij kan zijn gif van een afstand van drie meter uit zijn voortanden spuiten.'

Allison keek naar de grond en Sarah schoof haar half leeggegeten bord opzij. 'Heus Rex, dit is allemaal erg smakeloos na de dood van die man.'

'Sorry, lieve Sarah. Allison, geef me die schaal sinaasappels eens aan.'

Allison dacht aan de blauwe plek op de arm van de Engelse agent die zich had voorgedaan als majoor Karl Reuter. Dat, en de tandafdrukken, waren zeker niet van een afstand van drie meter gekomen, maar ze durfde dat nu niet te zeggen omdat ze zich niet mochten afvragen hoe ze de wond had kunnen zien. Ze herinnerde zich iets anders over cobra's dat ze tijdens haar opleiding had geleerd, en dat generaal Blaine niet had genoemd. Als een cobra bijt, maakt hij een kauwende beweging die zijn tandafdrukken verwijdert, zodat het voor een arts moeilijker wordt om te zien wat voor reptiel zijn patiënt gebeten heeft.

Ze sneed een ander onderwerp aan. 'Dus je gaat niet met

ons mee naar de opgravingen vanwege je rug?'

'Hier spreekt de verpleegster. Het werd tijd dat een van jullie me eens vroeg hoe ik me voel. Het is allemaal Sarahs schuld. Ze heeft een koffer vol kleren, genoeg voor een maand meegenomen. En raad eens wie hem een kilometer ver moest dragen toen onze Mercedes het begaf?'

'O nee, doet de auto het niet?' vroeg Allison. 'Ik hoopte dat Sarah en ik hem konden gebruiken om naar de Carchemish-opgravingen te rijden. Het genootschap heeft niet vóór donderdag een tocht gepland, en ik maak me zorgen om neef Neal.'

'Nog iemand die niet is komen opdagen,' zei generaal Blaine.

Nog iemand? dacht Allison.

Rex keek naar zijn vrouw die nog steeds lijkbleek zag na zijn verhandeling over de spugende cobra. 'Dan kunnen Allison en jij een auto lenen van de Britse consul. Na het ontbijt zal ik eens kijken wat ik kan doen.'

Allison beëindigde haar maaltijd in stilte, zich afvragend hoe ze iets kon meesmokkelen voor Leah.

'Ga je mee, Allison?' vroeg Sarah.

'O ja, de ochtendlezing. Die was ik vergeten. Wie zal er spreken nu Neal te laat is, weet je dat?'

'Helga's assistent, die Turk,' zei generaal Blaine.

'Hij heet Jemal,' zei Sarah. 'Een heel aardige kerel. Het kan interessant worden.'

'Hij heeft een paar dingen van de Hittieten meegebracht,' zei de generaal.

Allison verstrakte. Hittieten... 'Ik kom wat later,' zei ze terloops. 'Hou een mooi plekje voor me vrij, goed? Ik ben mijn zonnehoed vergeten.'

'We bewaren de allerbeste plek voor jou,' zei Rex. 'Kom mee, Sarah, breng me naar de lezing. Ik heb zin in een dutje.'

Toen ze vertrokken waren en de anderen zachtjes pratend de eetzaal uit stroomden, keek Allison om zich heen.

Niemand keek naar haar en vlug pakte ze wat fruit en brood en stopte het in haar tas.

Onderweg naar de hut stond ze stil om achterom te kijken, bevangen door het idee dat ze gadegeslagen werd door onzichtbare ogen. Afgezien van een paar bezoekers onderweg naar de lezing was het glanzende stuk grond van het met zand bedekte terrein leeg. Het ochtendzonlicht weerkaatste van het zand en verhitte de rotsen en de gebouwen als een oven.

Ze stond op het komvormige terrein met de halve cirkel van hutten. Alle ramen keken op haar neer en ze kon kolonel Holman voor zich zien in een van de hutten, op zoek naar bezwarende bewijsstukken tegen een clublid. Zoals generaal Blaine had gezegd, hoopte de kolonel de dood van zijn kameraad een van hen in de schoenen te schuiven. Zo werkte de Duitse geheime politie. Keek hij nu naar haar door een van de ramen? Of was hij met de Turkse official meegegaan naar Aleppo voor de begrafenis van wat hij geloofde dat het stoffelijk overschot was van majoor Karl Reuter? Ze voelde een steek toen ze dacht aan de echte Engelse familie van de agent. Zouden ze ooit te horen krijgen hoe hij was gestorven? En dat hij ergens in Arabië begraven lag als Duitse soldaat van de keizer? Waarschijnlijk niet, dacht ze somber. Alleen God wist waar hij was, wie hij was, en wie hem had vermoord.

Ze huiverde en zette de pas erin toen een stem riep: 'Allison?'

Barones Helga Kruger liep naar haar toe. Ze droeg een breedgerande Australische hoed, een nogal ongewone aanblik als je het vele werk in aanmerking nam dat haar dienstmeisje had gehad om haar haar zo verbluffend mooi te kappen. Dit was een van de weinige keren dat Allison met de vrouw had gesproken.

Onder de schaduw van de hoed stond Helga's gezicht, dat kleine ouderdomsrimpeltjes vertoonde, strak. 'Ga je niet mee om naar Jemal te luisteren?'

'Ja hoor, ik ben alleen mijn hoed vergeten.'

'Ik kan me niet indenken waardoor je neef Neal zo is opgehouden,' peinsde ze met een frons tussen haar wenkbrauwen. 'Hij had gisteren moeten arriveren.'

Allison had het vreemde idee dat Helga op haar antwoord wachtte en er nieuwsgierig naar was. 'Vind je niet dat iemand eropuit gestuurd moet worden om hem te zoeken? Er kan wel van alles gebeurd zijn. Moeilijkheden met zijn motorvoertuig misschien,' voegde ze er vaag aan toe.

'Ik heb gehoord dat kolonel Holman onderweg is in die richting. Hij is vanmorgen vroeg vertrokken. Helaas was hij al weg voordat ik hem kon spreken.'

Kolonel Holman! dacht Allison. *Dus hij is niet in de hutten aan het zoeken.*

Helga keek om zich heen. 'Heb je Leah gezien? Het viel me op dat ze niet kwam ontbijten. Toen ik vanmorgen aanklopte bij haar hut kreeg ik geen gehoor. Heel ongewoon voor je nicht. Ze is erg professioneel.'

Opgelet, waarschuwde Allison zichzelf. De donkere ogen sloegen haar waakzaam gade. 'Ik heb gisteren met haar gepraat,' zei Allison naar waarheid. 'Ze was ongerust om Neal. Ze duikt vast wel weer op als ze kan.'

'Ze moet morgen de excursie naar Aleppo leiden. Ik hoop maar dat ze het niet vergeten is. Het is helemaal niets voor Leah.' Helga's blik dwaalde over het terrein naar Leahs hut die zo gelegen was dat de koele schaduwen van de vroege morgen hem geheimzinnig omhulden. 'Ik zal nog eens aankloppen. Als ze deze keer geen gehoor geeft, zal ik de moedersleutel maar eens gebruiken, denk ik.'

Dus ze had een moedersleutel. Die werkte in alle sloten. Daar was niets ongewoons aan, dacht Allison met een blik op de sleutelring die schitterde in het zonlicht, want de barones had het kamp gekocht van de Turkse officials in Aleppo.

'Ik ben bang dat ze nogal van streek is door het ongeluk dat majoor Reuter het leven heeft gekost,' verklaarde Helga.

'Daar zijn we allemaal door van streek.'

Helga keek haar openhartig aan. 'Ik moet almaar denken dat ze elkaar kenden.'

'Ik zie niet in hoe dat mogelijk zou zijn, want majoor Reuter kwam uit Constantinopel.' Allison verschoof haar tas naar haar andere arm en keek terloops om zich heen, alsof ze verwachtte dat iemand zich bij hen voegde.

'Je zult wel gelijk hebben. Dat was ik vergeten. Hij zei dat hij twee weken in Bagdad was geweest. Ik geef toe dat ik verbaasd was dat hij van onze bijeenkomst afwist en erbij wilde zijn. Ik besefte niet dat onze club al zo bekend geworden was.'

'De bijeenkomst heeft in Caïro in de krant gestaan,' zei Allison vlot. Om niet het idee te wekken dat ze zich volkomen afsloot voor Helga's vage suggestie, voegde ze eraan toe: 'Maar ik begrijp wat u bedoelt; Bagdad is een heel eind weg, hè? Zei hij dan dat hij het daar in de krant had gelezen?'

'Ik heb geen tijd gehad om het te vragen. Hij heeft mijn assistent gesproken toen hij arriveerde.' Helga draaide zich om en wilde weglopen zonder Allison tijd te geven voor een antwoord, maar stopte opeens. 'Weet je dat iemand gisteravond heeft ingebroken in de hut van de majoor? De Arabische bediende trof vanmorgen het slot kapot aan. Hij zei dat de bezittingen van de majoor verspreid lagen door de hele hut.'

Allison had het gevoel dat ze strak werd aangestaard door een python. Omdat ze in de veronderstelling verkeerde dat Helga wist dat kolonel Holman haar vannacht gesproken had, gaf ze toe: 'Ja, dat vertelde kolonel Holman me. Nogal eigenaardig, hè?'

Helga's gezicht lichtte op van onderdrukte voldoening. Haar uiterst nauwgezet geëpileerde wenkbrauwen gingen omhoog. 'Hij is naar de Carchemish-opgravingen vertrokken voordat Jemal of ik hem erover hebben kunnen spreken. Dus jij hebt hem gezien voordat hij vertrok? Heeft hij jou erover verteld? Wat eigenaardig dat jij het weet.' Allison keek haar aan en vroeg zich af hoe ze zich hieruit moest redden. Helga vervolgde vriendelijk: 'Dus hij weet het. Dat is mooi. Dat betekent dat hij terug zal komen om de zaak te onderzoeken. Het was vreselijk genoeg dat er een ongeluk is gebeurd, maar als het nieuws wordt verspreid dat we een inbraak hebben gehad, betekent dat slechte publiciteit voor het genootschap. Ik bedoel – waarom zou iemand van ons behoefte hebben om in zijn spullen te gaan rommelen?'

'Misschien was het gewoon een kruimeldief die een paar dingen hoopte te vinden die hij kon verkopen op de bazaar in Aleppo.'

'Dat zal het wel geweest zijn. Maar geen van mijn bedienden is een dief,' verklaarde ze vlak.

'Ik bedoelde er niets mee –'

'Ik hoop dat de inbreker niet meer was dan dat. Een kruimeldief.'

'Wat kan hij anders geweest zijn?' vroeg Allison bot.

Helga keek haar aan met haar bodemloze donkere ogen. 'Ik weet het absoluut niet, maar de voorwerpen die een dief zou meenemen, waren er allemaal nog. Jemal vertelde me dat er niets weg was.'

'Dat kan uw assistent natuurlijk niet zeker weten, tenzij hij precies wist wat de majoor bij zich had en dat is onwaarschijnlijk.'

'Ja. Je hebt gelijk. We moeten wachten tot kolonel Holman terugkomt.'

Allison hoopte maar dat de barones de blos niet zag die ze voelde opstijgen. Aangestaard door Helga draaide Allison zich om om naar haar hut te gaan. 'Ik ben benieuwd of u nog iets hoort over Neal. Ik hoop nog steeds dat hij vanochtend aankomt. U zult het me toch meteen laten weten?'

'Ja, en over Leah zul je ook wel willen horen.'

'Ja, zeker. Wilt u me excuseren, ik moet me haasten. Generaal Blaine en zijn vrouw houden een plekje voor me vrij bij de lezing.'

'Je zult er beslist van genieten.'

'Ja, vast. Dank u.' Allison snelde weg toen Helga haar nariep: 'Als je een exemplaar hebt van Woolly's boek over archeologie, neem het dan mee want Jemal zal enkele aantekeningen van Woolly over de Hittieten bespreken.'

Daar had je dat woord weer. Maar de barones kon het onmogelijk op dezelfde manier gebruiken als Leah vannacht. Er was niets ongewoons aan de Hittieten te noemen, daar het British Museum hun oude beschaving in Jerablus onderzocht.

'Ik heb dat boek van Woolly niet,' bekende Allison. 'Ik kon geen exemplaar vinden in de winkels voordat ik uit Caïro vertrok. Er schijnt veel vraag naar te zijn geweest. De boekhandel bestelde nieuwe in Londen toen ik vertrok.'

De barones staarde verstrooid langs haar heen naar Leahs lege hut. Ze mompelde iets over meer boeken voor haar eigen boekhandel in Caïro uit Constantinopel, en liep toen energiek weg over het terrein. Allison keek haar niet op haar gemak na, draaide zich toen om en ging naar haar eigen hut.

De barones was wantrouwig. Hoeveel wist ze? En wat misschien belangrijker was, lag haar nationale loyaliteit bij de territoriale ambities van keizer Wilhelm? Ze was van Duitse afkomst, maar dat was niet genoeg om haar te verdenken. Het was niet eerlijk om iedere ex-patriot te brandmerken als spion voor Berlijn. Generaal Blaine had gezegd dat ze trouw was aan de keizer, maar hoewel Allison genegenheid voelde voor de generaal, was het waar dat hij zo hevig anti-Duits was dat zijn opmerkingen op de grens waren van kwaadaardigheid.

Voor het eerst vroeg Allison zich af waarom hij zo'n scherpe tong had als het over de barones ging. Ze zou het toch eens aan Sarah vragen, als ze de gelegenheid kreeg.

Allison ging haar hut binnen, schoof de grendel voor de deur en draaide zich om naar het bureau waar Leah druk aan het werk was met potlood en papier. Ze keek op, de lijnen van vermoeidheid waren zichtbaar op haar gezicht. 'Als ik maar een minuut langer had gehad in die hut,' zuchtte ze uitgeput en ze tikte met de rand van het dikke potlood tegen de tafel. '*HITTIETENebg.* Wat wilde hij me vertellen?'

'Ik wou dat ik je beter kon helpen. Voorlopig heb ik de eettafel leeggeroofd. Hier, het is niks om over op te scheppen, ben ik bang. Alleen wat brood, kaas en een sinaasappel. Sorry, geen koffie,' voegde ze eraan toe toen Leahs blik hoopvol naar haar hand vloog. 'Koffie zal ik bij de lunch proberen.'

Terwijl Leah diep in gedachten de sinaasappel pelde, stond Allison naar haar te kijken. 'Je probeert het te hard. Misschien moet je het loslaten. Een dutje doen. Je hebt afgelopen nacht niet geslapen. Ik hoorde je rondlopen.'

'Er is geen tijd om een dutje te doen. Was Neal maar hier, hij zou wel weten waar ik naar moest zoeken.'

'En als hij helemaal niet komt?' fluisterde Allison. 'Hoe lang kunnen we jou zo blijven verstoppen? De barones is onderweg naar je hut. Je verscheen niet aan het ontbijt en iedereen begint vragen te stellen.'

Leah keek haar ongerust aan. 'En kolonel Holman? Is hij mijn hut binnengegaan?'

'Nee, en dat lijkt me ongewoon als je bedenkt hoe hard hij mij afgelopen nacht behandelde. Helga zegt dat hij naar Carchemish is gegaan. Het is vreselijk verdacht dat Neal niet is verschenen en dat geen van jullie het genootschap heeft geleid sinds majoor Reuter dat ongeluk kreeg.'

'Wat er ook gebeurt, ik moet eerst weten wat Karl met dit woord heeft bedoeld. En jij moet ze blijven overtuigen dat je niks anders aan je hoofd hebt dan de expeditie. Morgen is de excursie naar Aleppo. Je moet meegaan en een vrolijk gezicht trekken.'

De gedachte maakte Allison onrustig. 'Ik vind het vreselijk om je hier zo achter te laten. Als ze besluiten te gaan zoeken, de barones heeft een sleutel van alle hutten.'

'Waarom zou ze gaan zoeken? Ze heeft geen reden om te vermoeden dat ik hier ben. En Holman heeft jou al ondervraagd.'

'Ik ben er niet zeker van dat ze niet wantrouwig is. Ze deed net heel vreemd. Zoals ze naar me keek en suggestieve vragen stelde bracht me op het idee dat ze kan samenwerken met Holman. Wat weet jij van Helga?'

Leah haalde haar schouders op. 'Je kent het type wel. Rijke weduwe die zich verveelt. Ze heeft geld zat om mee te spelen. En anders dan sommige vrouwen die alleen maar willen feestvieren, is de barones hoog opgeleid en geïnteresseerd in politieke dialoog. Zoals ik al zei, ze kent Neal en heeft stukken gekocht voor het Caïro Museum. Natuurlijk deed ze vanmorgen wantrouwig. Er is ingebroken in Karls hut en niemand weet waar ik ben, en Neal heeft zich niet laten zien.'

'Het zal wel. Ze zei dat Holman vroeg vertrokken was. Vind je zijn gedrag niet vreemd?'

'Wat bedoel je?'

Allison zei bedachtzaam: 'Hij denkt dat zijn collega is vermoord. Waarom zou hij dan weggaan voordat hij de andere leden van het genootschap heeft ondervraagd? Als we vertrekken naar Brits Caïro kan hij niemand meer ondervragen, want dan heeft hij geen jurisdictie meer.'

'Ja, ik snap wat je bedoelt. Ik had ook verwacht dat hij zou blijven, tenzij...'

'Tenzij wat?' vroeg Allison gealarmeerd.

Leah zuchtte. 'Ik weet het niet...'

'Denk je dat hij Neal verdenkt? Misschien is hij naar de opgravingen vertrokken om hem te zoeken.'

'Neal is maar één van de redenen waarom hij daarheen zou gaan.' Leah keek naar de deur, toen weer naar Allison. 'We hebben lange tijd vermoed dat de spoorweg Berlijn-Bagdad gebouwd wordt om Duitse troepen Arabië binnen te halen, hoewel de keizer het ontkent. Holman zal zijn contactpersonen ontmoeten in het hoofdkwartier bij de spoorweg. Ik vermoed dat hij zijn superieuren in Constantinopel zal telegraferen om ze op de hoogte te brengen van de dood van Karl.'

'Maar als ze nou eens terug telegraferen dat de echte Karl Reuter nog steeds in Constantinopel is? Of als majoor Reuter in eigen persoon terug telegrafeert?'

'Dat maakt deel uit het van het risico dat we nemen. Ik weet zeker dat onze kant rekening heeft gehouden met die mogelijkheid.'

Allison herkende de spanning in Leahs stem. Ze was er helemaal niet zo zeker van. En dat zette haar nog meer onder druk om achter de betekenis van het codewoord te komen.

'Vertel me eens wat je zag in de hut van majoor Reuter,' drong Leah aan.

'Ik heb je alles verteld. Er was niets anders dan zijn tas met papieren, zijn kleren – en dat was alles,' hield ze vol. 'Als de aanwijzing in zijn kleren verstopt zat, zul je nooit weten wat het is.'

'Nee, Reuter was te voorzichtig. Hij zou weten dat ik geen tijd had om zijn spullen te doorzoeken. Het papier lag in het volle zicht op zijn bureau, en als er nog iets anders was, zou hij dat ook duidelijk zichtbaar hebben gemaakt, maar niet zo dat het de aandacht van de vijand zou trekken.' Rusteloos stond ze op. 'Denk na, Allison! Weet je heel zeker dat je niets anders hebt gezien toen je in die stoel zat tijdens Holmans ondervraging?'

Allison liep naar het kleine raam en schoof het gordijn opzij. Ze dacht na, zoals ze de hele ochtend al had gedaan. Zelfs tijdens het ontbijt, terwijl generaal Blaine en Sarah zaten te kletsen, was ze in gedachten weer in die vreselijke kamer geweest. Toch zag ze in haar herinnering alleen maar kolonel Brent Holman, zijn opwindende blauwe ogen en zijn arrogante houding, terwijl hij volhield dat ze belangrijke informatie had gestolen van Karl Reuter.

Ze liet het gordijn weer op zijn plaats vallen. 'Ik moet

gaan. Helga heeft je hut verlaten en loopt terug naar het hoofdgebouw. Ik wil niet dat ze me betrapt als ik naar buiten ga. Ik heb er veel te lang over gedaan om mijn hoed te halen.' Ze rukte hem van de haak en deed de deur open, er viel een streep zonlicht naar binnen. 'Ik blijf nadenken. En na de lunch kom ik terug.'

Leah glimlachte onverwacht. Vermoeid zei ze: 'En neem deze keer alsjeblieft koffie mee, wil je?'

'Beloofd,' antwoordde Allison.

Ze ging naar buiten, draaide de sleutel om in het slot en wachtte even tot ze hoorde dat Leah de grendel op zijn plaats schoof. Zelfs al verzon de barones een smoesje om haar moedersleutel te gebruiken terwijl ze weg was, ze kon niet naar binnen. Maar Allison zou wel even moeten uitleggen hoe ze het voor elkaar gekregen had de deur vanaf de buitenkant te vergrendelen!

Ze daalde het trapje af terwijl ze haar hoed vast strikte, toen vanaf de zijkant van de hut een mannenstem klonk. 'Dus daar ben je. Ik was naar je op zoek.'

Haar hart sprong op in haar keel en ze verstijfde.

David.

5

Allison keek hem verbijsterd aan, zo verrast was ze de jonge joodse activist te zien die ze in Londen had ontmoet aan de School voor Bijbeltraining van Oswald Chambers. Hij stond onder de veranda in het hete zand, en droeg een kaki kniebroek, leren laarzen en de traditionele helmachtige expeditiehoed van canvas. Ze herkende hem nauwelijks zonder zijn Londense kleren en merkte op dat hij ook een geweer over zijn schouder droeg. Aan zijn voeten stond een plunjezak waarin zijn kleren zaten. Klaarblijkelijk was hij van plan een poosje te blijven.

'David,' fluisterde ze. 'Ik dacht dat je tegelijk met mij uit Londen vertrokken was, dat je naar huis was gegaan in Zuid-Afrika. Wat ter wereld doe je *hier*?'

Hij grinnikte. 'Waar "ter wereld" zou een jood zich op deze aardbol beter thuis voelen dan in Palestina, vraag ik je?'

'Dit is Aleppo,' verklaarde ze. 'Je bent niet in Jeruzalem. En de Turken ondervragen iedereen van wie maar een greintje vermoeden bestaat dat ze David Ben-Goerion kennen.'

Hij haalde zijn brede schouders op met een vastberadenheid die ze had leren herkennen. 'Nou, dan ben ik voorlopig veilig. Ik heb Ben-Goerion nog niet ontmoet.'

Ze begreep de betekenis van het woord *nog*. *Dus hij heeft zijn besluit genomen,* dacht ze. Zijn politieke overtuiging had hem ertoe gebracht zich aan de zijde te stellen van de zionistische beweging in Jeruzalem.

'Je zet je leven op het spel, hoor,' zei ze zacht.

Zijn bruine ogen stonden ernstig. 'Sommige dingen zijn dat waard. Een eigen vaderland bijvoorbeeld.' Hij glimlachte weer. 'Maar we hebben bijna 2000 jaar gewacht. Ik kan nog wel een paar weken wachten. Ik ben gekomen om jou te zien. Ik hoorde in Caïro dat je hier zat.' Zijn ogen lachten haar toe. 'Ben je nog steeds bezig met Bijbelse archeologie?'

Ze kwam het trapje af en langzaam liepen ze naar het hoofdgebouw. 'Wat deed je in Caïro? Ben je bij mijn familie langs geweest? Ze hadden je graag ontmoet. Ik heb ze verteld hoe je de school trotseerde door godsdienst en politiek te bediscussiëren met Oswald Chambers en een paar studenten.'

'Ach, Daniël in de leeuwenkuil,' grapte hij. 'En net als hij ben ik er zonder kleerscheuren vanaf gekomen.'

Ze glimlachte. David had een plezierige manier van doen, zelfs als hij lucht gaf aan zijn twijfel dat Jezus de beloofde joodse Messias was. Veel van de christelijke studenten, evenals Chambers, hadden een warme vriendschap voor hem opgevat en die vriendschap verdiepte zich tijdens de twee maanden waarin David naar het grote huis kwam dat door Oswald Chambers en zijn vrouw Biddy in een school was veranderd. Allison zou nooit die regenachtige kerstavond vergeten waarop hij was aangekomen met Wade Findlay, een andere student van de School voor Bijbeltraining. David was opgetreden als de traditionele activist, bereid om tot in de kleine uurtjes te debatteren om te bewijzen dat zijn nieuwe vrienden het mis hadden. Toen Chambers niet wilde argumenteren maar zich een vriend had betoond voor de jongeman die weg was van zijn huis in Zuid-Afrika, had David zich ermee tevredengesteld het onderwerp Jezus te laten varen en te discussiëren over het idee van een nationaal thuisland voor de joden in Palestina. En David was van plan zich in verbinding te stellen met zionisten die in Jeruzalem woonden en werkten. David Ben-Goerion was het hoofd van een groep in Jeruzalem die probeerde een soort onafhankelijkheid los te krijgen van de Turken. Het was Davids droom zich bij hen te voegen.

'Dus je gaat naar Jeruzalem?' vroeg ze.

'Ik ben ervan overtuigd dat onze tijd is gekomen. Maar ik ben van plan eerst hier een vriend te ontmoeten. Misschien ken je hem wel. Hij heeft ook wat werk gedaan in de archeologie; klein spul, zoals hij zelf zegt. Hij is niet zo'n opschepper. Ik heb hem in Londen ontmoet op een bijeenkomst van zionisten.'

'Is hij joods?'

'Nee, hij is zo Engels als wat, maar hij staat aan onze kant.' Hij grijnsde. 'Hij is nog welbespraakter dan ik als het erom gaat redenen op te werpen voor een joods thuisland. Volgens mij was hij alleen bij de bijeenkomsten om ons te bekijken voor de oogst in de toekomst.'

'De oogst?'

'De oorlog. Die komt eraan, weet je.'

Haar gezicht betrok. Een oorlog zou het einde betekenen van het medische zendingswerk met tante Lydia aan boord van de Mercy. 'Oorlog is niet onvermijdelijk,' hield ze vol.

'Wees geen struisvogel. De eerzucht van Duitsland is niet te stoppen. "Tijd voor Duitsland", zoals ze zeggen. Ze staan pal achter Oostenrijk en haar annexatie van Servië. En als de Russische tsaar Nicolaas ertussen komt om Servië te verdedigen, zal de keizer dat excuus aangrijpen om zich bij Oostenrijk te voegen en de oorlog te verklaren, niet alleen aan Servië en Rusland, maar ook aan Frankrijk en Engeland. En dan zit Arabië midden in de strijd.'

Allison was bang dat hij gelijk had. 'Waarom Arabië? Vanwege de oliereserves?'

'Dat heeft er een hoop mee te maken.' Hij dempte zijn stem. 'Waarom zouden ze anders die spoorweg bouwen van Bagdad naar Palestina? Toegang tot olie en troepenverplaatsing.'

'Ja, maar Turkije beheerst Arabië, en ze zullen waarschijnlijk eerder de kant van Engeland kiezen dan van de keizer. En niet iedereen is het ermee eens dat oorlog onvermijdelijk is,' wierp ze tegen. 'De regeringsleiders onderhandelen op dit moment zelfs met elkaar om vrede op de Balkan uit te werken.'

'De keizer wil geen vrede,' zei hij een beetje smalend. 'Dat Oostenrijk Bosnië annexeerde, was nog maar het begin. De keizer en zijn minister van Oorlog hebben het jarenlang voorbereid. Ze hebben in het geheim een wapen- voorraad opgebouwd, en ze hebben de grootste kanonnen ooit – houwitsers met granaten die een stad met de grond gelijk kunnen maken.' Fronsend zei David als tegen zichzelf: 'Volgens mij hebben ze Sint Petersburg in gedachten. Terwijl de rest van Europa ligt te doezelen als een ouwe vent in de zon, bereidt het Duitse leger van reservisten, twee miljoen man sterk, zich voor om vandaag of morgen de strijd te beginnen.'

Hij keek naar haar en glimlachte verontschuldigend. 'Daar ga ik weer. Het zou slimmer van me zijn om niet elke keer als ik je zie over oorlog te praten, hè?'

Ze glimlachte en zei niets. 'Trouwens,' zei hij, 'dat doet me ergens aan denken. Ik heb een brief voor je meege- bracht. Zie je nou? Er zijn nog meer redenen voor mijn komst. Hier, van je andere aanbidder, Wade Findlay.'

Ze lachte. 'Dus je bent helemaal naar Arabië gekomen om voor postbode te spelen? Ik geloof er niks van, maar niette- min bedankt.' Ze nam de brief aan en stopte hem onge- opend in haar tas.

'Ga je hem niet lezen?' plaagde hij. 'Een liefdesbrief van je grootste aanbidder – nee, grootste moet ik niet zeggen.'

Ze deed of ze het niet gehoord had. 'Genoeg over Wade. Vertel me maar eens over die vriend van je die je hier zou ontmoeten. Wie is dat?'

'Bret Holden.'

Geschrokken keek ze hem aan. 'Wat zei je?'

'Bret Holden,' herhaalde hij. 'Hoezo?'

Ze schudde opgelucht haar hoofd. 'Nee, niks. Ik dacht dat je iets anders zei.'

'Bret verwacht me, hoewel ik er een handje van heb

onverwacht op te duiken en mijn bagage op iemands drempel te laten vallen. Waar ik hem over moet spreken, zal me een hartelijk welkom verschaffen.'

Ze keek hem aan en merkte op dat zijn gebruinde gezicht ernstig stond. De vastberadenheid die ze gaandeweg had leren kennen, stond in zijn ogen.

'Klinkt nogal geheimzinnig,' zei ze zacht.

Hij haalde zijn schouders op. 'Ik hoorde in Caïro dat dit genootschap het grootste in Arabië is.'

'Inderdaad,' antwoordde Allison, die hem toestond een ander onderwerp aan te snijden. 'Er zijn dit jaar verscheidene deskundigen. Ik ken niet iedereen,' gaf ze toe. 'Er zijn een paar nieuwe gezichten. Als iemand weet waar je je vriend kunt vinden, moet het de secretaresse van het genootschap zijn, barones Helga Kruger.'

'O ja, de rijke Duitse weduwe.'

'Ken je haar?' vroeg ze nieuwsgierig.

'Nee. Ik heb van haar gehoord. Wie niet?'

'Ik zal je tijdens de lunch aan haar voorstellen. Blijf je logeren?'

'Tot morgen. Als Bret niet hier is, rij ik door naar de Carchemish-opgravingen in Jerablus. Hij is een vriend van de archeoloog Woolly en zijn assistent T.E. Lawrence.'

Woolly en Lawrence werkten samen met Neal en Leah in Carchemish voor het British Museum.

'Neal is toch ook in Carchemish?' vroeg hij vriendelijk.

Bij het noemen van de naam van haar neef werd ze weer overvallen door haar bezorgdheid om hem. Ze keek enigszins op haar hoede naar David. Ze zou hem graag vertellen over Leah; maar dat zou onverstandig zijn zonder er eerst met haar over te praten.

'Ja, Neal had hier moeten zijn om een lezing te houden over de laatste vondsten,' legde ze uit. 'Hij is opgehouden.'

'Toch niets ernstigs?'

'We – ik weet het niet. Misschien komt hij vandaag nog.'

Ze keek hem van opzij aan terwijl ze langzaam naar de hut

liepen waar de hoorzaal was. 'Die vriend van je, Bret Holden, die je ontmoet hebt bij de zionistische samenkomsten in Londen, waarom denk je dat die hier is?'

Hij haalde zijn schouders op. 'Ik kreeg in Caïro nogal besmuikt te horen dat ik hem zou kunnen vinden als ik informeerde bij Neal bij de opgravingen. Ik ben eerst hierheen gegaan omdat ik dacht tijd te besparen als ze bij het genootschap waren en omdat ik wist dat jij hier was.' Hij keek haar aan. 'Ik heb je gemist.'

Ze antwoordde niet. David was aantrekkelijk en ze bewonderde zijn toewijding om te helpen bij het vestigen van een joodse kolonie in Jeruzalem, maar haar grootste zorg was dat hij de Messias niet erkende. Ze had het hem niet verteld, maar Davids naam stond geschreven in een dagboek dat Oswald Chambers haar als afscheidscadeau had gegeven toen ze vertrok van zijn school in Londen.

'Wees volkomen van Hem!' had Chambers tegen haar gezegd op die eenvoudige en vriendelijke manier die zoveel zei over zijn eigen relatie met Christus.

Davids naam stond erin met enkele anderen voor wie ze elke zondagmiddag bad als ze de tijd nam om in haar Bijbel te lezen en te rusten. Hoe kon ze hem doen inzien dat het mogelijk was een jood te blijven en toch in *Jesjoea* te geloven? Meerdere keren had hij het argument gebruikt: 'Jezus is voor de gojim, de niet-joden.'

Nee, er moeten geen romantische verwikkelingen van komen, hield ze zich streng voor. David moest alleen een vriend blijven. En trouwens, Wade Findlay bestond ook nog, de jongeman die ze op Chambers' school had ontmoet.

'Heb je wel eens gehoord van Bret Holden?' vroeg David.

Ze probeerde de naam te plaatsen. Het klonk een beetje als 'Holman', maar denkend aan de meedogenloze Duitse kolonel, verwierp ze het idee.

'Nee, maar dat wil niet zeggen dat professor Holden hier niet is. Zoals ik al zei, er zijn dit jaar een paar nieuwe gezichten, waaronder een professor uit Constantinopel.'

Hij fronste. 'Als ik hem niet vind, rij ik door naar Jerablus. Het zou best kunnen dat hij daar in het Hittitische paleis zit rond te snuffelen. Bret is bijzonder geïnteresseerd in alles wat Hittitisch is,' zei hij.

Daar had je dat woord weer, maar betekende dat iets nu het van David kwam? Wat had Leah tegen haar gezegd – het zou aan de agent worden overgelaten om het eerste contact te leggen met Neal of haar. Hij zou zich bekendmaken op een manier die geen verdenking wekte bij nieuwsgierige toeschouwers. David leek totaal niet op een agent, maar wie was Bret Holden? Was hij een echte professor of was dat een dekmantel? Ze moest die mogelijkheid melden aan Leah. Wat David betreft, wie zou een jood met belangstelling voor het zionisme ervan verdenken dat hij in eerste instantie voor de Britse regering werkte?

Maar ze kende David. Dat dacht ze tenminste, en hij leek niet het type om Neals superieur te zijn bij de Engelse inlichtingendienst. Zijn politieke vuur gloeide voor de zaak van een joods thuisland, en zijn geest vond geen rust in een zaak die niet ten goede kwam aan de wervende oproep 'Volgend jaar in Jeruzalem'.

'Neal is mijn neef,' verklaarde ze. 'Ik wist niet dat je hem kende. Je hebt het nooit over hem gehad op school. En ik kan me niet herinneren dat ik jou heb verteld over hem of over zijn werk voor het museum.'

'O nee?' zei hij nonchalant. 'Nou, ik heb hem nooit persoonlijk ontmoet. Bret vertelde me over hem. Zei dat hij deskundig was op het gebied van de Hittieten.'

Alles wees erop dat David de nieuwe contactpersoon was die gestuurd was om Leah te helpen in de nood. Maar als dat zo was, waarom was hij dan in Londen geweest? En waarom had hij zich dan met de zionisten ingelaten? Was hij naar hun bijeenkomsten gegaan als spion om contactpersonen te zoeken om de Engelsen in Arabië te helpen voor het geval er inderdaad oorlog uitbrak? Het was ook vreemd dat de man die Bret Holden heette bij die bijeenkomsten was geweest, om, zoals David had aangegeven, te 'oogsten' voor de toekomstige oorlog.

Allison bleef zwijgen. Ze vroeg zich af of ze Leah durfde te noemen en dat ze in het geheim wachtte op contact met de agent die de plaats zou innemen van de vermoorde majoor Karl Reuter. Maar het was dom om het er met zo weinig bewijs uit te flappen. Ze vertrouwde David, en ze moest bekennen dat ze opgelucht was toen ze hem zag, omdat ze had gedacht dat hier een man was tot wie Leah en zij zich konden wenden om hulp. Maar ze moest niets zeggen tot ze na de lunch met Leah had gepraat.

Ze gaf David een arm en trok hem mee. 'We zijn laat, we moeten ons haasten. Dus Bret Holden kent mijn neef Neal?'

'Bret zei dat ze elkaar twee jaar geleden in Constantinopel hadden ontmoet. Neal was daar vanwege een Hittitisch beeldhouwwerk in het museum. Nu ik erover nadenk, het had iets te maken met barones Kruger en haar werk voor het Turkse museum. Er was discussie over wie het stuk moest krijgen. Neal beweerde dat zij het zonder zijn medeweten had meegepikt van de opgravingen. Vooral Lawrence was er kwaad om.'

'Niet kijken, daar komt Helga aan,' fluisterde Allison. 'En David, ik zou het op prijs stellen als je niet bekend wilde maken waarom je hier bent. Je kwam om mij te bezoeken, goed?'

Hij keek haar aan, in zijn bruine ogen een zweem van verrassing. Toen barones Kruger naar hen toe wandelde, glimlachte hij en gaf haar een knipoog. 'Komt voor mekaar.'

'Een nieuwe bezoeker, Allison? Ik geloof niet dat we elkaar ontmoet hebben.' Helga liet haar scherpe donkere ogen op David rusten en stak een stevige, beringde, vrouwelijke hand uit. 'Ik ben barones Kruger, secretaresse van het Archeologisch Genootschap. Komt u uit Caïro?'

David kon bijzonder charmant zijn als hij wilde en nu wilde hij. Hij boog zich over haar hand alsof hij een Duitse graaf was in al zijn pracht en praal. 'Professor David Goldstein – uit New York. Ik ben op doorreis.'

Professor! Allison probeerde haar onbehagen om Davids opschepperij te verbloemen.

'Prachtig. U heeft uiteraard uw papieren bij u?' klonk Helga's gladde stem.

Wat nu? dacht Allison. Maar David glimlachte, uiterlijk onberoerd door de ijzige begroeting van de barones en haar overduidelijke scepsis.

'Ik reis nooit zonder mijn papieren, barones, maar ik moet bekennen dat ik niet had verwacht ze nu te moeten opgraven – midden op het terrein. We zijn al laat voor de lezing. Uw assistent houdt een verhandeling, hè? Professor Jemal Pasha van de Universiteit van Caïro? Als u erop staat –'

'Ik sta er niet op. Dat zou het toppunt van ongemanierdheid zijn, professor Goldstein. Het kan wachten tot een geschikter ogenblik. U begrijpt dat ik pijnlijk onder druk sta van de Turkse officials in Aleppo. Iedereen met een joodse naam wordt onmiddellijk verdacht van zionistisch "temperament".'

'En daar komen moeilijkheden van, hè?'

Haar ogen bliksemden om zijn terloopse brutaliteit. 'De Turkse officials staan erop dat we het lidmaatschap van ons genootschap beperken tot – tot –'

'Het blonde ras. Ja, ik begrijp het, barones, en ik zou u niet in verlegenheid willen brengen door toegang tot het genootschap te eisen vanwege mijn papieren. Ik ben hier alleen om een oude vriendin te bezoeken voordat ik verder reis naar Caïro.' Hij knikte met zijn kastanjebruine hoofd naar Allison. 'Zuster Allison Wescott. We hebben elkaar in Londen ontmoet.'

Allison had haar ogen neergeslagen en ze voelde een warme blos van verontwaardiging opkomen om het schaamteloze antisemitisme van de barones. Maar toen ze Davids blik ontmoette, zag ze dat hij het begreep en er geen punt van wilde maken.

'In dat geval bent u welkom, professor Goldstein. Maar niettemin, of u nu een vriend van Allison bent of niet, we zullen uw papieren moeten zien. Dat begrijpt u natuurlijk. Ik heb de regels niet gemaakt.'

'Uw goede bedoelingen heb ik goed begrepen, barones.'

Helga's blik ging naar Allison en ze glimlachte, maar haar ogen deden niet mee. 'Ik kwam eigenlijk om je te laten weten dat je nicht Leah niet in haar hut is. En het schijnt dat ze in haast vertrokken is. Ze heeft niets meegenomen, zelfs geen stel schone kleren. Haar spullen zijn doorzocht. Iemand heeft ingebroken in haar hut op dezelfde manier als bij majoor Reuter. Heel vreemd. De vraag is: waarom?'

Allison verborg een huivering van schrik. Wie Karl Reuter had vermoord, had gezien dat Leah een stuk papier oppakte van de vloer en nu had hij haar hut doorzocht.

'Ik vind dat ik me direct in verbinding moet stellen met de Turkse politie,' zei Helga.

'Waar gaat het over?' vroeg David, van Helga naar Allison kijkend. 'Een inbraak in het genootschap? Wat een belevenis. Op zoek naar zeldzame stukken misschien?'

'Dat lijkt me niet,' zei Helga koel.

'Er is een sterfgeval geweest,' legde Allison uit.

'Een ongeluk,' hield Helga vol. 'Een Duitse officier uit Bagdad. Majoor Karl Reuter. De inbraak – als het dat is – heeft niets met het ongeluk te maken.'

Allison keek hoe David reageerde bij het noemen van de naam van de majoor, in de hoop een zwakke glimp van herkenning te zien ten teken dat hij een bevriende agent was. Als hij gestuurd was om de veronderstelde Karl Reuter te vervangen, moest hij weten van de dood van de majoor.

'Wat voor ongeluk?'

'Een slachtoffer van de cobra,' zei Helga, afwezig de woestijn in kijkend. 'Ik heb Allison gevraagd of haar nichtje Leah soms erg bedroefd is om zijn dood en is teruggegaan naar de expeditiehut in Jerablus, vooral omdat Neal ook niet is komen opdagen.'

'Als ze terug is gegaan,' haastte Allison zich te zeggen, 'treft ze kolonel Holman daar.'

'Ja, daar had ik niet aan gedacht. Maar geen van de bedienden heeft Leah zien vertrekken. Dat ze geen kleren meegenomen heeft, is verdacht. Daarom ben ik naar de auto gaan kijken waarmee ze is gekomen.' Haar donkere ogen flikkerden zelfvoldaan. 'Hij staat nog steeds geparkeerd onder de acacia. Dus ze kan niet weg zijn. Ze moet hier ergens zijn.'

Allison bleef haar neutraal aankijken.

'Ik ben nu onderweg naar de man van de beveiliging,' zei Helga. 'Nog een slangenbeet lijkt wel abnormaal zo snel na de eerste, nietwaar?'

'Ja,' mompelde Allison. 'Dat zou inderdaad vreemd zijn.'

Helga keek haar aan en haar gezichtsuitdrukking veranderde. 'Over dat boek van Woolly over archeologie,' zei ze bedachtzaam. 'Dat over de Hittieten. Ik ben bang dat ik het je toch niet zal kunnen lenen. Onderweg naar Leahs hut bedacht ik me dat ik het aan majoor Reuter heb uitgeleend toen hij aankwam. Hij bewonderde mijn bibliotheek en vroeg er speciaal om. Hij zei dat hij nog een heleboel moest lezen voordat hij naar de lezingen van dit jaar ging luisteren. Hij verheugde zich op de excursie naar de opgravingen. Helaas heeft hij niet de tijd gekregen om ervan te genieten.'

Allison knipperde met haar ogen. Ze herinnerde zich iets dat ze gezien had in de hut. Het boek dat ze op de vloer had gegooid heette simpelweg en toepasselijk: *De Hittieten*.

Haar hart begon sneller te slaan. *Natuurlijk*. Majoor Reuter kon zijn boodschap voor Leah in het boek over de Hittieten hebben gestopt.

Het was David die sprak. 'Woolly's boek over de ontdekking van de Hittieten? Dat is uitstekend. In feite heb ik zelf een exemplaar bij me.' Hij keek Allison aan. 'Ik zal het je lenen.'

'Dat zou aardig van u zijn,' zei Helga. 'Alles in de hut van majoor Reuter wordt vastgehouden voor onderzoek tot zijn dood tot een ongeluk is verklaard.'

Dus het boek is nog in de hut.

Helga had zich omgedraaid en wandelde weg, op zoek naar de particuliere bewaker die ze had ingehuurd voor de bijeenkomst van het genootschap. Algauw zou de speurtocht naar Leah beginnen, en wie wist waar dat toe kon leiden? Allison kon het risico niet nemen dat haar hut werd doorzocht. Leah moest ontsnappen, maar hoe kon ze eerst dat boek uit majoor Reuters hut te pakken krijgen?

Allison bedacht nog iets anders. Wat als de moordenaar besefte dat het voorwerp dat hij zocht niet bij Leah was maar in de hut?

'Is er iets mis, Allison?' vroeg David zacht.

'Ik ben ongerust om Neal. Het is niks voor hem om zijn afspraken niet na te komen. Hij wist dat hij vanmorgen die lezing moest houden.'

'Misschien is hij om een of andere reden opgehouden in Carchemish. Het heeft geen zin om meteen het ergste te denken. En Leah is daar misschien heengegaan om hem te zoeken.'

'Was het maar zo eenvoudig,' zei ze met gedempte stem.

'Wat bedoel je? Denk jij van niet? Is er iets aan de hand wat ik niet weet?'

'David, zei je dat je naar Jerablus zou doorrijden om professor Holden te ontmoeten?'

'Ja, ik dacht morgenochtend te vertrekken als hij hier niet is. En uit het warme welkom van "hare majesteit" maak ik op dat ik geen hut aangeboden zal krijgen.'

'Ik zou graag met je mee willen rijden, als je het goed vindt.'

'Tuurlijk, we vertrekken meteen als je wilt. Ik heb een motorfiets.' Hij keek haar voorzichtig aan. 'Denk je dat je achterop kunt zitten?'

'Ja hoor, maar dat is niet nodig. Barones Kruger had het net over Leahs Mercedes die in de buurt geparkeerd staat. Daarmee zijn we er vlugger.'

'En de sleutels?'

Die had Leah natuurlijk, maar dat kon Allison nog niet zeggen. 'Zit daar maar niet over in. Die krijg ik wel boven water. Ik wil liever na het eten vertrekken, als het donker is, als je het niet erg vindt.'

Hij keek haar nieuwsgierig aan. 'Ik begrijp dat dat niet alleen is om de hitte van de dag te ontgaan?'

'Nou, eigenlijk niet, en er is ook iets wat ik eerst moet doen, David. Ik zou het ontzaglijk waarderen als je er nog tegen niemand iets over zegt. Niet voordat we terug zijn.'

'Als jij het zo wilt, waarom niet? Ik neem aan dat je me gauw genoeg zult vertellen wat er aan de hand is.'

'Vertrouw me maar tot dat kan.'

'*Jou vertrouwen?* Een edele verpleegster die God en haar land dient aan boord van de Mercy? Onvoorwaardelijk!'

'Heb je echt dat boek van Woolly, of was dat alleen om me te redden van die gapende stilte?'

'Ik begreep dat ze iets had gezegd waarvan je schrok, dus ik dacht dat ik je maar te hulp moest komen.'

'Dus je hebt het niet?'

'Nee, is het belangrijk?'

'Nee, *dat* boek niet.' Ze keek onderzoekend naar zijn gezicht. 'David, ben je een Engelse agent?'

Hij lachte. 'Wat een bizarre vraag.'

'Je geeft geen antwoord.'

'Dan zal ik met een duidelijk "nee" antwoorden.' Hij werd ernstig. 'Nog niet.'

Nog niet? Ze keek hem van terzijde aan terwijl ze zich naar de deur van de hoorzaal haastten. Ze dacht aan wat hij had gezegd, dat de bijeenkomsten van de zionisten in

Londen plaatsen waren waar geoogst kon worden voor het geval het oorlog werd. Geoogst, nam ze aan, door het Engelse ministerie van Buitenlandse Zaken voor spionagezaken. Maar zou dat er niet ook op wijzen dat professor Bret Holden in verband stond met spionage, omdat hij naar de bijeenkomsten was gegaan om uit te kijken naar mogelijke toekomstige spionnen?

Haar hoofd duizelde van de mogelijkheden en ze zag dat David naar haar keek. Ze versnelde haar stap. 'We zijn ontzettend laat –'

Terwijl David en zij de hoorzaal naderden, hoorden ze de diepe Turkse stem van Jemal Pasha, de assistent van de barones, die de laatste ontdekking besprak van een grote trap in een paleis in Carchemish. Jemal was altijd een merkwaardig type geweest, vond Allison. Hij was expert op het gebied van Egyptische mummies uit de Oudheid en was, naast zijn werk in de zomer voor de barones, hoogleraar aan de Archeologische School van Caïro. Hij leek in de dertig en was lang en mager met gebogen schouders. Hij had prachtige ogen, zo groot dat het wit vreemd afstak tegen zijn donkere gezicht.

Door een open raam waaruit Jemals stem naar buiten zweefde, zag ze het roodachtig grijze hoofd van generaal Blaine omkijken bij het geluid van hun voetstappen op het grind.

'Wie is dat?' vroeg David toen de generaal vriendschappelijk naar haar fronste omdat ze meer dan twintig minuten te laat was.

Ze glimlachte. 'Generaal Blaine. Hij is hier als toeschouwer met zijn vrouw Sarah. Het zijn goede vrienden van mijn ouders. Sarah is degene die enthousiast is voor archeologie. Generaal Blaine wijdt zich aan andere interesses.'

David volgde haar naar binnen, en omdat er maar één stoel was vrijgehouden wilde hij achterin gaan zitten. Generaal Blaine stond op, wenkte David dat hij zijn stoel kon nemen en fluisterde toen ze aan kwamen lopen: 'Ik heb meer dan genoeg gehoord over ouwe botten en aarde. Ik ga terug naar mijn hut om mijn rug rust te geven tot de lunch.'

Allison glimlachte en ging zitten met David naast zich. Ze boog zich naar Sarah: 'Heb ik veel gemist?'

'Ik heb aantekeningen gemaakt. Die kun je vanavond overnemen,' siste Sarah en ze voegde eraan toe: 'Waar is die man van me heen gegaan?'

'Hij gaat even liggen om zijn rug rust te geven.'

'Dat is maar goed ook. Vanmiddag gaan we met z'n allen naar Aleppo. De bazaars daar zijn geweldig!'

De rest van de ochtend ging zonder incidenten voorbij. Allison verlangde ernaar naar haar hut terug te gaan om rapport uit te brengen aan Leah, maar ze moest zorgen dat ze niet gezien werd. Toen het pauze werd voor de lunch, excuseerde ze zich bij David en Sarah en ging vlug even naar de hut waar Leah verstopt zat.

Allison kwam ademloos binnen. 'Misschien hebben we het antwoord op de boodschap die Reuter voor je achterliet op zijn bureau.'

Leah stond gespannen op. Ze schoof de grendel voor de deur en trok Allison opzij. 'Wat is er gebeurd?' fluisterde ze dringend.

Allison vertelde dat Reuter het boek over de Hittieten van Helga had geleend.

Leah ademde snel. 'Ja, een boek zou kunnen. Weet je de titel?'

'*De Hittieten*. Het moet zijn wat je zoekt. Nadat Helga het genoemd had herinnerde ik me dat ik het van een tafeltje had gestoten toen kolonel Holman ineens achter me stond.'

Leah greep Allisons arm zo stijf vast dat ze terugschrok. 'Dat is het. Het moet wel. Ik moet die hut weer in. Wordt ie nu bewaakt?'

'Nee, er is niemand. Ik heb voorzichtig gekeken toen ik langsliep. Vlug, we hebben weinig tijd. De barones rijdt naar Aleppo om jou en Neal als vermist op te geven. Morgen gaan ze beslist alle hutten doorzoeken.'

Leah knikte. 'Vanavond ga ik de hut in, als iedereen in de eetzaal zit voor het diner.'

'Er lopen twee Turkse bewakers rond over het terrein.'

'Ik kijk wel uit, maar ik zal het moeten riskeren. Dat boek is van essentieel belang. En iemand anders is gespitst op een kans. Heeft iemand het Helga horen zeggen?'

'Nee, alleen een joodse vriend van mij, David Goldstein.'

Leahs ogen werden groot. 'Ja?'

Allison dacht terug aan het open raam in de hoorzaal. 'We stonden een eindje van de hoorzaal, maar alle deuren en ramen stonden open om een briesje binnen te laten. Jemal Pasha hield een verhandeling en de clubleden zaten te luisteren en aantekeningen te maken. Maar we kunnen er niet zeker van zijn. Helga deed geen enkele moeite om haar stem te dempen.'

'Dan moet ik dringend die hut in. Ik durf niet te wachten. Wat ga jij nu doen, lunchen? Mooi. Dat zullen alle anderen ook wel doen.'

Leah keek haar vlak aan. 'Ik ga het nu proberen, tijdens de lunch.'

'Dat kun je niet doen op klaarlichte dag.'

'Dat is het risico dat ik moet nemen. Jij kunt in de eetzaal een oogje in het zeil houden. Ik wacht tot vijftien minuten na de gong voor de lunch. Dan is iedereen er, en ga ik naar de hut. Als het boek ligt waar Karl het heeft achtergelaten, vind ik het binnen een paar minuten.'

'Het is te riskant. Er kan van alles misgaan...'

'Ga ergens zitten waar je allebei de deuren kunt zien. En Allison, als iemand mocht besluiten eerder dan de anderen te vertrekken, dan moet jij hem achterna gaan. Maak een scène buiten – gil dat je een cobra gezien hebt, doe iets! Maar verhef je stem zodat ik het kan horen.'

'Goed. Ik zal het proberen. Maar je kunt hier niet lang meer blijven. David en ik halen je veilig weg voordat kolonel Holman terugkomt of de Turkse inspecteur aankomt uit Aleppo.'

Leah zonk neer in de stoel. 'Die joodse vriend van je, David Goldstein, is die te vertrouwen?'

Allison vertelde van hun vriendschap in Londen aan de Oswald Chambers' School voor Bijbeltraining. 'We kunnen hem vertrouwen; daar zet ik mijn leven voor in.'

'Misschien zul je dat moeten. Wij allebei.'

Allison wachtte tot de gong ging voor de lunch, toen liep ze langzaam door het zand naar de eetzaal waar de clubleden naar binnen stroomden, pratend over de lezing van Jemal. Ze wachtte tot de laatste naar binnen was gegaan en volgde toen, met bonzend hart. Sarah en David zaten aan een tafel bij de voordeur en Allison keek terloops rond alsof ze nadacht over een plek. Alle stoelen waren bezet behalve vier aan de tafel waar Sarah zat, die haar wenkte.

Toen Allison de gezichten van de aanwezigen bekeek, was ze ervan overtuigd dat niemand vermoedde dat majoor Karl Reuter was vermoord of dat Leah veilig verstopt zat in Allisons hut.

David excuseerde zich en Allison volgde hem onrustig met haar blik. Maar hij maakte een rondje langs de zes tafeltjes en stelde zich stoutmoedig voor als professor Goldstein uit New York. Als de situatie niet zo ernstig was geweest, had Allison zijn lef amusant gevonden.

Ze dacht dat David een rondje maakte omdat hij nog steeds uitkeek naar professor Bret Holden. Maar het werd haar niet duidelijk of hij hem gevonden had of niet. Haar spanning nam toe. Noch barones Helga Kruger noch haar assistent, professor Jemal Pasha, was in de eetzaal verschenen. Ze vroeg zich af of dat betekende dat ze een bezoekje hadden gebracht aan de Turkse politie, of dat ze Reuters hut in de gaten hielden.

Vanaf haar stoel kon Allison de omtrek van haar hut en die van majoor Reuter zien. Was Leah nu bezig met haar actie? Ze had gezegd dat ze zou wachten tot een kwartier na de gong.

Sarah Blaine voerde een geanimeerd gesprek met een

paar anderen aan de tafel over de geweldige koopjes die ze konden vinden op de bazaar. 'Ik ga proberen een kaftan te naaien. En jij, Allison? Zeg, luister je wel? Ga me niet vertellen dat je nog steeds zit te dromen over Jemals lezing – o! Daar heb je hem net – en de barones in eigen persoon.'

Allisons adem stokte van opluchting toen ze wegkeek van het raam en Helga en Jemal bij hun tafel zag stilstaan. Ze leken uit het niets te zijn opgedoken. Nu was iedereen aanwezig. Ze keek naar de klok aan de houten muur – vijftien minuten over twaalf.

'O, kom toch alstublieft bij ons zitten,' zei ze met een hartelijke glimlach, en terwijl Jemal licht boog en gebaarde naar de lege stoel naast haar, weigerde Helga beleefd. Met haar blik gericht op David, die naast meneer Blackstone van het Caïro Museum zat, liep ze die kant op.

'Die stoel – houdt u die vrij voor uw vriend uit New York?' informeerde Jemal iets te beleefd.

'Nee, gaat u alstublieft zitten,' zei Allison, met één oog op Helga. 'David schijnt een stoel bijgetrokken te hebben bij de andere tafel. Mijn verontschuldigingen dat ik te laat was bij uw lezing, professor. Ik verheugde me erop u te horen.'

Zijn brede mond onder de Turkse zwarte snor leek zich onwillig te plooien tot een glimlach die paste bij zijn hoekige gestalte. Allison dacht niet dat Jemal erg vaak glimlachte. Als hij het deed, was het bijna met een verontschuldiging. Zijn grote ogen keken haar vriendelijk, maar droevig aan, als spiegelende poelen.

'Dan krijgt u de gelegenheid nog eens te komen, zuster Wescott. Helaas zal ik, als uw neef Neal niet aankomt, verplicht zijn ook de lezing van morgen te houden.'

'Houdt u niet van lezingen geven, professor? Dat is natuurlijk begrijpelijk. U verwachtte natuurlijk niet zo plotseling te moeten invallen.'

'Ik vind het niet erg om in te vallen, want er zijn enkele

interessante vondsten gedaan bij Carchemish. Zoals u misschien weet, ben ik Egyptoloog.'

Ze wist het inderdaad en vroeg zich af waarom hij zich had aangesloten bij de barones, wiens voornaamste interesse de archeologie gold.

'We vragen ons af hoe het zit met Neal,' zei hij. 'We hebben gisteravond twee mannen gestuurd om de weg naar Aleppo te controleren. Ze hebben geen spoor van uw neef gevonden. De barones vertelde me dat ook juffrouw Leah afwezig is. Ik dacht dat u misschien graag zou willen weten dat we de autoriteiten in Aleppo gewaarschuwd hebben. Ze arriveren vanavond tegen etenstijd. Ze zullen alle hutten moeten doorzoeken.'

'Wat is er aan de hand?' vroeg Sarah, die het gehoord had. 'Is je nicht iets overkomen, Allison?'

'Dat weten we nog niet. Ze was vanmorgen niet in haar hut en de barones en professor Pasha zijn nogal ongerust.'

'Dat mag ook wel ook. Allemensen! Een jonge vrouw dwaalt toch niet zomaar alleen door de woestijn.'

'Leah wel misschien,' zei Jemal met een flauw lachje. 'Ze is avontuurlijk en intelligent; dus als ze dat heeft gedaan zou ik me niet te veel zorgen maken over haar vermogen voor zichzelf te zorgen.'

Allison keek hem aan over haar hete *bi 'Inaana*, thee met mint, en vroeg zich af hoeveel hij wist over Leah.

'Ik hoop maar dat dit ons uitstapje naar de bazaar niet bederft,' zei Sarah met een bedachtzame frons. 'Ik wilde meters rode zijde kopen om een kaftan te maken.'

'Ik ben bang dat dat uitgesteld moet worden,' zei hij verontschuldigend. 'De politie zal iedereen willen ondervragen over het tijdstip waarop ze juffrouw Bristow voor het laatst gezien hebben.' Jemal keek Sarah Blaine aan over zijn theekopje.

'Ik heb haar helemaal niet gezien,' zei Sarah met een kordate handbeweging, toen ze onderbroken werd door een stem.

'Je bent vergeetachtig, lieve Sarah. We hebben haar gesproken toen we gistermiddag aankwamen,' zei generaal Blaine. Hij kreunde terwijl hij een stoel uittrok en naast zijn vrouw ging zitten. 'Vlak nadat die Arabische bediende de dood meldde van die Duitse officier, Reuter.'

'O ja, je hebt gelijk,' zei Sarah. Ze keek verlegen om haar vergissing. 'Rex heeft gelijk. Ze kwam uit de gemeenschappelijke ruimte – of was het tussen de acacia's vandaan? Ik sprak haar aan, maar ze merkte het kennelijk niet. Vast en zeker in beslag genomen door haar verplichtingen als gastvrouw van het genootschap.'

'Of in beslag genomen door de dood van majoor Reuter. Tja, en nu wordt het deerntje vermist,' zei majoor Blaine. Hij wenkte de bediende om koffie in te schenken. 'Doe er een beetje heet water bij, wil je, ouwe jongen? Dat spul is sterk genoeg om de krullen in mijn haar te laten schieten, als ik dat had.' Hij keek rond, zijn slaperige lichtgrijze ogen plotseling nieuwsgierig toen ze op professor Jemal Pasha bleven rusten.

'Onze vrolijke vakantie verandert in een regelrecht mysterie. Waar kan ze zitten? Wat zeg jij ervan, Allison? Heb je enig idee?' vroeg hij, terwijl zijn blik naar haar gleed.

'Ik geloof vast dat haar niets is overkomen,' zei Allison. 'Professor Pasha heeft gelijk wat betreft de avontuurlijke inslag van mijn nicht. Waarschijnlijk is ze op zoek gegaan naar Neal.'

'Een dappere vrouw. Je zult mij niet in mijn eentje in de woestijn aantreffen. De hitte, de schorpioenen, de bedoeïenen – geen plaats voor een eenzame vrouw, vind ik. Nou ja, we zullen het gauw te weten komen,' zei de generaal met een zucht. 'Daar komt de barones en ze kijkt grimmig en vastberaden. Je zenuwen moeten veel te lijden hebben, Jemal, als je zo dicht naast Helga werkt.'

De blik die over Jemals magere, donkere gezicht gleed, deed Allison huiveren. Even had ze een opflakkering van haat gezien in zijn gewoonlijk uitdrukkingloze gezicht, en het was onmiskenbaar op wie zijn haat was gericht – niet op generaal Blaine om zijn prikkelende opmerking, maar op barones Helga Kruger zelf.

6

Leahs blauwe ogen brandden intens en een blos van opwinding verwarmde haar gezicht. 'We hebben het voor elkaar,
Allison. We zijn ze te slim af geweest. Nu hoeven we de
informatie alleen nog maar aan Neal over te brengen.'
Leah had het boek zorgvuldig verstopt voordat Allison
terugkwam uit de eetzaal. Leah vertrouwde haar, maar ze
kon Allison niet alles vertellen, noch verwachtte Allison dat
van haar. Daarom was Allison verbaasd toen Leah zei: 'Ik heb
iets van Neal gehoord. Alles komt binnenkort in orde.'
'Neal?' Allison snakte naar adem.
Leah knikte. 'Ik moet hem vanavond ontmoeten.'
Allison keek naar haar, niet in staat zich te verroeren terwijl de betekenis van de woorden van haar nicht tot haar
doordrong. Ze kon zien dat Leah meer ontspannen was dan
ze zich herinneren kon sinds het genootschap bij elkaar was
gekomen. Leahs ogen vonkten bijna van jeugdigheid.
'Weet je het zeker?' vroeg Allison. 'Vergis je je niet? Hoe
dan?'
Leah keek weifelend rond. 'Goed, ik zal je vertellen wat
ik kan.'
Gezeten in de stoel aan het bureau en zorgvuldig en
waakzaam sprekend om niet meer te zeggen dan ze mocht,
vertelde Leah Allison hoe ze eerst vanuit Bombay naar
Jerablus was gestuurd om zich in verbinding te stellen en
orders aan te nemen van professor Neal Bristow, die, omdat
hij haar broer was, de volmaakte partner leek te zijn in het
werk voor de inlichtingendienst. Ze konden elkaar onvoorwaardelijk vertrouwen, en niemand zou hen ervan verdenken dat ze voor de Britse regering werkten. Omdat Leah
altijd belangstelling had gehad voor schrijfwerk, was het

haar taak de archeologische informatie op te slaan voor het British Museum. En omdat Neal ook privé aan een boek werkte over de ontdekking van de Hittieten, scheen haar aanwezigheid van nut voor zowel de familie als het museum.

'Samen,' zei ze met zachte stem, 'waren we in staat te weten te komen waarvoor we gestuurd waren over de spoorweg. Alleen had Karl iets ontdekt dat nog belangrijker was. Hij had pikante informatie voor Londen en hij kon ze niet bereiken. Hij wist dat hij in de gaten werd gehouden.'

Leah verklaarde dit alles emotieloos en Allison boog opgewonden naar voren.

'Zoals je weet, wist iemand dat Karl Brits was en vermoordde hem voordat hij volgens plan Neal kon ontmoeten. Maar Neal was van tevoren gewaarschuwd, bijna op het laatste ogenblik, en hij had orders de ontmoeting te ontwijken. Helaas liep Karl in de val. Gelukkig moet hij zich, kort voordat hij vermoord werd, gerealiseerd hebben dat het fout gelopen was.'

Eerder was de spionagesituatie gevorderd tot een hoger niveau dan Neal en Leah aankonden, en het loerende gevaar bij de opgravingen in Carchemish, en nu hier bij de hutten in Aleppo, hadden het voor Karl noodzakelijk gemaakt het risico te nemen Neal te ontmoeten. Neal moest de informatie doorgeven aan iemand met een hogere bevoegdheid.

'We zouden de dekmantel van het Archeologisch Genootschap van Caïro gebruiken om elkaar te ontmoeten en de informatie van majoor Reuter te ontvangen. Maar alles is misgelopen, zoals we allebei weten.'

'Hoe is de Duitse inlichtingendienst in Bagdad erachter gekomen dat Karl een Engelse agent was?'

'Op dezelfde manier waarop wij dingen te weten komen. Mensen van wie je het het minst verwacht, zijn spionnen. Maar net zoals bij Karl leidt de weg vaak tot de dood.'

'En Neals superieur?'

'Neal heeft een oproep om hulp verstuurd, omdat hij wist

dat ik hier waarschijnlijk vastzat en me niet kon laten zien, maar nog wel verantwoordelijk was.'

Nu moest Neal zich verstoppen, net als Leah. Er kwamen veel bezoekers aan via de spoorweg bij de Carchemish-opgravingen om de vondsten te bekijken. Neals nieuwe contactpersoon zou via dezelfde route komen, zichzelf een dekmantel in Bagdad verschaffend.

De spoorweg Berlijn-Bagdad. De gedachte eraan deed Allison huiveren. 'Dus hij is gekomen?' vroeg ze opgewonden fluisterend.

'Ja, hij is hier. Neal spreekt hem binnenkort. Nu is het de zorg van de andere agent! Maar ik moet vannacht nog iets doen. Iets belangrijks.'

De dag naderde zijn einde, en de stilte en de zwoele woestijnwind schenen de hut dichter te naderen.

'Ik moet Neal de informatie brengen die Karl voor me heeft achtergelaten, en dan zal Neal zijn superieur ontmoeten.'

Allison keek op. 'Hem Woolly's boek brengen?'

'Neal weet nog niet dat het Woolly's boek is. Hij denkt dat Karl de informatie in geschreven vorm heeft achtergelaten. Dat zou natuurlijk een fout zijn en weinig agenten nemen het risico, maar Karl zat in een wanhopige toestand, dus het is denkbaar. Ik laat Neal in de waan als bescherming voor mezelf.'

'Bedoel je dat je Neal niet vertrouwt?' verwonderde Allison zich een beetje verontwaardigd.

'Natuurlijk vertrouw ik hem,' lachte Leah. 'Hij is mijn broer. Zelfs onder agenten hebben we onze orders geen risico te nemen. Kijk niet zo bezorgd. Hij zou willen dat ik voorzichtig ben. Ik ben hier pas van los als het boek in Neals handen is.'

Allisons onrust groeide, hoewel Leah beter wist dan zij wat voor handelingen er van haar werden verwacht. 'Heb je naar het boek gekeken? Weet je welke boodschap majoor Reuter heeft achtergelaten?'

Leah schudde haar hoofd. 'Ik zou niet weten waar ik naar moest zoeken, maar Neal wel. Hoe minder ik weet, hoe beter het is voor ons allemaal. Er is minder kans een fout te maken of in handen van de andere kant te vallen. Zelfs al had ik die pech, dan kon ik ze nog geen snars vertellen.' 'Dus... het is eigenlijk het boek waar alles om draait. Hebben ze geen reden om een eind aan je leven te maken zoals ze bij majoor Reuter hebben gedaan?' Ze glimlachte. 'Daar ga ik van uit. Ik heb het gevoel dat de zaken er veiliger voor staan nu Neal contact met me heeft opgenomen. Hij zou niet van me verwachten dat ik hem ontmoette als er veel kans was dat ik onderweg gepakt werd.'

Allison keek om zich heen alsof de stille schaduwen luisterende vijanden waren. 'Weet je zeker dat de boodschap van Neal kwam?'

Ze glimlachte. 'Heel zeker. Ik zou het nooit riskeren hem te ontmoeten als ik dat niet was. Maar toch,' stemde ze in, 'moet ik op mijn hoede zijn. Kijk niet zo ongerust. Ik ben van plan een bundel nepdocumenten mee te nemen als dekmantel. Ik laat het boek pas zien als ik zeker weet dat het Neal is en dat er niemand verstopt zit die een revolver op hem gericht heeft.'

Dus over die mogelijkheid dacht Leah wel na. 'Het bevalt me niks,' zei Allison. 'Maar het klinkt alsof je weet wat je doet. Hoe heb je van hem gehoord?'

'Ik heb het je niet eerder gezegd, maar de Arabische bediende staat aan onze kant,' zei ze eenvoudig. 'Een groot aantal van hen is bevriend met de Engelsen. En je kunt het net zo goed weten: in de boodschap vertelde Neal me dat hij de derde man was die we die nacht in de hut hebben gehoord.'

'Neal,' fluisterde Allison. 'Is dat mogelijk? Maar ik heb geroepen. Waarom gaf hij geen antwoord?'

Leah stond op. 'Dat durfde hij niet. Er kon wel iemand anders meeluisteren. Het was verstandiger om weg te glippen en een noodsignaal naar zijn superieuren te sturen en dat heeft hij gedaan. Weet je nog, ik heb je ook geen antwoord gegeven. Ik ben blij dat alles goed gekomen is.'

Toch bleef Allison een angstig voorgevoel houden. Ondanks Leahs uitleg en haar vertrouwen was er iets niet in orde. Allison kon er de vinger niet op leggen, maar het dreigde duister achter in haar geest. Iets dat ze moest weten, dat Leah had moeten begrijpen maar over het hoofd had gezien.

Maar Leah was vol vertrouwen. *Als de deskundigen op het gebied van subversieve activiteiten tevredengesteld zijn*, dacht Allison, *wie ben ik dan om hun beslissingen te betwisten. Ik ben verpleegster, geen spion. En hoe sneller ik terug kan naar Caïro, hoe beter.*

'Dus,' peinsde Allison, 'Neal wist dat majoor Reuter was vermoord. Hij was hier die nacht maar hij kon zich niet vertonen. Hij verstopte zich tot hij de hut binnen kon gaan om de boodschap te vinden die hem op onopvallende wijze was nagelaten.' Ze keek fronsend naar Leah. 'Maar je zei toch dat Neal niet weet van het boek. Hij verwacht documenten van je te krijgen. Documenten zijn niet bepaald onopvallend.'

Leah haalde een beetje ongeduldig haar schouders op. 'Wat Neal verwachtte te vinden, weet ik niet. Dat zei hij niet in de boodschap, maar hij kan hebben gedacht dat zijn contactpersoon geen tijd had om voorzorgsmaatregelen te nemen. De zaak was urgent en hij zou achterlaten wat hij kon, in de hoop dat Neal het zou vinden voordat de Turkse of Duitse autoriteiten op het belang ervan stuitten.'

'Het boek, achtergelaten in het volle zicht. Ja, je zult wel gelijk hebben... Maar Neal moet het papier op het bureau hebben gezien en het codewoord herkend hebben dat majoor Reuter voor hem achtergelaten had. Waarom reageerde hij niet zoals jij deed? Zei je niet dat alleen iemand die niet aan onze kant stond er geen betekenis aan zou hechten, net als met het boek van Woolly? Neal zou zijn uiterste best gedaan hebben het te vinden.'

'Ja, en toch moet hij het over het hoofd hebben gezien.'
'Op het bureau? Kan ik me niet voorstellen. Jij zag het niet over het hoofd. Waarom zou Neal dat dan wel doen, als hij de derde man was?'
'Het lag op de vloer toen ik het vond.'
Allison boog zich naar voren in de stoel. 'Maar hoe kwam het daar? Alleen de moordenaar zou het vlug opzij hebben geveegd, op zoek naar –'
Leah fronste. 'Denk eraan, de voordeur stond open toen ik aankwam. De wind was opgestoken. De gordijnen bewogen. Dat herinner ik me duidelijk. Het kan makkelijk van het bureau op de vloer zijn gewaaid voordat Neal het zag. Ik zag het omdat ik een lucifer aanstak. Ik weet niet wat Neal gedaan heeft voordat ik de hut binnenkwam en waarom hij het niet gevonden heeft. Dat kan van alles geweest zijn. Misschien had hij geen tijd om op het bureau te kijken, maar is hij regelrecht naar Karls bagage gelopen.'
'Net als kolonel Holman. Ja, maar als het Neal was,' hield Allison vol, 'en hij heeft het codewoord HITTIETENebg, waarom besefte hij dan niet dat de echte informatie in Woolly's boek over de Hittieten stond? Waarom legde hij dat verband niet? Waarom raadde hij het niet?'
'Waarom zou hij? Het kostte ons een dag om achter de betekenis te komen. En als hij nou maar in staat was geweest om zijn zoektocht te beginnen voordat hij gestoord werd door onze binnenkomst – nou, snap je. Misschien was hij er niet eens aan toe gekomen.'
'Je zult wel gelijk hebben.'
'Niet "zult wel". Zo is het gegaan.' Leah keek enorm opgelucht. 'Allison, alles komt vast in orde. Neal zal morgen zijn contactpersoon ontmoeten. Samen zullen ze de boodschap in het boek ontcijferen. Tegen morgenavond zijn we allebei onderweg naar Caïro. En als je het goed vindt, zou ik graag een paar maanden met je mee naar huis gaan.'
'Als ik het goed vind? Ik zou het verrukkelijk vinden, en moeder en vader ook.'

Leahs optimisme en de wending die het gesprek nam, met gedachten aan thuis, waren genoeg om Allison hoop te geven. Maar ergens in haar achterhoofd bleef een donkere plek van onbehagen.

'Dus Neal komt hier? Naar de hut?'

'Nee. Ik heb met hem afgesproken. Dat is veiliger. Misschien kijkt iemand naar hem uit, maar mij verwachten ze niet te zien omdat ze denken dat ik weg ben. Ze zijn niet op hun hoede. En ik zal een sjaal over mijn haar doen als ik wegga. We nemen geen enkel risico.'

Leah wist meer dan ze Allison kon vertellen. Het was begrijpelijk, maar de onwetendheid maakte het Allison moeilijk.

'Hoe kun je hem ontmoeten? Is hij in Aleppo?'

Leah aarzelde, alsof ze bij zichzelf overlegde hoeveel ze Allison kon vertellen. 'Nee. Er is een kleine hut vlakbij de opgravingen. Die gebruikten we als tussenstop om stukken op te slaan als we niet helemaal naar Jerablus konden. Hij zal een kaars voor het raam laten branden als ik veilig binnen kan komen.'

'Hoe denk je daar ongezien te komen? Misschien houden ze de Mercedes in de gaten.'

'Die gebruik ik niet, maar een auto die we 750 meter verderop hebben verstopt. Daar heeft Neal voor gezorgd voordat we aankwamen voor de bijeenkomst. Zelfs een muis heeft meerdere ontsnappingsroutes. En ook wij houden een tweede deur open om te kunnen ontsnappen, en nog een derde ook als het lukt.'

'Kan Neal ons niet in Caïro ontmoeten?' drong Allison aan, omdat haar bezorgdheid toenam.

Beslist schudde ze haar hoofd. 'Zijn contactpersoon is hier.'

'Je – je bedoelt dat hij niet weet wie zijn superieur is?'

'Niet voordat hij hem ontmoet. Noch Neal noch ik zitten erg hoog in de organisatie. Het is onze taak informatie te vergaren over de spoorweg – geruchten over wat Duitsland van plan kan zijn. Het lijkt niet veel, maar als het wordt samengevoegd met de informatie die Karl heeft ontdekt, nou – soms stuiten we op iets groots.'

Of op moord, dacht Allison. 'En Neal en jij en de Britse agent hebben dus iets groots ontdekt over de Bagdad-spoorweg.'

'Zoiets ja.' Ze stond op, snuffelde tussen Allisons boeken en papieren. 'Nu hoef ik alleen maar wat lokeendjes te verzamelen om mee te nemen, alleen maar voor de veiligheid. Zou je het heel erg vinden als ik je boeken leen?'

'Ga je gang – neem mijn Bijbel ook maar mee, als je wilt. Leah, laat me met je meegaan naar Neal. Dan zou ik me geruster voelen. We hebben allebei een revolver.'

Leah schudde haar hoofd, haar blonde haar zwaaide heen en weer. 'Ik heb je al genoeg in gevaar gebracht. En ik zal me moeten verantwoorden tegenover Neals superieur als ik jou er te veel in betrek. Als hij ontdekt dat ik jou in vertrouwen heb genomen, krijg ik een berisping, ik kan zelfs ontslagen worden. Denk erom, wat hen betreft is er geen enkele reden om jou te vertrouwen. Jij kunt de vijand wel zijn.'

Hoewel het nergens voor nodig was, voelde Allison zich beledigd. 'Ik? Zeg, ik ben zo trouw en Engels als Zijne Majesteit!'

Leah glimlachte. 'Dat heb je mij bewezen, maar zij zouden het zo niet zien zonder je verleden grondig te onderzoeken, hoe jong je ook bent. Dus je ziet dat dit iets is dat ik alleen moet doen. Ik heb er zelf voor gekozen. Niemand heeft me gedwongen. En ik heb deze baan aangenomen omdat ik geloofde in wat ik deed.' Ze glimlachte. 'Dus maak je geen zorgen. Je hebt nog een paar dagen over van je vakantie; je kunt net zo goed blijven en proberen ervan te genieten. Dat kun je nu doen. Neal wil het ook zo. Hij was woest dat ik jou erin betrokken had.'

Het was net iets voor Neal om zich tegenover haar net zozeer op te stellen als een grote broer als tegenover Leah, zijn bloedeigen zus. Allison had hem er des te liever om.

'Trouwens, alleen ik kan Neal ontmoeten.'

'En als er iets gebeurt en je kunt morgen niet terug zijn?'

Een flauwe schaduw gleed over Leahs gezicht. 'Als ik dan nog niet terug ben, als ik ergens door word opgehouden, dan neem ik op een andere manier contact op, of je hoort iets van Neal. We zorgen in ieder geval dat je veilig terug kunt naar Caïro.'

'Daar maak ik me geen zorgen over. Ik kan wel voor mezelf zorgen, maar jij gaat in je eentje weg.'

'Als er iets verdachts is, hebben we een teken afgesproken om om te draaien. Maak je geen zorgen. Ik weet wat ik doe. Het is mijn werk.' Ze glimlachte om Allisons frons. 'Kijk.' Ze sloeg de flap van haar jurk open en toonde een kleine leren holster met een revolver. 'Ik heb deze. Ik heb hem altijd bij me. En ik kan je verzekeren dat ik hem zonder aarzeling gebruik als het moet.'

Allison dacht aan haar eigen revolver en wie hem aan haar had gegeven. 'Heb je wel eens gehoord van ene Bret Holden?' vroeg ze nieuwsgierig.

'Nee, hoezo?'

Ze zuchtte. 'Nee, zomaar, denk ik. Ik hoopte het eigenlijk, maar...' Ze zweeg. 'Hij was een vriend van David. Uit wat David zei, maakte ik op dat die Holden ook in de spionage kon zitten. David zou hem hier ontmoeten, maar ook Bret is nog niet verschenen. David scheen te denken dat Neal en jij hem kenden.'

Leah dacht na. 'Bret Holden...'

'Het klinkt net zo als Brent Holman,' zei Allison losjes, haar blik op Leah gericht. Ze vroeg zich af of ze dat alleen maar dacht omdat ze de Duitse officier zo aantrekkelijk vond en hoopte dat hij eigenlijk aan hun kant stond.

'Je denkt dus niet dat kolonel Holman eigenlijk jouw of Neals contactpersoon was?' speculeerde Allison. 'En hij wist niet dat je in mijn hut verstopt zat. Dus hij is naar Carchemish gegaan om Neal en jou te zoeken.'

Leah stond haar aan te staren. Na wat Allison een lange stilte leek, slaakte Leah een zucht. 'Ik vraag het me af. Allemensen, stel dat kolonel Holman net als majoor Reuter er een van ons was. Dan hebben we langs elkaar heen gewerkt. Maar in ieder geval zie ik Neal vanavond. De informatie is veilig. En er wacht ons allebei een verrassing als zijn superieur de kolonel blijkt te zijn.'

'Het kan niet,' zei Allison vastberaden, zichzelf berispend om de flakkering van hoop die rees in het donker. 'Hij was ontzettend hard. Wat had hij voor reden om me lastig te vallen toen hij eenmaal wist dat ik Engelse was en jouw nicht? Er was niemand anders bij; dus op wie moest hij indruk maken met zijn grove ondervraging?'

'Ja, je zult wel gelijk hebben, maar ik hou die naam toch in gedachten en ik zal hem vanavond noemen tegen Neal.'

*

Een uur of twee na middernacht begon de woestijnwind te zuchten en te fluiten langs de daken van de donkere hutten, en beroerde de dadelpalmen die voor het kamp groeiden. Leah was gekleed op de woestijnhitte en ze droeg haar plunjezak, die ze zorgvuldig had volgepakt met Allisons boeken, Bijbel en een bundel misleidende papieren.

Allison schoof de grendel van de achterdeur en stapte op de veranda om te kijken of de kust veilig was. Ze wenste dat de maan onder was, maar haar licht op de veranda was smaller nu de maan hoog aan de hemel stond. Het terrein omgeven door palmen leek verlaten. De enige beweging kwam van Allison toen ze even om zich heen keek, luisterend naar de stilte. Toen draaide ze zich om en wenkte Leah dat het veilig was.

'Je hebt me geen keus gelaten,' fluisterde Allison. 'Ik heb nog steeds sterke behoefte om met je mee te gaan.'

Leah glimlachte, toen sloeg ze onverwacht haar armen om Allison heen. 'Maak je nou niet zo ongerust. We zien elkaar gauw weer. We worden de nichten die we altijd al hadden moeten zijn. Voor één keer in mijn leven heb ik zin om naar een groots feest in Caïro te gaan. Je kunt me een van je mooie jurken lenen en me voorstellen aan een van je vele aanbidders. Ik ben die laarzen en dat canvas meer dan zat.' Toen was ze verdwenen, glipte weg in de schaduwen met de wind.

Allison stond naast haar hut en keek Leah na, ze voelde zich alleen en leeg. Ze slikte. Niets bewoog behalve de wind en het zand.

De Heer zegene je en behoede je, bad ze in stilte.

Even later wendde Allison zich huiverend af, hoewel de wind heet en droog was toen ze om de zijkant van haar hut terugliep. Ze voelde zich niet in staat de verstikkende neerslachtigheid af te werpen die haar geest in zijn greep hield, ondanks dat ze Leah aan God had opgedragen.

Het witte maanlicht gleed over de verlaten hut van majoor Reuter en veranderde het dak in zilver. Daaronder waren de houten wanden gehuld in duistere schaduwen. Ze hoorde in de verte het zachte gerommel van onweer in de woestijnheuvels. Ze was nog niet ver gevorderd op de smalle helling tussen haar hut en die van majoor Reuter toen ze nog een geluid hoorde: het kraken van een achterdeur die gesloten werd.

Allison stond stil, ze durfde niet te ademen. Ze draaide zich om en staarde naar de verlaten hut. Was daar iemand binnen geweest die net naar buiten was gegaan om Leah te volgen? Iemand moest al die tijd in de buurt zijn geweest terwijl ze in het donker met Leah stond te praten, en deed nu de deur buitengewoon behoedzaam dicht. Ze hoorde de klik van een deurklink die op zijn plaats viel. Het duurde lang voordat ze zich weer durfde bewegen; ze stond daar maar in de hete nacht en herinnerde zich, terwijl haar nekharen overeind gingen staan, de vertrouwende woorden van haar nicht eerder die avond: *Ik heb iets van Neal gehoord. Alles komt binnenkort in orde.*

Was Leahs vertrouwen toch misplaatst? Misschien had de moordenaar van de Engelse agent hier al die tijd zitten wachten, vlakbij in de hut van majoor Reuter, gewoon zitten wachten tot Leah vertrok.

Allison stond verstijfd van angst. Ze wachtte op voetstappen op de veranda, maar als die er waren, overstemde de wind het geluid.

Minuten later stond ze daar nog steeds toen de dunne streep maanlicht achter haar hut schoof. Met haar vingers om de revolver in haar zak, liep ze vooruit. Toen ze bij het trapje kwam naar haar achterveranda en naar de veranda van de majoor keek, was die leeg. Had ze zich dat gekraak verbeeld? Het was mogelijk. De wind deed 's nachts vreemde dingen in de woestijn en ze was al gespannen van angst.

Allison glipte haar hut binnen en drukte vlug de lichtschakelaar omhoog. Alles was precies zoals ze het had achtergelaten. Ze schoof de grendels voor de deuren voor de nacht en zonk toen emotioneel uitgeput in de stoel en probeerde het beven te laten stoppen. Ze liet haar gezicht in haar handen zakken en bad vurig.

Iemand was daarbuiten in de schaduwen geweest, had hen gadegeslagen en afgeluisterd. Daar was ze zo goed als zeker van. Wat wist ze eigenlijk van dat gezelschap archeologische enthousiastelingen die hier op vakantie waren?

Je had natuurlijk de barones, maar die zou binnenkort terugkeren naar haar sociale leven in Caïro en Alexandrië, en Allison kon zich niet voorstellen dat ze Leah schaduwde. Al was ze Duitse van geboorte en had ze een natuurlijke neiging naar het doel van haar land, Helga Kruger had het grootste deel van de afgelopen tien jaar in Egypte doorgebracht. Ze stond in alle uithoeken van het land goed bekend en werd door de Britse gouverneur-generaal beschouwd als strikt loyaal aan de Engelse zaak. Het leek Allison onwaarschijnlijk dat Helga door de keizer was ingehuurd voor subversieve activiteiten die op moord uitliepen.

Dan had je haar assistent, professor Jemal Pasha, van

Turkse afkomst. Van Jemal wist ze heel weinig, alleen dat ze ten onrechte had geloofd dat hij trouw was aan de barones en misschien zelfs verliefd op haar. De boosaardige blik die Allison op zijn gezicht had gezien tijdens de lunch had een einde gemaakt aan dat idee. Waarom zou Jemal Pasha in het geheim een wrok tegen de barones koesteren? En waarom ging hij hardnekkig door haar te dienen in Caïro en aan de buitenkant zo loyaal tegenover haar te schijnen? Misschien boden de barones en haar geld Jemal de gelegenheid zich met archeologie bezig te houden, waartoe hij misschien op eigen houtje niet in staat zou zijn.

De rest van de nacht woelde en draaide Allison rusteloos op het bed, in haar geest tolden almaar dezelfde angstige vragen rond zonder bevredigende antwoorden. Toen verwarmde het zonlicht het raam en kondigde weer een smoorhete dag aan. Vandaag zou de Duitse kolonel arriveren om haar klem te zetten met vragen die ze niet kon beantwoorden.

Ze draaide zich om om weer te gaan slapen, bedacht dat ze wilde dat ze haar Bijbel had gehouden, die haar geest verzadigde met prachtige psalmen over de versterkende aanwezigheid van God. De Schriften zouden haar het vertrouwen en de kracht brengen die ze nodig had. Pas toen de opkomende zon haar een gevoel van veiligheid gaf, viel ze eindelijk in slaap. Ze droomde dat ze veilig thuis was in Brits Egypte en de heerlijke geuren rook van ontbijt dat klaargemaakt werd in de keuken, en het geluid hoorde van het kokende water voor de thee. In plaats daarvan schrok Allison wakker van een luid, dringend geklop op haar deur.

7

'Allison!' klonk de stem van Helga Kruger, gevolgd door die van David.

'Hoor eens, ze moet er zijn. Laten we haar niet zo aan het schrikken maken.'

'Ik kom,' riep Allison, ze stapte over haar bagage heen en schoof de grendel van de deur. In het verblindende zonlicht stonden Helga, Sarah en David onder aan het trapje en leken opgelucht haar te zien.

'Je hebt ons lelijk laten schrikken,' riep Sarah. 'We begonnen al te denken dat er een vloek rustte op de drie neven en nichten – allemaal familie en allemaal vermist. Is alles in orde met je?'

'Jawel. Ik heb me gewoon verslapen. Het spijt me. Hoe laat is het?'

'Je hebt het ontbijt gemist,' zei David zuur, 'maar de Turkse inspecteur niet. Hij is aangekomen.' David keek naar haar reactie alsof hij ongerustheid verwachtte. Allison glimlachte en duwde de deur verder open.

'Natuurlijk. Hij zal wel willen zoeken. Ik heb een paar minuten nodig om me aan te kleden. Is professor Jemal al begonnen met zijn lezing?'

'Ja,' zei Helga, die langs Allison heen de hut inkeek. 'Het ziet ernaar uit dat je alweer te laat bent.'

'O, wat vervelend, maar ik zal niet veel missen als jij vast vooruitgaat en aantekeningen maakt, Sarah. Hou je een plekje voor me vrij?'

'Rex zit daar al te wachten. Hij was nog ongeruster over je dan ik. Nou, dan zien we je wel in de hoorzaal.'

De barones bleef nog even staan. 'Na de lunch gaan we met z'n allen op excursie. Helaas hebben de officials ons bevel gegeven binnen vijftien kilometer van het terrein te blijven tot de zaken rond majoor Reuter en juffrouw Bristow opgehelderd zijn.'

'Wat betekent dat we niet naar de opgravingen van de Hittieten kunnen rijden,' zei Sarah teleurgesteld.

'Er is een kleinere locatie niet ver hiervandaan, en we gaan allemaal samen,' zei Helga. 'Ik kan niet beloven dat het veel is, maar het is tenminste iets en iedereen is zo teleurgesteld dat ze de tour naar Jerablus missen. Ik vind het heel vervelend.'

Twintig minuten later stapte Allison de hete, maar prachtige ochtend in en liep naar de lezing waar David voor de hut stond te wachten. Hij wenkte haar naar de zijkant, weg van het open raam.

'De Turken doen een diepgaand onderzoek in alle hutten en stellen allerlei lastige vragen. Ik kan me niet veroorloven te blijven en het risico te nemen. Tot nu toe heeft de barones nog niet gezegd dat ik zionist ben, maar dat gaat er wel van komen. Ik vertrek naar Carchemish voordat de officials me tegenhouden. Ik heb gisteravond op je gewacht, maar je kwam niet – wil je nog steeds gaan?'

'Ja,' fluisterde ze vlug. 'Het is niet waarschijnlijk dat de officials iemand van ons zullen vasthouden voor ondervraging voordat we terug zijn van de excursie.' Ze dacht aan Leah. Tegen de tijd dat ze laat in de middag aankwamen, zou ze op hen wachten. Dan was het niet meer nodig om David of wie dan ook te ondervragen en Leah zou een bevredigend antwoord hebben over Neals verblijfplaats dat de Turkse officials zou ontwapenen. 'Kun je wachten tot vanmiddag?'

'Goed, maar het lijkt me tijdverspilling. Het is een lange, hete, stoffige wandeling en er is niks te zien bij die oude opgravingen.'

Allison lachte om zijn gefronste voorhoofd. 'We gaan niet lopend; we gaan op kamelen.'

De lunch verliep haastig en onmiddellijk daarna pakten

een stuk of vijftien clubleden fruit, kaas en veldflessen koffie, thee en water in hun rugzakken en bonden ze op hun rug. Toen gingen ze op weg voor de zes kilometer lange tocht op kamelen naar de heuvels bij Aleppo. Zelfs generaal Blaine ging mee, al grapte hij luchtig dat hij liever op een schip in de storm zat dan op de rug van een kameel.

De verlaten locatie was die van een Romeins-Syrische stad, grotendeels gebouwd van vroegere materialen. Zoals Helga had gewaarschuwd, was het niet veel bijzonders, en de meeste clubleden waren er in het verleden al eens geweest. Maar wie de locatie nog niet had bekeken, maakte er het beste van en de barones hield een kort praatje over de Romeinse periode. Na die tijd gingen ze bij elkaar zitten om hun fruit en kaas op te eten en te genieten van de hete thee.

Toen de zon begon te zakken, zei generaal Blaine: 'Nu hebben de Turken onze hutten onderhand wel doorzocht en besloten wie er gearresteerd moet worden voor het leggen van een cobra op de schoot van majoor Reuter. Zullen we maar eens teruggaan voordat we ook op zo'n schepsel stuiten? Wie kunnen we deze keer de schuld geven?'

'Rex!' riep Sarah ontstemd.

Maar Jemal, wiens grote ogen overschaduwd werden omdat hij tegen een rots in de schaduw zat, zei: 'Hij heeft gelijk, mevrouw Blaine. De officials denken aan moord.'

De clubleden keken elkaar een ogenblik zwijgend aan.

'Absurd,' zei Helga, de stilte verbrekend. 'Majoor Reuter was een volkomen vreemde. Wie zou hem kwaad willen doen? Of Leah?'

'We nemen alleen maar aan dat juffrouw Bristow iets onplezierigs overkomen kan zijn,' zei Jemal. 'We moeten zuster Wescott niet van streek maken, het is haar nicht.' Hij keek Allison onheilspellend aan. 'Ik ben er zeker van dat ze arriveert voordat deze vakantie voorbij is.'

Allison was opgelucht toen David opstond. 'Zo is het wel genoeg geweest met dit zwaarmoedige gesprek. Het is tijd om terug te gaan, vind je niet, Allison?'

'Ja,' zei ze vlug, stopte haar veldfles in haar tas en stond op.

Barones Kruger keek boos en haar ogen stonden koel. 'Als juffrouw Bristow inderdaad besluit toch nog te verschijnen, dan heeft ze me heel wat uit te leggen. Dat onnadenkende getreuzel van Neal en haar heeft mijn expeditie bedorven. Volgend jaar zal ik moeite hebben mensen mee te krijgen.'

'Kom, barones,' zei professor Blackstone, een collega van Jemal aan de Archeologische School van Caïro. 'Niemand houdt u verantwoordelijk voor de beslissingen van de Turkse officials. Volgend jaar staan we allemaal weer gretig in de rij voor een nieuwe poging. Zo gaat het nou eenmaal met enthousiastelingen voor de archeologie. We laten ons niet weerhouden door een regenbuitje.'

'Of door een zandstormpje,' grapte generaal Blaine.

'U heeft gelijk, generaal,' zei Blackstone. 'De lucht heeft een lelijke kleur. Zo heb ik het eens gezien op een expeditie in Kartoum en het betekende meer ellende dan een reptiel dat zich verstopt tussen de rotsen. Ik vind dat we zo gauw mogelijk terug moeten gaan.'

Generaal Blaine nam zijn pijp uit zijn mond en keek naar de verre horizon. 'Ik kan wel iets leukers bedenken dan de rest van deze vakantie vast te zitten in een zandstorm. Wat zeg jij ervan, Sarah? Ik ben er helemaal voor dat we naar de hutten teruggaan, onze spullen inpakken en op weg gaan naar Caïro.'

Sarah keek sip terwijl ze de laatste thee uit de veldfles dronk, de bittere theebladeren weggooide en zuchtte. 'Het zal wel. Als de barones zeker weet dat we geen toestemming krijgen naar Carchemish te gaan, dan zie ik verder geen reden om te blijven. Maar zullen de officials ons laten vertrekken?'

'Ik zie niet in waarom niet,' zei barones Kruger vermoeid.

Generaal Blaine boog zich over naar zijn vrouw. 'Mooi dat de Britse consul in Aleppo een maat van me is. Henry ontvangt ons met Engelse thee in plaats van deze Turkse bittere.' Hij draaide zich om en keek Allison aan. 'En jij, lieverd? Ga je met ons mee?'

Ze hoopte dat haar schrik niet te zien was. Ze kon nog niet terug. Niet voordat ze wist hoe het met Leah en Neal was. 'Ik ben nog niet klaar om naar huis te gaan, Rex. Ik maak de vakantie af en kom vrijdag naar huis. Ik zal me een stuk beter voelen als ik weet hoe het er met mijn neef en nicht voor staat. Maar er is niets dat Sarah en jou hier houdt, als je zin hebt om verwend te worden in de Engelse ambtswoning.'

'O, we denken er niet over jou hier achter te laten,' zei Sarah. 'Dat zou niet eerlijk zijn. Als je vrijdag vertrekt, hoe kom je dan terug naar Caïro?'

'Ik zet haar wel op de trein,' zei David.

'Ja, ga alsjeblieft als jullie willen. Ik zou niet willen dat die arme generaal Blaine te veel lijdt in die primitieve hutjes,' plaagde ze.

'Mijn lieve Allison,' kreunde hij, 'na die tocht op die kameel kan ik niet erger meer lijden.' Hij pakte Sarahs tas op en stond even stil om waakzaam in de richting van de horizon te kijken. 'We kunnen beter gaan, al geloof ik niet dat ie er gauw zal zijn. Wat denk jij ervan, David?'

'Ik zou het niet weten, meneer, ik heb nog nooit in een zandstorm gezeten. Dit is mijn eerste expeditie naar Arabië.'

'Het ziet ernaar uit dat er iets onheilspellends onderweg is,' stemde Helga in.

'Ja,' zei generaal Blaine, 'één sterfgeval in vier dagen is wel genoeg, zou ik zeggen. Kom je, Sarah? Allison?'

'Hij heeft volkomen gelijk,' zei professor Blackstone. 'Als we hier blijven worden we tot onze oorlellen begraven in het opstuivende zand.'

'Ze graven ons op als "vondst" over een jaar of honderd,' spotte generaal Blaine. 'Ik zie de krantenkoppen al voor me: "*Missing link* gevonden in Arabië."'

Allison en David lachten, maar noch Helga noch Jemal apprecieerden zijn galgenhumor en liepen weg.

'Ga zo door, Rex, dan krijg ik die uitnodiging in Caïro nooit,' beklaagde Sarah zich.

Tien minuten later zaten ze allemaal op de kamelen en schommelden op de maat heen en weer in een lange rij door het zand in de richting van de hutten. Jemal en Blackstone reden voorop met twee mannelijke studenten van de Archeologische School van Caïro. Allison reed naast David. Ze reden om een zandduin heen toen professor Jemal zijn kameel stilhield en iets zei tegen Blackstone. Allison zag Blackstone van zijn kameel klimmen en in de richting van het duin rennen.

'Wat is er nou weer aan de hand?' klaagde David. 'Je gaat me toch niet vertellen dat ze nog een ruïne hebben ontdekt om doorheen te zeulen? Als dat zo is, Allison, dan vind ik dat we door moeten rijden.'

Allison antwoordde niet en staarde onrustig voor zich uit. Jemal was Blackstone gevolgd en ze verdwenen samen achter de rotsen en duinen.

Ze hoorden Helga's stem: 'Ze hebben iets gevonden.'

'Zeker een bedoeïen die geiten hoedt,' speculeerde generaal Blaine, leunend tegen de bagage op de rug van de kameel en trekkend aan zijn pijp. Een grijze rookpluim kronkelde naar boven en verdween in de opstekende wind.

Blackstone kwam terug rennen, hield zijn handen als een toeter om zijn mond en riep iets onverstaanbaars naar de anderen. Hij wees naar het duin.

'Er is iets mis,' fluisterde Allison.

'Blijf hier. Ik ga kijken.' Haastig klom David van zijn kameel en rende erheen.

De anderen volgden uit nieuwsgierigheid, behalve Allison. Een angstaanjagend voorgevoel deed haar maag omdraaien.

Maar het is de verkeerde richting, dacht ze almaar. *Carchemish ligt in het noorden.*

Pas toen ze Sarah hoorde roepen, dwong ze zichzelf van de geknield liggende kameel te klimmen en hen te volgen.

Haar hoge laarzen sloften in het zand onder het rennen.

Sarah zei zenuwachtig tegen generaal Blaine: 'Maar dat kan toch niet – zo snel alweer een ongeluk.'

Allison kwam aanrennen, stond stil en wierp één blik op de uitgespreide gestalte die gedeeltelijk overdekt met wit zand beneden aan het duin lag. Haar hart kneep samen. Het was Leah.

Ze hoorde dat barones Kruger haar waarschuwde niet te kijken en David pakte haar arm. Maar Allison rukte zich los en drong langs hen heen. Ze strompelde naar voren en viel op haar knieën naast het verwrongen lichaam van haar nichtje. Leah lag op haar buik, haar armen uitgespreid alsof ze gevlogen had, haar handen klauwden in het hete zand. Allison staarde op haar neer. Aan de zijkant van haar hoofd waar ze was gevallen zat een straaltje opgedroogd bloed en haar zachte blonde haren bewogen door de wind terwijl het zand haar zachtjes bedekte.

Allison stak haar hand uit en raakte haar aan. Tranen prikten in Allisons ogen. Een overweldigend gevoel van verlies, woede, schuld zelfs dat ze haar alleen had laten gaan, overspoelde haar hart. Ze klemde haar kiezen op elkaar. Vermoord. Net als de andere Engelse agent die zich voordeed als Karl Reuter. Niemand zou haar ooit overtuigen dat Leahs dood een ongeluk was.

Ze werd zich weer bewust van David, zijn hand op haar arm trok haar overeind. Sarah stond naast generaal Blaine die zijn arm om haar heen had, te jammeren. 'Stil maar, liefje, stil maar, het is voorbij. Er is niets meer aan te doen.'

Barones Kruger zei: 'Kom, Allison. Ze is dood.'

Allison stond verdwaasd op. Ze draaide zich om en keek ze een voor een aan. Ze zag alleen wazige gezichten.

Ze keek neer op Leah. In die eerste paar minuten had ze alles gezien wat ze wilde zien, en haar vermoedens werden bevestigd toen ze haar hand uitstak en op een zak in Leahs jurk legde. De revolver was verdwenen. Als het een ongeluk was geweest, had het wapen er nog in gezeten. En waar was de plunjezak met Allisons boeken en haar Bijbel?

Dat betekende ook dat Woolly's boek over de Hittieten weg was. Had ze iets anders verwacht? Ze zag de zak liggen. Hij was leeg. De wind plukte er troosteloos aan, alsof hij alles had weggezogen. De wind had ook ieder spoor van voetafdrukken weggeblazen. Toen ze Leah wegdroegen, keek Allison een stukje langs het duin en zag de auto waarvan Leah had gezegd dat hij in de buurt verstopt was.

Pas op dit ogenblik begreep Allison het. Dit was niet de locatie waar Leah Neal had verwacht te ontmoeten. De hut, had Leah gezegd, stond tussen Jerablus en de Carchemish-opgravingen. En dat was in het noorden, in de richting van de Eufraat en Bagdad.

Terug bij de hutten werd een grondig onderzoek uitgevoerd door de Turkse arts om elke mogelijkheid van een misdrijf uit te sluiten. Hij verklaarde dat er niets ongewoons gevonden was. Juffrouw Bristow was verdwaald in de strook woestijn van 130 kilometer tussen Aleppo en Jerablus, had motorpech gekregen, was uitgestapt om te gaan lopen en had een ongeluk gekregen.

'Onzin,' zei Helga Kruger toen ze die avond in de eetzaal bij elkaar zaten voor het diner. 'Leah was niet dom. Ze kende deze woestijn.'

Allison nam met verbazing kennis van Helga's reactie. Ze had eigenlijk verwacht dat de barones met de algemene opvatting zou instemmen.

'Wat kan het anders zijn geweest?' vroeg Jemal.

Ernstig stond Helga op. 'Ik weet het niet,' zei ze. Ze draaide zich om en liep naar buiten. De anderen bleven peinzend achter in een ongemakkelijke stilte.

Allison moest weg van het gesprek over Leah en hoe ze omgekomen kon zijn.

'Waar ga je heen, Allison?' David had haar ingehaald. Ze liepen naar de hutten. Eén blik op haar lege kamer vol herinneringen en geheimen maakte dat ze een brok in haar keel kreeg.

'Ik ga naar Jerablus,' verklaarde ze, 'naar de expeditiehut waar Leah en Neal woonden. Ik zal niet rusten voordat ik weet hoe het zit. En misschien is daar wel een boodschap van Neal.'

'Je gelooft niet dat Leahs dood een ongeluk was, hè?' vroeg hij zacht.

Ze keek hem onderzoekend in de ogen en zag de oprechte ernst. 'Nee,' fluisterde ze. 'Ik denk dat ze vermoord is.'

Hij fronste. 'En ik denk dat het hoog tijd wordt dat ik je mee terug neem naar Port Said.'

Ze keek hem onderzoekend aan. 'Denk je dat ze vermoord is?'

'Alleen een dwaas zou er anders over denken,' zei hij ruw, omkijkend naar de eetzaal. 'Ik was het niet eens met die Turkse arts en dat heb ik hem gezegd. We waren er flink over aan het ruziën tot de barones ertussen sprong.'

'Zij is ook wantrouwig.'

'Ja, het is een slimme vrouw, maar ik zou haar niet vertrouwen. Ik zou niemand in deze club vertrouwen, Allison. En ik vind het niet prettig dat jij hier bent. Niemand vergeet dat Leah en Neal jouw neef en nicht waren.'

Waren. Dat hij in de verleden tijd sprak drong Allison de tranen naar de ogen. Neal was misschien wel veilig. Maar hoeveel kon ze tegen David zeggen?

'Ik kan nog niet terug naar Caïro,' zei ze zacht. 'Dan zou ik het gevoel hebben dat ik Leah, nou ja, verraadde.'

'Hoor eens. Wanneer ga je me nou eens vertellen wat je werkelijk weet?'

'Gauw, maar nu nog niet. Ben je bereid me naar Jerablus te brengen? Je zei dat je daar zelf ook iets te zoeken had. Je hebt je vriend hier zeker nog niet gevonden, zoals je gehoopt had?'

'Bret Holden? Nee.' Hij keek zorgelijk. 'Misschien is hij bij de Carchemish-opgravingen of ergens in de omgeving van de Bagdad-spoorweg. Ik ben klaar om te vertrekken als jij klaar bent, maar we kunnen beter nu gaan voordat ze ons zien. De officials zullen ons allemaal hier willen houden om hun ondervraging voort te zetten.'

'Ik ga mijn spullen pakken, ik zie je bij de acacia's. We nemen Leahs Mercedes. Ze heeft de sleutels bij me achtergelaten.'

'Ik zie je over tien minuten,' waarschuwde hij.

8

De hut was gehuld in stilte toen Allison binnenkwam. Herinneringen sprongen op haar toe en Leah leek de kamer te vullen met haar aanwezigheid.

'Nee, Leah is dood. Ze kende God niet. Ik heb haar in de steek gelaten,' tuchtigde Allison zichzelf.

Het verlies had haar in zijn greep, maar haar gevoelens van geestelijke mislukking gingen nog dieper, sneden haar door de ziel. Of haar schuldgevoel van God kwam of haar eigen emoties van het moment waren deed niet ter zake, want het deed te veel pijn om geen acht op te slaan.

Het is mijn schuld. Ze beet op haar trillende lip. *Ik had beter mijn best moeten doen om haar te helpen. Hoe vaak heb ik gebeden voor Leah? Niet genoeg, nooit genoeg. Ik had haar duidelijker moeten vertellen wie Jezus is, en waarom Hij kwam. Maar dat heb ik niet gedaan – en zelfs toen ik de gelegenheid had, toen ze vroeg naar mijn leven, trok ik me terug, bang bijna om haar te vertellen dat ze Hem nodig had uit angst dat ze zou vinden dat ik tegen haar preekte. O, had ik dat maar gedaan! Ik was bereid om met tante Lydia op de Mercy te werken, mezelf te geven voor de fellahin, maar wat heb ik voor mijn eigen familie gedaan? Nu is het te laat voor Leah. Voor eeuwig te laat.*

De tranen stroomden over haar gezicht. De wind stak op en liet het raam rammelen en ze hoorde het bekende geluid van zand dat tegen het dak sloeg. Ze zag Leahs lichaam voor zich, stijf en koud in de ziekenboeg.

'O, God, help me toch!' Ze begroef haar gezicht in haar handen en zonk neer op het gekreukte bed.

Na een tijdje kreeg ze zichzelf met enige moeite onder controle. Ze droogde haar ogen en vond een zakdoek om haar neus te snuiten. Ze slikte flink en ging naar het kleine bureau. David wachtte op haar en het was riskant hem te laten staan met de auto. Een van de Turkse inspecteurs zou hem kunnen zien en tegenhouden. Ze moest zich haasten.

Ze trok laden open en begon lukraak haar spullen in te pakken, toen hield ze op. Ze stond stil en staarde neer op de lade. Iemand had haar kleren doorzocht.

Aanvankelijk geërgerd dacht ze aan de officials. Wat raar dat ze haar ondergoed zo onachtzaam door elkaar hadden gesmeten. Ze konden toch wel heer genoeg zijn om dat met rust te laten.

Toen kwam er een onplezierige gedachte in haar op. Waren het de officials of was er een andere, onprettiger verklaring? Maar wie had er dan gesnuffeld en waarom?

Haar hart sloeg sneller. Leah was de afgelopen nacht vertrokken. En ze hadden haar vanmiddag gevonden. Hoe lang was ze al dood? De arts had gesuggereerd dat het ongeluk vanochtend had plaatsgevonden. Dan had iemand de kans gehad om Allisons hut te doorzoeken voordat ze met de kamelen naar de Romeinse locatie waren gereden. Ze probeerde zich te herinneren wat ze die ochtend had gedaan.

Ze had zich verslapen en was wakker geworden door Sarahs gebons op haar deur. David was bij haar geweest en Helga Kruger. Helga had aangekondigd dat de inspecteurs kwamen. En toen? Allison was naar Jemals lezing gegaan, toen een snelle lunch en de tocht naar de opgravingen waar ze Leahs lichaam hadden gevonden. Wie had de tijd gehad om haar hut te doorzoeken? En waarom?

Een hoopvolle, maar angstaanjagende gedachte kwam in haar op. *Als de moordenaar het boek eens niet gevonden had bij Leah? Als ze alleen de neppapieren had meegenomen? De 'lokeendjes' zoals Leah ze had genoemd?*

Was het mogelijk dat Leah wantrouwiger was geweest dan ze had laten doorschemeren? Had ze het boek meegenomen dat ze had gevonden in de hut van majoor Reuter?

Allison besefte dat ze het nooit had gezien, zelfs niet toen

Leah de plunjezak inpakte voor haar vertrek naar de geheime ontmoeting met Neal – of de persoon die deed of hij Neal was. De vijand had haar gedood. Maar hij had niet gevonden wat hij zocht.

Dus, dacht Allison met een rilling, *is iemand hier teruggekomen om het te zoeken.*

De vraag was, had hij het gevonden? Ze doorzocht de hut grondig, met de gedachte dat Leah misschien iets voor haar had achtergelaten, maar Allison vond niets. Het kon betekenen dat de vijand het boek had gevonden of dat Leah het niet in de hut had verstopt. Omdat er weinig gelegenheid was om het ergens anders te verstoppen, stelde Allison mistroostig vast dat de vijand het had gevonden.

Een roffel op de buitenmuur die uitkwam op de voorkant van het kamp deed haar opspringen van schrik. Davids stem klonk door de dunne houten muur: 'Allison!'

'Ik kom!'

De sterren glansden als schitterend zilver toen Allison met haar ingepakte tas en haar plunjezak over het terrein naar de cabriolet snelde, langs de houten gebouwen die verspreid lagen als donkere hoopjes. Verlangend gleed David achter het stuur. 'Waar zijn de sleutels?'

Ze overhandigde ze aan hem. Er werd geen woord meer gesproken toen de motor werd gestart en ze een halve cirkel maakten, waardoor een fontein grof zand omhoogspoot. David draaide de smalle zandweg op die aangelegd was voor kamelen, ezels en karren. Algauw reden ze in noordelijke richting naar Jerablus, 130 kilometer verderop.

Ondanks de eerdere waarschuwingen voor slecht weer was de nacht ontzagwekkend. Allison liet haar verdriet en angst los in de Arabische wind en leunde naast David achterover in haar stoel, haar ogen gericht op de hemelse zee van sterren die met heilige uitbundigheid langs de woestijnlucht stroomde. Ze schepte moed bij de Ene die alles in Zijn hand hield, van een klein musje tot het grenzeloze universum. En ja, zelfs Leahs dood.

Deze is mijn Vader, trooste ze zichzelf. *Wat heb ik te vrezen? Wat mij ook overkomen zal, niets in deze hele wereld of in het geestelijk rijk kan mij te gronde doen gaan. Als gevaar en beroering om mij heen zijn, is er ook een hemelse bescherming om mij heen, en niets kan daardoorheen komen tenzij mijn Vader het toelaat. En als Hij dat doet, kan ik Hem nog steeds vertrouwen; uiteindelijk zal Hij zorgen dat het allemaal meewerkt tot mijn eeuwig heil.*

David draaide zijn hoofd en keek haar aan. 'Gaat het een beetje? Wat Leah betreft, bedoel ik.'

'Nog niet zo. Maar ik red het wel.'

'Het is een beroerd geval. Ze was toch al die tijd bij jou? In de hut?'

Ze keek naar zijn profiel, sterk in het licht van de sterren. De wind speelde met zijn kastanjebruine, golvende haar onder zijn hoed. 'Ja. Hoe wist je dat?'

Hij haalde zijn brede schouders op. 'Dat was makkelijk genoeg. Ik denk dat een paar van de anderen het ook weten. De barones bijvoorbeeld. En Jemal misschien.'

Allison verwonderde zich. Ze had alleen af en toe vermoed dat Helga het wist.

Zwijgend reden ze een paar minuten door. Toen zei David luchtig: 'Ik hoop dat je als Mozes in de woestijn weet welke kant we op moeten. De wildernis ziet er voor mij overal hetzelfde uit en 's nachts is het helemaal een niemandsland. We hebben in ieder geval een volle tank. Ik heb het gecontroleerd. Ze had reserveblikken benzine in de kofferbak. Ik heb ook wat te eten en veldflessen water meegenomen. Voor alle zekerheid.'

'Ik heb vorig jaar deze route gereden,' zei Allison. 'Ik heb een kaart als we hem nodig hebben en een zaklantaarn.' Haar stem droeg ver in de wind en ze voegde er vrolijker dan ze zich voelde aan toe: 'Volg die ster.'

De ster maakte ruimte voor het morgenrood terwijl de auto hotste en botste over de zandweg. 'Verderop wordt de weg slechter,' zei Allison. 'Je zult vaart moeten minderen.'

'O, fantastisch,' klaagde David opgewekt. 'Je zegt het maar. Mijn lieve meid, we kruipen al zo ongeveer. Ik had mijn motor moeten nemen.'

'Meestal gebruiken we kamelen en ezels.' Ze glimlachte. Stroken vlammend lavendel, goud, rood en groen veranderden het uitspansel in de adembenemende schoonheid van een bloementuin. Hier hield ze zo van in de Arabische woestijn. Hoewel de wildernis het vijandige vermogen in zich droeg te doden wie niet op zijn ontberingen voorbereid was, zijn schoonheid was overweldigend.

In Londen hielden mist en wolken de lucht tijdenlang in een halfduistere greep, maar de woestijn was klaarwakker en trilde van kleur en glorie. Allison deed haar sjaal af en liet haar lange, vlamkleurige haar wapperen als een vaandel van glanzende zijde. Haar groene ogen vonkten onder donkere wimpers, maar de spanning van de laatste dagen, de dood van Leah en de angstige gedachte aan wat misschien voor hen lag, was te zien aan de schaduwen onder haar ogen.

Ze geeuwde en reikte onder de vloerplank naar een van de veldflessen met water. Toen het nog koele water over haar tong gleed, verstarde ze en weigerde te slikken. Opeens werd de tuin, zo vroeg vol van kleur en schoonheid, binnengedrongen door het afschuwelijke gezicht van de slang van het kwaad. Ze boog over, greep het portier vast en slaagde erin de slok water uit te spugen. De vreselijke, bittere smaak kleefde aan haar tong en stak in haar ogen.

'Wat is er?' riep David toen Allison naar adem snakte. Hij bracht de auto ratelend tot stilstand.

'Het water... smaakt alsof het vergiftigd is.'

'Vergiftigd!' Hij greep de veldfles en rook eraan, maakte zijn vinger nat en bracht hem naar zijn tong. 'Je hebt gelijk.'

De wind dreunde tegen de zijkant van de auto en gaf een krachtige ruk, alsof hij hem wilde omkeren. De stilte en het enorme stuk land, dat onbewoond was afgezien van groepen bedoeïenen, giftige slangen en windspinnen, hielden hen gevangen.

'Ik heb ze allemaal zelf gevuld,' zei hij boos. Hij haalde de andere flessen tevoorschijn om te proeven. Even later keek hij haar aan met rimpels in zijn voorhoofd. 'Er is met allemaal geknoeid.'

'Maar wie kan dat gedaan hebben? En waarom?' fluisterde Allison. Ze stond niet bekend als agent. En ze had geen strategische informatie.

'Dat lijkt me duidelijk,' gromde David. 'Iemand probeert jou of ons allebei bang te maken. Er was geen kans dat we die troep zouden drinken als we het eenmaal geproefd hadden. Wat ik wil weten, is hoe ze het gedaan hebben, terwijl ik ze zelf gevuld heb en naar de auto heb gebracht. Ik heb ze geen moment uit het oog verloren.'

'Ben je daar zeker van?'

'Zo zeker als wat. Ik heb tot na donker gewacht met vullen. En ik heb gezorgd dat er niemand in de buurt was.'

'Er moet iemand in de buurt zijn geweest,' zei Allison en ze keek hem aan.

Zijn bruine ogen die vonkten van woede, kregen een peinzende uitdrukking. 'Oké, ik wil weten wat er met je aan de hand is. Ik ben tot nu toe behoorlijk geduldig geweest, ik heb midden in de nacht rondgeslopen om jou te helpen ongezien weg te komen. Waarvandaan? Van wie? Leah is dood. Neal wordt vermist. En nu dit!'

Allison werd besprongen door haar eigen gedachten en gaf geen antwoord. David had gelijk; iemand had geweten dat Leah zich al die tijd in haar hut verstopt had, iemand – ongetwijfeld degene die Karl Reuter had vermoord – had haar plan geraden om naar de expeditiehut in Jerablus te rijden. Iemand wilde niet dat ze het huis van Neal en Leah doorzocht en had haar op de vlucht willen jagen.

'We zullen terug moeten,' zei David met een boos gezicht. 'We kunnen het risico niet nemen door te rijden zonder watervoorraad.'

Allison voelde haar nekharen prikken. Ze keek naar David, bestudeerde zijn vierkante kaaklijn.

Nee, dacht ze ademloos, *David kan de vijand niet zijn. Daar durf ik mijn leven voor in te zetten.*

Met een onbehaaglijke schok besefte ze dat ze dat al gedaan had. Ze waren alleen in de Arabische woestijn. David had toegegeven dat het onmogelijk was dat iemand het water in de veldflessen had vergiftigd zonder dat hij het merkte. Hoe dan? En wie? Of was de vraag eigenlijk: waarom? Waren zijn politieke aspiraties om een joods thuisland te vestigen er de oorzaak van dat hij naar het Duitse rijk keek voor de vervulling daarvan? Was het de keizer en niet Engeland waarop hij zijn hoop gevestigd had?

Allison herinnerde zich dat ze laatst iets gelezen had in de krant van Caïro. Het was een stukje van maar één alinea, maar het had haar aandacht getrokken omdat haar sympathie bij Jeruzalem lag. Er stond in de krant dat binnen Rusland en Duitsland in het geheim toenadering werd gezocht om joodse steun te werven als de oorlog uitbrak. In ruil daarvoor werden vage beloftes gedaan over een soort joodse onafhankelijkheid in Palestina. Tot nu toe waren volgens haar zulke uitingen niet gedaan door Engeland of Amerika.

Ze keek naar Davids sterke handen op het stuur, de ferme greep die sprak van een persoonlijkheid die vastbesloten op zijn doel af ging, waar het ook toe leidde. In bepaalde zin kon ze het hem niet kwalijk nemen. Als zij joods was zou ze ook elke politieke strijd aangaan om een eigen staat te vestigen in het land dat God had beloofd aan Abraham, Isaäk en Jakob.

'Ik ga niet terug,' zei ze zacht maar onwrikbaar. 'Dat ben ik twee mensen schuldig om wie ik veel gegeven heb.'

'Straks eindig je nog net als Leah.' Zijn ogen waren niet te zien. 'Of wij allebei. Zeg, hoor eens! Je denkt toch niet dat ik dit heb gedaan?' Hij gooide de veldfles driftig neer.

Allison bleef zwijgen en keek naar hem. Hij keek haar boos aan. 'Mooie dank krijg ik voor mijn hulp.' Kwaad draaide hij de sleutel om om de motor te starten.

'Ik heb je niet beschuldigd. Doe niet zo gek. Als jij de vijand bent, dan is het toch al te laat, hè?'

'Wat bedoel je?'

'Ik bedoel dat je dan op ditzelfde moment een revolver tegen mijn hoofd zou kunnen zetten, en niemand zou het schot horen.'

Hij mompelde iets en leunde achterover in zijn stoel met zijn ogen dicht. 'En dan te denken dat ik verliefd op je ben en dat jij denkt dat ik –'

'Zeg dat alsjeblieft niet,' fluisterde ze.

'Wat moet ik niet zeggen?' gromde hij, de motor opnieuw startend.

'Wat je net zei – over verliefd op mij.'

Hij keek haar gefrustreerd aan. 'Zou dat zo ondenkbaar zijn, zo verschrikkelijk? Ik weet dat ik joods ben, maar –'

'Dat is het niet, dat weet je best. Je kent een van de redenen.'

'Aha, ja, je bent – zal ik het verboden woord zeggen? Een christen. En ik ben –'

Vlug legde ze een hand op zijn arm, haar ogen smeekten. 'Niet nu, David. Alsjeblieft. Laten we doorrijden. Verderop is een bedoeïenenbron.'

'En we hebben de zendeling Wade Findlay. Ja, weet ik.'

Zwijgend reden ze verder.

'Weet je waar die oase is?'

Ze ontspande zich omdat hij een ander onderwerp aansneed, maar het deed haar verdriet dat hij verliefd op haar was. *Hij meende het niet*, dacht ze. Het kwam door al die doden en de spanning. Dan gedroegen sommige mensen zich emotioneler dan ze normaal zouden doen. De gedachte aan de dood maakte dat je sneller naar een relatie greep, als was het niet echt. Ze moest zich niet laten meeslepen en het hoofd koel houden.

Op een zwak moment keek ze naar hem, zag de wind door zijn haar spelen en voelde een tederheid die ze niet kon verklaren en die ze niet wilde voelen. 'De bron is niet veel verderop. We zijn er vorig jaar gestopt. We zijn er tegen de middag.'

Dat ze geen water hadden, joeg haar niet de meeste angst aan. Het was de kwetsbaarheid die ze voelde. Iemand had vlak onder Davids zorgzame handen het water in de veldflessen vergiftigd.

'Nou,' zei David vermoeid, 'ik zie dat je me nog steeds in het duister laat tasten. Over wat er aan de hand is, bedoel ik.' Hij keek naar haar. 'We hebben in ieder geval die tas met sinaasappels nog.'

Allison keek hoe de opkomende zon de verre heuvels verlichtte. Tegen de helft van de ochtend overdekte de hitte alles en de lucht verschoot tot een monotoon blauw.

★

Pas nadat de zon op zijn hoogste punt had gestaan en zijn afdaling was begonnen, bereikten ze de oase, later dan Allison had gedacht. Voor zich zagen ze een verrukkelijk stuk woestijn, groen, met schaduw, koel bronwater en dadelpalmen. De dadels mochten vrijelijk gegeten worden, maar de wet van de woestijn verbood dat ze meegenomen werden. Een bedoeïenenschaapherder in het zwart hoedde een kudde slungelige geiten en negeerde Allison en David alsof ze een luchtspiegeling waren. Vliegen zoemden. De temperatuur steeg.

Terwijl David de motor controleerde en de reserveblikken benzine leeggoot in de tank, dacht ze: *Bij hem zit geen greintje kwaad. Er moet een ogenblik geweest zijn dat hij de veldflessen uit het oog verloor, al ontkent hij het. Het moet iemand van het genootschap zijn geweest.*

Ze keek toe hoe hij de tankdop terugplaatste en op haar toe kwam lopen, zijn handen afvegend aan een oude doek. Toen opende hij fluitend zijn plunjezak en haalde *aysh* tevoorschijn gevuld met vlees en olijven. 'Manna in de woestijn,' verklaarde hij met een grijns en hij rook eraan.

'Als het tenminste niet bedorven is. Hier, neem maar. Geen vergif.'

'Hoe kom je daar nou toch aan?' vroeg Allison met een lach.

'De keuken – bij de eetzaal. Ik heb de Turkse bewaker omgekocht.'

'Je hebt een bewaker omgekocht?' herhaalde ze, verbaasd dat het mogelijk was. 'Hoe heb je dat gedaan? Ze hadden allemaal bevel iedereen onder toezicht te houden.'

'Ja, hadden ze ook.' Hij zweeg. 'Dus dat was het. Zo is het gegaan.' Hij keek haar triomfantelijk aan. 'Ik heb de veldflessen korte tijd achtergelaten. Tijd genoeg voor iemand om ermee te knoeien.'

Allison voelde een golf van opluchting toen haar ogen de zijne zochten, maar de opluchting was van korte duur. Zelfs als het David niet geweest was, dan had iemand anders hun plannen verwacht.

Allison nam een sandwich terwijl David een poging deed in een boom te klimmen om dadels te plukken. Toen hij terugkwam, snoefde hij: 'Als je met mij trouwt, kom je nooit iets te kort.' Hij gaf haar een handvol.

Ze glimlachte en beet in een dadel. Ze waren zoet en sappig, de lekkerste die ze ooit had geproefd.

Algauw zaten ze weer in de auto en waren ze onderweg. De schaduwen van de middag lengden toen ze over de smalle weg hobbelden en hitte en stof oprakelden. Allison was vol spanning en onzekerheid als ze dacht aan Jerablus en wat hen daar wachtte. Ze hield haar handen boven haar ogen tegen het witte, verblindende licht. Ze speurde de eindeloze strook brandende woestijn af die de wereld vulde zo ver ze kon kijken. Ze had tien jaar in Caïro gewoond en daarvoor in India, en was zich goed bewust van de dodelijke tol die de hitte eiste. De verlatenheid van de woestijn verstikte haar van alle kanten.

Ze pakte de veldfles van de stoel naast haar en dronk van het bronwater. Het verlichtte haar droge keel. Ze hield met één hand haar zonnehoed op zijn plaats en draaide haar hoofd om om naar de kameelachtige heuvels te kijken.

Allisons grootste angst, als een luchtspiegeling in de trillende hittegolven van de woestijn, sprong op toen David de rem intrapte en de auto tot stilstand bracht. De schroeiende zon brandde genadeloos op hen neer. Vliegen verschenen uit het niets en zoemden als tijdens de zesde plaag van Egypte.

'Wat is er?' vroeg ze geschrokken. Eén blik op zijn gezichtsuitdrukking alarmeerde haar.

Hij wees in de richting van een paar zandduinen die verschoven in de wind als glijdende slangen. 'We krijgen gezelschap.'

Allison tuurde tegen het schitterende licht in, haar hart in haar keel.

'Een patrouille Turkse cavaleristen,' zei David. 'Dat hebben wij weer.'

'Ze hebben ons gezien,' fluisterde Allison. 'Zullen we proberen weg te komen?'

'Op deze weg? Het zijn rijdende Arabieren. Ze halen ons zo in. Het is te laat; daar komen ze al.'

Allison opende haar handtas en haalde Leahs papieren eruit. 'We hebben papieren die ons toegang verschaffen tot Jerablus. Ze kunnen ons niks maken.'

'Tenzij ze weten wat er op de clubbijeenkomst gebeurd is.'

Allison herinnerde zich iets wat de barones had gezegd op de dag dat ze majoor Reuter dood hadden gevonden. Kolonel Holman was naar het Duitse hoofdkwartier in de buurt van Bagdad gereden. Had hij gezorgd dat ze op de uitkijk stonden?

Engeland en het Ottomaanse rijk, met zijn centrale troon van macht in Constantinopel, stonden op goede voet, bedacht ze. En Engeland zocht toenadering om de vriendschap met de regerende Turken te versterken. Ze leken de olijftak vol vertrouwen aan te nemen.

De Arabische stammen in Arabië en de Hidjaz waren een

ander verhaal. Engelsen reisden zonder gemolesteerd te worden door Arabië, genegeerd door de hoofdmannen van de stammen – behalve, zoals Allison wist, enkele wilde bedoeïenenstammen die nu en dan vanuit de woestijn aanvielen als spookachtige geestverschijningen. Maar voor het overgrote deel hadden de Arabieren een nog grotere hekel aan de Turken dan aan de Britten, al waren ze aan elkaar verbonden door de islam.

Egypte echter, beschouwde de Engelsen in Caïro als een 'bezettende macht'. Engeland was in het zicht van de oorlog bezorgd om interne opstanden, spioneren voor de vijand en een totale opstand als de Turkse regering in Constantinopel de kant koos van Duitsland en de Arabieren en Egyptenaren opruide. Een *jihad* werd altijd gevreesd door de Britten. Vriendschap met Turkije was van essentieel belang.

Niemand in Arabië verwachtte te worden beschoten door de Turkse cavalerie op patrouille, maar weinig Engelsen, en ook Allison niet, onderschatten het verreikende effect van de oorlogswind die in het verontruste gezicht van Europa blies. Nu er sprake van was dat Duitsland België zou binnenvallen, was het haast onvermijdelijk dat de spanning ook tot het kookpunt kwam in Arabië, waar Berlijn de grote spoorweg bouwde naar Bagdad en naar het zuiden door de woestijn.

Allison keek naar de cavaleristen die door de opstuivende witte duinen reden en de geparkeerde auto naderden. Toen ze dichterbij kwamen, leken hun ontzagwekkende gestaltes in de donkerbruine militaire uniformen met kegelvormige stoffen hoeden bijna een luchtspiegeling vanwege de opstijgende hittegolven. Het weerspiegelende zonlicht op hun wapens verjoeg die vergeefse hoop. Ze droegen niet alleen Duitse karabijnen maar ook het traditionele gekromde zwaard van de Turken dat *scimitar* genoemd wordt.

De Turkse kapitein had een diep door de zon gebruind, hard gezicht en droeg een korte moslimbaard en een Turkse snor. Hij hief kortaf een hand om de zes soldaten achter hem te laten stilhouden. Zijn scherpe, zwarte ogen, als gloeiende stukjes kool, fixeerden eerst meedogenloos onderzoekend op David en schoten toen naar Allison, wiens haar was losgeraakt uit de wrong die ze een paar uur geleden had gemaakt. Ze voelde een rilling langs haar armen ondanks de hitte en het zweet dat langs haar ribbenkast stroomde. In haar grootste angst had ze zich geen voorstelling kunnen maken van de flits van openlijke afkeer die ze zag toen hij het rode embleem op haar verpleegstersuniform opmerkte.

Het rode kruis dat op de voorkant van haar vuil geworden jurk genaaid zat, sprak ook van haar toewijding aan een geloof dat vanaf voor de tijd van de Kruistochten beschouwd werd als de leer van de vijand. Het was een vergissing geweest haar verpleegstersuniform aan te trekken, besefte ze nu. Ze had gedacht dat het hun een voorsprong zou geven als ze werden aangehouden voor ondervraging. Ze had het mis gehad.

'Uw nationaliteit?' blafte hij Allison toe.

'Engelse, meneer. We zijn met het Archeologisch Genootschap van Caïro onderweg om het huis van mijn neef en nicht te bezoeken in Jerablus. U zult bekend zijn met hun expeditiehut. Hier – deze papieren verklaren alles.'

Een soldaat nam ze van Allison aan en overhandigde ze aan de kapitein. Hij las ze zorgvuldig. 'Ja, we zijn bekend met de mensen van het British Museum in Carchemish. Wat doet u hier? Bent u archeologe?'

'We logeren in de buurt van Aleppo met het genootschap, we zijn op vakantie.'

Hij gaf de papieren terug en wendde zich tot David. 'Uw papieren.'

David stak een gebruinde hand onder zijn tuniek.

'Langzaam!' waarschuwde de kapitein.

'Waarom zou een arts wiens taak het is levens te redden een cavalerist van de sultan beschieten?' Met een verveelde glimlach gaf David hem een map. 'U zult zien dat alles in orde is, kapitein.'

Arts? Allison vroeg zich af hoe David aan zulke papieren kwam, maar ze durfde haar opluchting niet te tonen. De kapitein bestudeerde de inhoud zorgvuldig. 'Bent u op de hoogte, dokter McGregor, van de dood van een Duitse officier bij de hutten?'

Allison verroerde zich niet. Ze voelde het zweet op haar voorhoofd staan. Dus kolonel Holman had de officials gewaarschuwd.

'Mijn orders zijn iedereen van verdachte aard aan te houden,' zei de Turkse kapitein. 'U gaat met mij mee terug naar Jerablus.'

'Wacht eens even –'

De Turk stak met een ruk zijn hand op om stilte en keek plotsklaps naar Allison. 'U bent verpleegster?'

'Ja,' bevestigde ze snel.

'Welke ziekenhuis in Caïro?'

'Geen ziekenhuis. Een schip.'

'Een schip?'

'De Mercy. We reizen over de Nijl en verzorgen de *fellahin*,' zei ze over de Egyptische boeren.

'De Mercy.'

'Het is privé-bezit.'

'Van wie?'

Ze aarzelde. Het schip was van de Britse buitenlandse missie in Londen, wat haar beslist onacceptabel zou maken in de ogen van de moslim-Turk. 'Mijn tante heeft de leiding,' zei ze naar waarheid, maar voorzichtig. 'Zuster Lydia Wescott. Ik werk als haar assistente. Ze helpt het Egyptische volk al dertig jaar.'

De kapitein verschoof op zijn paard en het leren zadel kraakte. De gonzende vliegen plaagden mens en paard zonder respect. Het leerachtige, bezwete gezicht van de kapitein toonde niets en Allison voelde zich krimpen onder dat vernietigende staren. Hij was duidelijk niet onder de indruk van haar geloofspapieren. *Weer zo'n bemoeizuchtige christen die medicijnen gebruikt om te bekeren* – dat vertelde zijn blik haar.

'Wat doet u hier?' eiste hij nogmaals.

'Dat heb ik al uitgelegd, kapitein.'

'U komt van de Nijl, u werkt met de Egyptische *fellahin*. Wat doet u hier?'

'Hier' was de Arabische woestijn, misschien een soort rivier, maar een van ononderbroken zand en, zoals hij zei, ver van de Nijl. Hij sprak op een toon die haar moest laten merken dat ze ongewenst was, of ze nou medisch liefdewerk deed of niet.

'Ik ben met verlof,' verklaarde ze. 'Zoals ik u al verteld heb, meneer, ben ik lid van het genootschap bij Aleppo dat bij barones Helga Kruger en professor Jemal Pasha hoort. We zijn naar de Carchemish-opgravingen gekomen naar het huis van mijn neef Neal Bristow. De opgravingen,' zei Allison zacht maar ferm, 'staan onder Engelse jurisdictie.'

Het maakte hem niet milder dat ze hem eraan herinnerde dat de Turken daar geen jurisdictie hadden. De hitte was bijna ondraaglijk nu ze niet meer reden en de wind niet meer voelden. Ze veegde de horde vliegen weg. Haar katoenen jurk kleefde aan haar vast.

'En die andere leden van het genootschap — waar zijn die?' klonk zijn met opzet beschuldigende stem.

'Een paar kilometer van Aleppo,' kwam David ertussen, kennelijk hevig geïrriteerd door zijn gesar. 'Wat is dit, kapitein? Treiterij? Zoals juffrouw Wescott al zei, we zijn een gezelschap particuliere burgers die een week met vakantie zijn en genieten van onze belangstelling voor archeologie.'

'Kapitein,' zei Allison kalm. 'Ik vind dat u geen reden heeft om ons aan te houden. De papieren van het museum zijn allemaal in orde. De Britse consul heeft met de lokale autoriteiten in Bagdad geregeld gastvrijheid te verlenen aan het genootschap van Caïro. Een van uw eigen mensen, barones Kruger, heeft dit van tevoren geregeld.'

'U heeft gelijk, zuster Wescott. Maar dat was voordat majoor Karl Reuter werd vermoord.'

'Vermoord!' hoonde David. 'Uw eigen Turkse arts verklaarde dat het een ongeluk was. En ik ben het volkomen met hem eens. Trekt u geen voorbarige conclusies? Het was tenslotte een Duitse officier die werd gebeten door de cobra, geen soldaat van het Ottomaanse rijk. Engeland en Turkije zijn bondgenoten, nietwaar?'

Allison hield haar adem in en hoopte dat Davids woorden de kapitein overreed hadden.

'Bevel van mijn meerderen in Bagdad gaat boven uw persoonlijke verlangen naar vakantie,' zei hij bot. 'Ik mag geen vreemdelingen toelaten in Jerablus. Ik moet u aanhouden voor verdere ondervraging.'

'Maar waarvoor dan? Onze papieren zijn in orde!' zei Allison.

'Ik heb geen twijfels over uw papieren,' gaf hij toe.

'Waarom worden we dan vastgehouden?' eiste David. 'Het is niet onze schuld dat een stomme Duitse officier zich laat bijten door een slang. U heeft juffrouw Wescott gehoord. Uw sultan heeft het British Museum toestemming gegeven voor toelating tot het gebied rond Carchemish. Als we niet worden toegelaten in Jerablus, kunnen we ons bij T.E. Lawrence en Woolly voegen op de locatie.'

'De Engelse zendelinge moet omkeren.'

Zendelinge. Dus zo wilde hij haar etiketteren. Het was een zorg dat zelfs in betere tijden anti-christelijke gevoelens in de moslimprovincies konden leiden tot geweld.

Elk verder protest terzijde schuivend schreeuwde hij bevelen tegen twee van zijn Turkse soldaten, die afstegen en aan weerszijden van de auto kwamen, en de portieren openden. Ze wenkten David en Allison uit te stappen.

David protesteerde en weigerde de auto te verlaten, terwijl de kapitein zijn soldaten bevel gaf hem achter het stuur vandaan te halen.

'Wat verwacht u dat we doen, met een kameel meeliften terug naar Aleppo?' snauwde David.

De kapitein schreeuwde kortaf een bevel naar de soldaat, die snel de kolf van zijn karabijn hief en er gemeen mee uithaalde tegen de zijkant van Davids hoofd, waardoor hij terug in zijn stoel geslagen werd.

Allison gaf een gil toen de soldaat David bij de voorkant van zijn shirt greep en achter het stuur vandaan trok. David probeerde slechts half bij bewustzijn naar zijn revolver te reiken, maar de soldaat haalde opnieuw uit en smeet hem in het hete zand. Toen gleed de soldaat zelf achter het stuur.

Een andere soldaat hield Allison vast en drukte haar in haar stoel. 'Op de plaats. Orders.'

Ze keek in paniek achter zich en zag David bewusteloos uitgestrekt liggen op het verzengende zand.

'U kunt hem daar niet laten liggen,' riep Allison. 'Hij sterft van de hitte! Ik ben verpleegster. Laat me alstublieft helpen –'

De soldaat die haar arm vasthield, riep plotseling naar zijn kapitein: 'Op de duinen. Bedoeïenen. Ze zijn gewapend. Een Duitse soldaat is bij ze.'

Allison zag dat een groep Arabische ruiters was verschenen. Ze zag dat de Duitse soldaat de vijf bedoeïenen een hand gaf, hun gewaden wapperden in de wind. Toen keerde hij zijn paard om naar hen toe te rijden.

Ze slikte, haar keel was droog, en ze mepte de vliegen weg terwijl de hete, droge wind een lok haar in haar ogen striemde. Het uniform met het IJzeren Kruis kwam haar bekend voor. De Duitser droeg een revolver in een schouderholster, een sabel in een schede en een geweer. Behoedzaam nam Allison de gepoetste, knielange zwarte laarzen in zich op, de koele en arrogante manier waarop hij rechtop op het paard zat. Het was onmiskenbaar kolonel Holman.

Zijn blauwzwarte ogen overzagen het toneel en schenen niets te missen, concentreerden zich op David die uitgespreid in het zand lag. Toen keek hij Allison aan en hield haar blik vast.

Ze dwong zich onverschillig terug te kijken, hoewel haar hart bonsde. Was er enige hoop dat hij Bret Holden was? Ze rukte haar ogen los van zijn blik en deed haar best aan de buitenkant zelfverzekerd en onbevreesd te schijnen. In werkelijkheid trilden haar knieën. De Turkse soldaat bleef haar arm zo stijf vasthouden dat ze onwillekeurig huiverde.

'Je manieren, soldaat! Ben je bang dat de mooie Engelse spionne je met brute kracht overweldigt en wegrent? Haal je handen van haar af. Ik verwacht dat de soldaten van het Ottomaanse rijk zich even galant gedragen als de dappere Duitsers,' verklaarde kolonel Holman vlak.

De soldaat deed een paar stappen achteruit van de auto en bleef stram staan, zijn kapitein aankijkend.

Opgelucht keek Allison naar de kolonel, maar hij had zich in het zadel omgedraaid om de Turkse kapitein aan te kijken. De kapitein was woedend dat zijn soldaat openlijk berispt was door een buitenlandse officier.

Kolonel Holman bleef uiterlijk koel. 'Moeilijkheden, kapitein?'

'Wie wil dat weten?' klonk het kortaf.

Kolonel Holman bekeek hem verveeld en reikte in zijn jasje om een identiteitsbewijs tevoorschijn te halen. Hij overhandigde het abrupt aan de kapitein, met duidelijk zichtbaar ongeduld. 'Kolonel Holman van de Duitse inlichtingendienst, Constantinopel. Ik ben kortgeleden aangekomen om het commando te voeren over de veiligheidspolitie van Bagdad.'

De Turkse kapitein voelde zich plotseling ongemakkelijk en salueerde terwijl hij de papieren teruggaf. 'Ja, kolonel, we hebben uw orders ontvangen om alle vreemdelingen aan te houden. Ik ben kapitein Mustafa uit Beersheba, naar Jerablus gezonden om een brief af te leveren aan de bevelvoerend officier. Ik was onderweg terug naar Beersheba toen majoor Reuter werd gedood. Mijn nieuwe orders waren hier te blijven op patrouille.'

'Ik neem aan dat deze mensen ondervraagd worden?'

'Ja, kolonel.'

'Mooi. Alles in orde?'

Kapitein Mustafa verschoof nerveus in het zadel. 'Ja, kolonel. Alles is in orde.'

Allisons blik kruiste die van kolonel Holman. Hij bekeek haar. Zijn ogen dwaalden naar het rode kruis op haar uniform. Hij nam haar met een uitdrukkingloos gezicht op. Weer draaide Allison haar hoofd af en begon zich met kalme waardigheid, of dat hoopte ze althans, koelte toe te wuiven.

'Ik moet uw bevelvoerend officier in Jerablus spreken,' zei kolonel Holman.

Kapitein Mustafa wierp hem een scherpe, geschrokken blik toe. 'Jerablus? Moet u majoor Kameel in Bagdad spreken?'

'Ik ben niet gekomen om uw majoor te spreken. Ik verspil geen tijd aan besprekingen met lage rangen! Het nieuws dat ik breng, is bestemd voor een privé-audiëntie bij uw generaal.'

'De generaal zit in Gaza. Hij komt niet voor volgende week aan.'

'Volgende week? Is dat een manier om de hoofdagent inlichtingendienst van generaal Kress von Kressenstein te behandelen? Ik ben uit Constantinopel gekomen met essentiële informatie!'

'Het spijt me, kolonel. Ik kan niets doen voordat de generaal volgende week arriveert.'

'Een dergelijke absurditeit, kapitein, wordt in het Duitse leger onacceptabel geacht.'

De Turkse kapitein slikte, maar zijn zwarte ogen stonden hard en bitter. 'Ja, kolonel. Zullen wij u escorteren naar Aleppo?'

'Dat is niet nodig. Ik ken deze woestijn, kapitein, even goed als iedere Turk – of bedoeïen. Ik ga vanavond niet terug naar Aleppo, maar naar Jerablus. Het eten en de wind bevallen me daar beter.'

'Ja, kolonel,' zei hij knarsetandend en hij salueerde energiek.

Kolonel Holman salueerde halfslachtig terug, alsof het de moeite niet was, en gebaarde toen met een keurig gehandschoende hand naar Allison.

Ze had de vertoning met voorzichtige nieuwsgierigheid gadegeslagen. Hij was erg verwaand, of was dat een act? Ze verstijfde toen ze hem met zachtere stem hoorde zeggen: 'De Engelse *Fräulein*, zorg dat ze vanavond naar mijn verblijf in Jerablus wordt gestuurd.'

Het gezicht van kapitein Mustafa vertrok van afkeer. 'Ze is Brits. Een zendelinge. Ze beweert dat ze uit Caïro komt.'

'Ja,' zei hij, 'daarvan ben ik op de hoogte.'

'En hij?' Mustafa gebaarde naar David.

'Arresteer hem,' zei kolonel Holman.

David arresteren! Ze kon niet toestaan dat ze hem meenamen. In wanhoop opende Allison het portier van de auto en stapte uit, het zand brandde onder de zolen van haar schoenen. De soldaat die haar bewaakte, keek scherp naar haar, maar maakte geen beweging.

'Alstublieft, kolonel Holman, ziet u niet dat hij gewond is? Zijn jullie allemaal beesten dat jullie hem in het brandende zand laten liggen? Wat kan hij voor kwaad doen? Jullie, die overal soldaten en wapens hebben. Zijn jullie bang voor een ongewapende, gewonde man?'

'De vrouw is schaamteloos,' zei kapitein Mustafa.

'U wilt hem wel snel uw genadige zorgen schenken, *Fräulein*. Is uw arme, onbewapende, gewonde zionist soms van speciale betekenis voor u?' zei kolonel Holman honend.

Haar ogen ontmoetten zijn donkere blik. *Zionist*. Hij wist het. En het betekende het einde voor David. Opeens zag ze een glimp van haat in de Turkse ogen springen.

'Zionist?' fluisterde kapitein Mustafa. 'Hij zei dat hij arts was! McGregor is zijn naam. Ik heb zijn papieren gezien.'

'Zijn papieren zijn vervalst,' zei kolonel Holman toonloos. 'U heeft nog veel te leren van de Duitse inlichtingendienst, kapitein.'

Alle energie stroomde uit Allison weg en ze bleef teleurgesteld achter. Als hij de Turkse officier erop wees dat David joods was, en hem daarmee verraadde, dan was hij Bret Holden niet. Haar blik werd ijskoud toen ze hem aankeek. 'Het is mijn plicht als verpleegster om hem te helpen, kolonel Holman. U weet vast weinig van genade in uw verplichtingen.' Ze waagde het erop, pakte een veldfles en liep naar David toe. Haar rug was stijf, ze verwachtte elk moment zijn korte bevel te horen dat ze moest stoppen. Maar dat kwam niet. De soldaat hield haar ook niet tegen.

Ze bukte, nam Davids bebloede hoofd in haar schoot, zwiepte de bijtende insecten weg die zich al verzameld hadden op de open wond. Toen hoorde ze kapitein Mustafa tegen de kolonel zeggen: 'Ik moet de zionist naar het hoofdkwartier in Aleppo brengen voor ondervraging, kolonel. Ik sta onder bevel van mijn commandant om alle politieke onruststokers aan te houden en te ondervragen.'

'Ik stel voor, kapitein, dat u meer aandacht besteedt aan verkenning en het verzamelen van inlichtingen, en ondervraging aan de Duitsers overlaat. Deze man is toevallig een spion uit Jeruzalem en ik heb bevel hem naar Constantinopel te brengen.'

Allison staarde met ontzetting op David neer. Spion voor Engeland! En Leah en zij hadden aan hem getwijfeld! Hadden ze hem maar in vertrouwen genomen, dan hadden ze misschien kunnen ontsnappen. Ze hield hem zachtjes vast, raakte de bebloede kant van zijn hoofd aan. David, David. Haar hart deed pijn. De Duitsers zouden hem doden. Of de Turken.

'Elke verdere poging van uw kant om mijn orders te dwarsbomen, zal afgehandeld worden door uw eigen generaal Kismet Bey,' zei kolonel Holman.

De kapitein keek onzeker. De Duitser vervolgde zijn berisping met uitdagende minachting. 'De Engelsen en hun zionistische vriendjes snuffelen rond als vlooien. Elke stomme daad wekt alleen maar meer achterdocht op ten opzichte van de Duitse aanwezigheid in Aleppo. Deze man moet in stilte gearresteerd worden. Generaal Kress von Kressenstein zal deze blunder niet licht opnemen! Nu moet ik de *Fräulein* aanpakken om haar stil te houden. Ze is de dochter van de gouverneur-generaal van Egypte.'

Haar aanpakken? Terwijl Allison geknield lag naast David bromden de insecten luidruchtig. Waren het wel insecten? Allison sloeg haar ogen op naar het groepje kleinere rotsen en glinsterend zand naast de weg. Ze verstarde. De lawaaiige insecten die ze had gehoord, waren een waarschuwing van een roodgrijze gifslang met een X op zijn kop. Zijn rustplaats uit de buurt van de hitte van de dag was verstoord door de beweging van paarden en soldaten. Dit was een nachtdier en hij zat opgerold en gaf zijn waarschuwing af door zijn schubben tegen elkaar te wrijven. Zijn agressie en uiterst vernietigende gif maakten hem tot een van de gevaarlijkste reptielen in het gebied. Hij viel lukraak aan en sprong meer dan een meter omhoog uit zijn kronkeling.

Allisons hart bonsde in haar keel en ze had een gebed op haar lippen terwijl David precies dat moment uitkoos om zich te verroeren. Ze staarde gebiologeerd naar de slang en wachtte.

Een kogel sloeg in de kop van de slang, de stukken spetterden over het zand en maakten haar hand nat. Ze kokhalsde van walging en deinsde achteruit, starend naar de dode slang.

Ze keek naar de soldaten om te zien wie haar te hulp was gekomen. Geschrokken zag ze dat het kolonel Holman was.

Hij sprak tegen de Turkse commandant: 'Hij zal nuttig blijken voor informatie. Zet hem in de auto.'

David zou in leven nuttig blijken, maar zij? Had hij niet gesuggereerd dat hij 'haar moest aanpakken' om haar te laten zwijgen over dit voorval? Waarom had hij haar dan niet door de slang voorgoed tot zwijgen laten brengen? Hoe makkelijk zou dat geweest zijn. Ze zorgde ervoor zijn kant niet op te kijken uit angst dat de vernieuwde hoop die ze voelde, haar kon verraden.

Kapitein Mustafa merkte kennelijk de tegenstrijdige boodschap niet op in het handelen van de kolonel. Hij gaf een kort, nors commando aan een van de soldaten om David te halen.

'Wat u betreft, kapitein Mustafa, zorg dat de zionist en de Engelse verpleegster in Jerablus komen en breng ze naar mijn verblijf. Ik wil dat u erbij bent als we de zionist aan de praat brengen. Of bent u teergevoeliger dan uw grote mond suggereert?'

Een tevreden glans verwarmde de ogen van de kapitein. Zijn glimlach werd vriendelijk toen hij de betekenis begreep achter het bevel van de kolonel. Hij zou het genoegen smaken de zionist te ondervragen.

'Nee, kolonel, geen bezwaar.'

'Mooi.' De kolonel trok zijn pet naar beneden. 'Zorg dat u niet verder opgehouden wordt.' Hij salueerde.

De Turk salueerde terug en keek met wreed plezier naar David Goldstein.

Allison was in de war, boos en bang. Ze krabbelde overeind en keek op naar kolonel Holman. Hij ontmoette haar blik kalm en ze wist dat hij haar afkeer, haar weerzin in haar ogen las. Zijn kaak werd strak. Hij nam haar van hoofd tot voeten op, draaide zijn paard om en reed verder.

Kapitein Mustafa steeg af en ging achter het stuur van de auto zitten. Een soldaat bracht haar naar de voorstoel en leidde haar naar binnen. Onwillig gleed ze naar binnen en keek toe terwijl David overeind gehesen werd en op zijn voeten gezet en toen naar de achterbank geschoven werd, waar de soldaat naast hem instapte.

Dit is wat kolonel Holman wilde, dacht ze bitter. Zonder nog een woord was hij verdergereden in de richting van Jerablus. Op dat moment walgde ze van hem en van alles waar hij voor stond. Hij leverde David over aan de commandant, die duidelijk joden haatte. Hij had openlijk de wreedheid van de kapitein uitgenodigd. Als ze het doden van de slang door de kolonel ten onrechte had aangezien

143

voor een onbewaakt ogenblik van heldenmoed, had ze het mis gehad.

Met een verdoofd gevoel bleef ze zitten terwijl kapitein Mustafa de sleutel in het contact omdraaide en op de startknop drukte. De auto liet stof en zand omhoogstuiven en reed weg.

Allison voelde zich overspoeld door wanhoop. *O God,* bad ze, *waar kan ik nog op hopen?*

9

Op een verlaten stuk woestijnweg naar het dorpje Jerablus stond een troep Koerden met tulbanden op langs de weg te wachten. Het waren er meer dan twaalf, elk droeg een geweer en kapitein Mustafa was gedwongen te stoppen. Hij schreeuwde een bevel naar zijn kleine troepje dat ze zich klaar moesten houden om te schieten, maar een van de Koerden zwaaide met een witte lap op een paal boven de kop van zijn kameel.

'Rij naar hem toe,' beval Mustafa.

Allison keek zenuwachtig toe. Er bestond rivaliteit tussen de Koerdische, Arabische en Armeense volken tegen de regerende nationale onderdrukker – Turkije – sinds de Seldjoekse Turken voor de Kruistochten het territorium hadden veroverd. De moslim-Turken waren uiteindelijk het christelijke Constantinopel en delen van Griekenland binnengedrongen en hadden zowel Grieken als Armeniërs genadeloos vervolgd. De Koerden konden ze niet gebruiken en hadden ze de afgelegen bergen in gedreven om in armoede te leven.

De gewapende Koerden op de weg waren groter in aantal dan de mannen van kapitein Mustafa en Allison vroeg zich af of ze in een beschieting terecht waren gekomen. Een paar minuten later reed de Turkse soldaat terug naar de auto en overhandigde Mustafa een vel papier.

'De orders zijn veranderd, kapitein. De Engelse verpleegster moet aan de Koerden overhandigd worden. Het zijn vrienden en ze dienen het Duitse hoofdkwartier aan de spoorweg ten noorden van hier. Kolonel Holman zegt dat de zionistische spion naar zijn hoofdkwartier aan de Eufraat gebracht moet worden.'

Allison verstrakte, en David, die bij bewustzijn was en

pijn had, keek moordlustig. 'U bent gestoord als u denkt dat ik toelaat dat u Allison uitlevert aan deze bende overlopers,' zei hij tegen Mustafa. 'Waar zij heen gaat, ga ik heen.'

'U heeft niets te zeggen in deze kwestie!' schreeuwde kapitein Mustafa over zijn schouder, de officiële boodschap in zijn hand. 'Ik heb mijn orders van de kolonel en die worden uitgevoerd.'

'Plicht gaat voor fatsoen, hè?' zei David. 'Jullie zijn allemaal hetzelfde!'

'Stilte, zionist! Uw uur om te praten komt nog.'

'Mijn uur zal zeker komen – het uur waarop ik zie dat jullie misselijke Turken Palestina uitgeschopt worden!'

De kapitein draaide zich woest om en greep zijn revolver alsof hij hem graag op David zou gebruiken, maar Allison riep: 'Alstublieft! Ik zal gaan zoals bevolen. David, doe wat ze zeggen. We zijn allebei onschuldig en ze moeten ons uiteindelijk laten gaan.'

'In je dromen,' hoonde David bitter. 'Je meet de Turken naar Engelse maatstaven.'

Mustafa boog zich over en gooide het portier open. Zijn zwarte ogen keken koud van David naar Allison. 'Goedendag, zuster Wescott.'

Haar ogen keken smekend in de zijne. 'Mijn vriend is onschuldig. U zult hem toch de gelegenheid geven het uit te leggen?'

Onder zijn vierkante snor verscheen een zelfvoldane glimlach. 'We zullen hem veel gelegenheid geven.' Hij zwaaide met het papier met zijn nieuwe orders. 'U moet naar de Britse expeditiehut in Jerablus gebracht worden. Kolonel Holman neemt contact met u op, zo gauw hij klaar is met dokter McGregor.'

De expeditiehut? Het huis van Neal en Leah?

Allison stapte uit de auto, haar ogen zochten onrustig die van David. Hij glimlachte halfslachtig. *Maak je geen zorgen,* leek hij te zeggen. *Ze krijgen geen woord uit me. Je kunt op me rekenen.*

Ze geloofde in hem en haar hart kromp van pijn toen de auto wegreed met een spoor van stof achter zich. David zou marteling en de dood trotseren voordat hij de joodse zaak verraadde of hun iets vertelde over Leah en Neal.

Allison stond daar alleen en keek de stoffige auto na die verdween over de weg.

Toen keek ze onrustig naar de Koerdische schutters. Een van hen reed naar haar toe met een vriendelijke glimlach op zijn gezicht. Hij boog zijn hoofd om zijn achting te tonen. 'Wees niet bang. We doen u geen kwaad.'

Algauw zat Allison op de kameel en wiegde op de maat terwijl ze over het kale terrein in de richting van Jerablus reden.

Hoe kan dit gebeurd zijn? vroeg ze zich af. Afgezien van David, die een verhoor van Mustafa moest ondergaan, kon ze geen gunstiger verandering van plannen hebben bedacht. Terwijl ze wachtte op de gevreesde aankomst van kolonel Holman kon ze het huis doorzoeken. Ze betwijfelde of ze iets van belang zou vinden, maar het zoeken moest toch worden gedaan. Misschien had Neal net als majoor Reuter een gecodeerde boodschap achtergelaten, al had ze geen idee hoe ze die moest herkennen als ze hem vond.

Het dorpsleven in Jerablus was grimmig. Rondkijkend terwijl ze achter de vriendelijke Koerd op de kameel zat, zag ze weinig in de zin van winkels, zelfs geen bazaar waar winkeliers fruit en brood konden verhandelen. De mensen waren onderdrukt en arm. Ondanks haar eigen problemen kwam Allisons medelijden naar boven bij deze aanblik. Ze stelde zich voor dat ze een van die vrouwen was, onderworpen, gekleed in zwarte moslimkleding, zonder gelegenheid om haar leven op aarde of in de hemel te verbeteren. Woorden uit de brief van de apostel Paulus aan de gemeente van Efeze kwamen in haar gedachten. *Zonder Christus... uitgesloten... vreemd aan de belofte... zonder hoop en zonder God in de wereld.*

Kon ik ze maar een Bijbel in hun eigen taal geven, dacht ze.

Zonder Zijn liefde en troost waren ze wezen, alleen. Zonder Zijn woorden waren zij en hun kinderen gevangenen van de duisternis, blind voor de gaven die God hun overvloedig bood door Jezus.

Tenzij het licht en de waarheid van Zijn woord hen bereikt, dacht Allison, *zal de duisternis vermenigvuldigen met de opvolgende geslachten.*

De stenen expeditiehut van Neal en Leah had verscheidene kamers. Uitgespreide boomtakken vormden een dak boven het voorerf en overgoten de stenen met gevlekte schaduw. De groene takken zaten vol lawaaiige vogels die zich voedden met de zwarte olijven. De olijven vielen op de grond en bevlekten het terrein met olie en trokken mieren aan.

Neal was er natuurlijk niet en het huis begroette haar met een onheilspellende stilte. De Koerd had Allison verteld dat hij op het erf op wacht zou blijven staan, dat ze hier tot nader order moest blijven en dat ze naar het Duitse hoofdkwartier verder naar het noorden in de richting van Bagdad geroepen kon worden. Er was eten in de keuken, zei hij, waar ook een bus gedroogde theebladeren stond. Toen ging hij weg en Allison ging voor het raam staan nadenken over haar situatie terwijl ze keek naar de Koerd die zijn kameel te drinken gaf en zijn bundel aflaadde.

Waarom was ze hierheen gebracht? De Duitse kolonel wist stellig dat ze niet werkeloos zijn volgende zet ging zitten afwachten. Ze zou Neals werkkamer doorzoeken om elk stukje informatie te vinden dat nuttig kon blijken, en als ze een weg vond om te ontsnappen zou ze het zeker doen, al was die kans klein. Zelfs al kon ze het huis uit glippen, zonder vervoer kon ze nooit de 130 kilometer naar Aleppo overbruggen.

Behoedzaam keerde ze zich af van het raam en staarde de onbekende kamer rond met zijn versleten meubelstukken: verscheidene eenvoudige houten stoelen met helder oranje kussens – waarschijnlijk Leahs werk; een zwart beklede divan die betere dagen had gekend; een ruwhouten tafel; en één bijzonder uitziende lamp. De voet was van blauw marmer en schitterend gesneden in de vorm van een vrouw in een lang gewaad met een mand op haar hoofd, waar ze brood in droeg. De lamp leek Allison een hoop geld waard te zijn. Ze verbaasde zich erover dat hij hier nog was, en dat hij niet gestolen was door dieven die hem verkocht hadden aan handelaars.

Het was bij het British Museum bekend dat dit gebied rijk was aan Hittitische zegelsteen, en allerlei voorwerpen uit de Oudheid waren gretig afgenomen van dorpelingen die hun magere inkomen aanvulden door graven te beroven en hun vondsten te verkopen aan 'antiek'-handelaren in Aleppo. In de buurt van de Eufraat lagen veel van zulke arme dorpen en particuliere handelaars reisden ze af op zoek naar Hittitische zegels om te verkopen aan de musea.

Terwijl ze daar zo stond, werd ze getroffen door de bewuste sensatie dat ze niet alleen was in het huis en dat ze werd gadegeslagen. Maar toen ze behoedzaam de andere kamers doorzocht, leverde dat niets anders op dan overspannen zenuwen. *Ik moet ophouden me bij elk geluid van alles in mijn hoofd te halen,* berispte ze zichzelf.

De Koerdische bewaker had haar tassen naar Leahs kamertje gebracht, en na haar hoed en plunjezak opzij te hebben gegooid, zette Allison zich aan een grondig onderzoek. Ze stak alle lampen aan, trok de gordijnen dicht, vergrendelde alle ramen en deuren vanbinnen en begon eerst op de voor de hand liggende plaatsen te zoeken.

Toen de schemering inviel, had ze niets anders gevonden dan een paar oude brieven van de Archeologische School in Caïro. Ze wilde ze juist terugleggen in het olijfhouten doosje toen ze zag dat een van de enveloppen met het poststempel van Caïro van Jemal Pasha afkomstig was.

Waar kon die uitgemergelde Jemal Leah over geschreven hebben? Over archeologie natuurlijk, alleen had hij nooit gezegd dat hij Leah kende. Kenden ze elkaar zakelijk? Waren ze vrienden geweest? Maar toen het gesprek in de eetzaal van het archeologiegenootschap op Leah en Neal was gekomen, had Jemal er geen woord over gezegd dat hij hen kende. Had hij dat liever stilgehouden? Als dat zo was, lag het voor de hand om te vragen waarom? Wat had hij te verbergen?

Nu Leahs privacy niet meer in het geding was, hield Allison de brief. Misschien stond er iets wetenswaardigs in. Ze liet hem in de zak van haar jurk glijden en ging verder zoeken, maar het was een verre van gemakkelijke taak vanwege de Koerd die op wacht stond en elk moment bij haar kon binnenvallen. Wellicht zou morgen de kolonel arriveren en een eind maken aan elke mogelijkheid verder te zoeken, dus hoewel ze het vermoeiend en mismoedig makend werk vond, hield ze vol.

Het was die avond ruim na negen uur toen ze in de kamer kwam die van Neal was geweest. Ze stak de lamp aan en begon de laden van zijn bureau overhoop te halen. De kamer was eveneens zijn kantoor en er stonden stukken aardewerk, op de vloer hier en daar stapels boeken en bergen papierwerk in potlood geschreven.

Een lange en vervelende speurtocht leverde niets waardevols op. Maar ja, hoe kon zij dat weten? Waar zocht ze eigenlijk naar? De naam van Karl Reuter? Een boodschap van Neal of Leah? Het was frustrerend. Ze had weinig aanknopingspunten – alleen de stukjes en beetjes die Leah haar gegeven had. Toen alles onderzocht was, keerde Allison zich gelaten naar de stapel boeken op de vloer naast Neals versleten stoel.

Het was laat, waarschijnlijk even na middernacht. Ze kon niet precies weten hoe laat het was, want de wekker op het tafeltje naast zijn bed stond stil, waarschijnlijk al dagen. Ze was moe en ze had honger, en besloot zich een pauze te gunnen van het ondankbare werk en het fruit en de thee die de Koerd had achtergelaten te gaan proeven. Ze stak de olielantaarn aan die klaarstond op een tafel naast de deur van de keuken en ging voorzichtig de stenen ruimte binnen. In de schemering zag ze een klein fornuis en ze stelde zich voor dat dit luxueuze voorwerp Leahs vreugde en trots was geweest. Het was waarschijnlijk tegelijk met de meubelstukken uit Caïro of Aleppo gekomen. Ze stak een lucifer aan en vulde de ketel met water voor thee. Terwijl het water aan de kook kwam, verzamelde ze het fruit dat ze wilde hebben uit de houten schaal – prachtige paarse druiven en een paar vijgen – en sneed een homp brood af. Dit nam ze met de thee mee naar de kamer van Neal om de nachtelijke uren door te brengen met het onderzoeken van zijn boeken.

Een minuut of twintig later zat ze in Neals grote stoel naast de lamp, met voor zich een tafeltje en aan haar voeten de stapel boeken. Ze kauwde de druiven en dronk de goede Engelse thee, en ging weer aan het werk. Het bleek een teleurstellende poging te zijn, hoewel ze af en toe inderdaad een boek tegenkwam dat hoofdzakelijk over de Hittieten ging. Die onderzocht ze methodisch op bijzonderheden: onderstreepte woorden, of het handschrift van Leah of Neal dat ze goed genoeg kende om te herkennen. Ze onderzocht ze bladzijde voor bladzijde. In één boek vond ze een half velletje aantekeningen van Neal, maar zijn opmerkingen bleken puur professionele berekeningen en deducties die helemaal niets te maken hadden met Duitse spionage.

Uitgeput en zonder succes, maar te gespannen om te slapen, leunde ze achterover in de stoel en staarde door de kleine kamer naar de Hittitische sculpturen en inscripties op de boekenplank. Ze moest het doorzoeken van de rest van de boeken afmaken voordat het ochtend werd, voor het geval haar tijd hier werd bekort.

Een tijdje lag ze te rusten in de stoel, luisterend naar elk gekraak en elke windvlaag rond het huis. Ze droeg zichzelf, Neal en David op aan de trouwe God van wie ze wist dat Hij er altijd was. Toch was het leven vol ellende, bedacht ze, en ze moest nooit denken dat het bewijs van Gods aanwezigheid en zegen betekende dat de omstandigheden goed waren. Stormen van tragedie en stromen van onverwachte en onverklaarbare tegenspoed eindigend in aardse teleurstelling raasden door de levens van Zijn meest vertrouwende gelovigen.

Als deze spionagetoestanden nu eens verkeerd afliepen? Leah was geen christen geweest en het ondenkbare was gebeurd. Allison had zichzelf in slaap gesust met de gedachte dat Leah zich uiteindelijk zou bekeren en dat God haar zou toestaan te leven tot die dag. In plaats daarvan was er een wreed einde aan haar leven gekomen.

Kansen verschoven als schaduwen, stelde Allison vast. Ze eindigden net zo zeker als de zon haar baan langs de hemel liep en dan onderging. Altijd kwam de nacht, hoe licht de dag ook was geweest. Tijd was beperkt. Ze keek naar de wekker op Neals bureau, de stilstaande wekker.

Buiten was de nacht vol geluiden: het ruisen en ritselen van takken en bladeren van de bomen op het erf in de wind, en het kraken op het dak dat klonk alsof er een kat overheen sloop. De gordijnen voor Neals raam bewogen flauwtjes in de tocht die door de kleine kieren in de stenen muren naar binnen kroop. Kon er iemand naar binnen gluren en haar zien zitten naast de lamp, zoekend in de boeken?

Opnieuw gaf het angstaanjagende gevoel dat iemand haar gadesloeg haar kippenvel. Ze hield haar ogen op het boek in haar schoot gericht, bang om op te kijken en een gezicht te zien. De Koerdische bewaker misschien? Hij had niet kwaad geleken, eerder een gedisciplineerde strijder met behoorlijk wat grijs in zijn snor. Toen ze in zijn ogen keek, had ze vriendelijkheid gezien, sympathie zelfs. Zich troostend met deze conclusie stond ze op en besloot naar Leahs kamer te gaan om een paar uur te slapen.

Ze pakte de wekker en wond hem op, zette hem op haar geschatte tijd. Ze liet de lamp in Neals kamer branden en liep door het huis naar Leahs slaapkamer. De revolver die ze nog steeds had, stopte ze onder haar kussen. Helemaal aangekleed op haar schoenen na ging ze op Leahs bed liggen. Enige tijd later schrok ze wakker en zat meteen rechtop, al haar zintuigen op scherp. Waarvan was ze wakker geworden?

De wind waaide met wilde vlagen en in de korte stilte daartussen hoorde Allison een kloppend geluid. Het duurde een paar minuten voordat het ophield. Voorzichtig stond ze op van het bed en ging naar het raam, trok de gordijnen opzij. Er was geen maan en de omgeving was zwart.

Er gingen een paar minuten voorbij voordat ze besefte dat het licht in Neals kamer uit was. Ze reikte naar de lamp en vond de schakelaar, maar het licht ging niet aan. *De storm*, dacht ze. De wind deed het raam in Neals kamer klapperen. Kennelijk was het gammele haakje losgeraakt. Ze waagde zich niet in de kamer om het dicht te doen. Ze voelde onder haar kussen naar de revolver en ging naast het bed staan luisteren. Na een paar spannende ogenblikken hoorde ze niets meer dan het luik dat in de wind heen en weer bewoog.

Ik ben te argwanend, dacht ze. *De bewaker staat tenslotte buiten op het erf. Als iemand probeerde binnen te komen, moet hij over het erf om bij Neals raam te komen, tenzij hij over de achtermuur komt. Er is niemand. Het zijn gewoon mijn zenuwen. Ik ga het raam maar dichtdoen, anders ligt de kamer morgenochtend vol zand.*

Ze liep door Leahs kamer naar de deuropening van een zitkamer en ging naar binnen. Door de gordijnen voor de kamer drong geen straaltje licht, maar links van haar in Neals kamer voelde ze de wind erdoorheen komen. Ze luisterde, maar de bulderende wind maakte te veel lawaai en smoorde ieder ander geluid. In de stiltes kraakte het scheefgetrokken luik.

Genoeg!

Ze liep naar de kamer en onderscheidde vanuit de deuropening het bewegende luik. Veel meer zag ze niet behalve de donkere omtrek van de meubels. Allison verstijfde, durfde zich niet te verroeren. Haar schrik werd regelrechte angst toen ze achter het bureau een beweging bespeurde. Ze draaide zich om, niet in staat het stokken van haar adem te beheersen.

Ze deed haar mond open om om de bewaker te gillen, maar verstarde. Als hij het eens was? Haar hand spande zich om de revolver.

O God, wat moet ik doen? bad ze.

Wie het ook was, moest haar gehoord hebben. Iemand haalde diep adem. 'Allison?'

'Wie is daar?' fluisterde ze ademloos.

'Een vriend. Bret Holden.'

Een zaklantaarn werd aangeknipt en op haar gericht. Ze draaide haar hoofd weg, het licht deed pijn in haar ogen. Hij legde hem op het bureau en streek een lucifer af. Hij stak de olielamp aan en Allison staarde bleek en angstig naar kolonel Holman. Hij was helemaal bekend en toch een volkomen vreemde.

'U,' fluisterde ze verdwaasd.

'Ik zal het later uitleggen,' klonk zijn vriendelijke stem, ontdaan van de kortaangebondenheid die ze had leren verwachten.

In plaats van het Duitse uniform droeg hij een helderwit katoenen shirt zoals de dorpsbewoners droegen. Een leren schouderholster met een revolver zat op zijn plaats. De donkerblauwe ogen waren zachter, minder genadeloos; toch bleef er een afstandelijke hardheid in, die bekendheid met gevaar suggereerde. Zijn knappe uiterlijk kwam nog duidelijker naar voren nu hij het IJzeren Kruis had afgelegd en alles wat te maken had met keizer Wilhelm. Allison voelde een blos opkomen om geen andere reden dan dat ze bang was dat hij haar gedachten kon lezen.

Zijn wenkbrauwen schoten omhoog. 'Doe die revolver weg, wil je?' zei hij rustig. 'Anders schiet je je eigen vervoer naar Caïro nog overhoop.'

Haar doodsangst veranderde zo snel in opluchting dat haar kracht uit haar wegvloeide als water uit de bodem van een roestige emmer. Ze voelde haar knieën knikken. Ze zakte op de vloer in elkaar.

Het volgende ogenblik waren zijn armen om haar heen en hielp hij haar overeind. 'Sorry, Allison.' In Brets stem klonk oprechte spijt. 'Ik heb aan de deur geklopt, maar je deed niet open. De bewaker is dood. Ik dacht dat je er niet was. Ik ben binnengekomen door het raam. Het was half-open gewrikt. Het is goed nu,' kalmeerde hij haar, zijn stem was diep en sonoor. 'Ik breng je veilig naar Egypte terug.'

Al gedeeltelijk open gewrikt? Ze huiverde. De angsten, verwarring en de twijfels die haar hadden bekropen sinds de nacht dat ze Leah volgde in de hut van majoor Reuter waren voorbij. De armen die haar dicht tegen hem aandrukten, waren niet van een genadeloos lid van de Duitse geheime politie, maar van Bret Holden, een Britse professor – en ze vond ze veel te vertroostend.

Haar ogen dwaalden naar de zijne en weer merkte ze op dat, hoewel hij nog steeds even knap was, de kobaltblauwe ogen niet langer meedogenloos stonden of spottend, maar warm, vriendelijk en veel te charmerend. Ze maakte zich los uit zijn omhelzing en sloeg haar ogen neer.

'Die heb je nu niet meer nodig.' Hij pakte haar slappe hand, nam haar de revolver af en stak hem tussen zijn riem. 'Hier, ga maar even zitten.' Hij bracht haar naar de divan tegenover het bureau. 'Alles in orde?'

Ze knikte en fluisterde beverig: 'De Koerdische bewaker is dus... dood?'

Hij keek haar strak aan, niets tonend van de pijnlijke emotie die hij gevoeld moest hebben. 'Ja. Eerst dacht ik dat ik je verkeerd beoordeeld had, tot ik dat raam zag. Iemand heeft geprobeerd in te breken nadat hij de bewaker heeft uitgeschakeld.'

Ze verstarde. 'Dacht je dat ik –'

Hij fronste. 'Maar ik zie dat je onschuldig in deze situatie bent beland, zoals ik al vermoedde.'

'Hij is dood,' huiverde ze. 'Dus er was inderdaad iemand. Ik dacht al dat ik iets hoorde. Was jij dat die daarstraks klopte?'

'Ja. Toen je niet opendeed, werd ik ongerust. Toen ben ik achterom gegaan en zag ik het raam. Misschien heb ik de indringer wel verjaagd. De Koerd was nog niet lang dood.'

'Dus als jij niet was gekomen, was er iemand anders door dat raam binnengekomen,' zei ze. Ze probeerde het trillen te beheersen en zat op de divan naar hem te kijken. 'Dacht je dat ik de bewaker had vermoord?' Opeens keerden haar krachten terug en ze ging rechtop zitten, keek hem beschuldigend aan.

'Ja,' gaf hij eerlijk toe en zijn mond trilde van ingehouden lachen. 'En ik vroeg me af of het stom van me was geweest dat ik je dat wapen had gegeven.'

Om een of andere reden was ze verontwaardigd, alsof hij had moeten weten dat ze niet het soort vrouw was dat mensen doodschiet. Toen besefte ze dat het oneerlijk was om dat te denken. Hij wist net zo weinig van haar als zij van hem.

Ze keek hem peinzend aan. 'Dacht je echt dat ik dat kon? Dat ik als spion werk voor – voor – ik weet niet eens voor welke kant!'

Bret tikte tegen zijn kin. 'Nee,' zei hij rustig overwegend. 'Nee. Nu niet meer. Maar het kon zijn. Achter een ingetogen gezichtje, onder andere opmerkelijke charmes, kan altijd een potentiële wraakgodin schuilgaan. En ik mag er wel aan toevoegen dat de kenmerken van een dappere en edele verpleegster die de draken van het kwaad wil verslaan, bijdragen aan je gevaarlijke uitstraling. Vooral bij eentje die haar tienerjaren net ontgroeid is. Hoe ben je hierin beland?'

'Ik ben beslist geen onnozele hals, als je daar soms op doelt. Ik heb al twee jaar geleden de verpleegkundigen-opleiding afgerond.'

'Een heel lange tijd, begrijp ik.' Er kwam een glimlach

om zijn lippen, die kwetsbaarder waren dan ze zich herinnerde. 'Natuurlijk was ik voor je op mijn hoede, al ben je een nicht van Neal en Leah. Je snuffelde die nacht rond in Karls hut en Leah kon wanhopig genoeg zijn geweest om een vertrouweling te zoeken.' Hij keek haar strak aan. 'Hoeveel weet je?'

'Meer dan ik weet over die kolonel Holman. Waarom zou ik je vertrouwen?'

'Ik ben bang dat je weinig keus hebt. Zonder mij kun je geen voet buiten Jerablus zetten. En te koop lopen met dat rode kruis op je uniform zoals je deed toen je zo pontificaal Turks territorium binnenreed, was naïef en roekeloos.'

'Nu je je mening over mij duidelijk hebt gemaakt,' zei Allison buiten adem, 'zou je me misschien, als het niet te veel gevraagd is, willen vertellen wat je hier doet?'

Hij glimlachte. 'Ik heb je gearresteerd, weet je nog? Gelukkig voor jou en ook voor David. Er was een hoop tegenwoordigheid van geest voor nodig om jullie te redden van kapitein Mustafa.'

'Bedoel je –' begon ze verward, 'dat je het met opzet deed, David ontmaskeren, bedoel ik?'

'Het was de enige manier om de Turken te misleiden. Maak je geen zorgen over David. Hij is een goeie vriend van me. Hem overleveren aan de Turken was noodzakelijk. Als ik Mustafa niet had weggelokt met het diabolische vooruitzicht zijn gif op een zionist uit te kunnen leven, was hij naar zijn hoofdkwartier teruggegaan om het hele geval uit te bazuinen. Ik kon niemand laten weten dat ik kolonel Holman niet was voordat ik had voltooid waarvoor ik hier was gekomen.'

'Bedoel je dat David onderweg is naar Bagdad?'

'Hij is onderweg hierheen.'

Bezorgdheid maakte plaats voor enige opluchting en voor het eerst glimlachte ze. Onder zijn blik werd ze snel weer ernstig. 'Hoe heb je het voor elkaar gekregen? Hoe staat het met Mustafa?'

'Mustafa mag onder Koerdische bewaking tot rust komen tot wij hier veilig weg zijn.'

'Dus de Koerden zijn je vrienden.'

'Ze haten de Turken. Ze willen hun vrijheid, weer een eigen land – net als de Arabische groeperingen en de joden. Maar laten we daar nu niet op ingaan.'

'Nee, goed, professor Holden.'

Hij glimlachte. 'Majoor Holden. Maar Bret is prima.'

'Is het echt – dat majoor van je nieuwe rol? Misschien ben je niet Duits of Engels, maar Amerikaans. Wie ben je nou eigenlijk? Zou je het heel vervelend vinden om me de waarheid te vertellen?' zei ze een beetje ongeduldig.

Hij nam haar peinzend op, leek iets te overwegen. Na een tijdje kwam hij kennelijk tot een besluit, want hij liep weg van het bureau naar het raam om het te vergrendelen. Hij draaide zich om en kwam terug, ging in de stoel tegenover haar zitten. 'Goed. Mijn rang is echt. Ik ben inderdaad gedegradeerd van kolonel tot majoor, maar dat vind ik prima want ik ben beslist Brits en sta argwanend tegenover het Duitse rijk. Ook het uniform heb ik opgelucht uitgetrokken, ik had geen plezier in de rol van aanhanger van de keizer. Ik werk in het leger en word binnenkort aangesteld bij de inlichtingendienst in Caïro.'

'En je naam? Heet je echt Bret Holden?'

'Ja. Tevreden?'

'Niet helemaal. Nou, dit is een prettige verrassing, majoor Holden.'

'Bret. Mijn verontschuldigingen voor mijn nogal ruwe gedrag. Ik hoop dat ik je niet al te erg heb geïntimideerd.'

Ze glimlachte droevig. 'Je speelde met overtuiging voor kolonel van de geheime politie.'

'Je begrijpt hoop ik dat het noodzakelijk was.'

'Je hebt trouwens mijn leven gered,' zei ze langs haar neus weg, en herinnerde hem aan het schot waarmee hij de gifslang had uitgeschakeld. 'Ik vond het toen niet verstandig je te bedanken.'

'Heel begrijpelijk,' zei hij ernstig, maar zijn ogen glimlachten.

'Ik wil je nu heel hartelijk bedanken. Ook voor vannacht. Het spijt me van de Koerd, je vriend.' Ze dacht aan Leah. Hij moest het weten. David moest het hem verteld hebben. Opeens besefte ze dat de kwestie van Leahs dood een uitstekende test was. Als hij was wie hij beweerde, als David in veiligheid was, dan zou deze majoor Holden afweten van Leahs dood.

'Ben je al lang in het Midden-Oosten?'

'Een paar maanden,' zei hij alleen, en ze begreep dat hij er niet veel meer over wilde zeggen.

'Waar was je daarvóór gestationeerd?'

'In Constantinopel.'

'Ben je als kolonel Holman naar Bagdad gekomen?'

'Ja.'

'Kende je Neal – en Leah?'

'Misschien,' zei hij neutraal. 'Nu is het mijn beurt om vragen te stellen.'

'Nog niet. Ik ben nog niet tevredengesteld dat je bent wie je zegt.'

'En vind je het belangrijk dat ik je nieuwsgierigheid bevredig?'

'Persoonlijk? Nee, maar als je vragen wilt stellen, krijg je geen antwoord tot ik er zeker van ben dat je me de hele waarheid vertelt.'

Hij glimlachte. 'De hele waarheid? Dan krijg ik last met mijn superieur.'

'En van wie ben jij de superieur?'

'Voor zo'n naïef jong meisje praat je behoorlijk vrijuit. Weet je niet dat je een heel gevaarlijk spelletje speelt?'

'Ik ben misschien naïef zoals jij het noemt, maar ik weet wat ik wil. En ik ben van plan het vol te houden. Omdat –' Opeens bedacht Allison zich. 'Nee. Vertel me eerst waarom je je die nacht in majoor Reuters hut voordeed als Duitse officier.'

Bret aarzelde, toen staarde hij haar even aan en zei kordaat: 'Je blijft hier niet. Ik zorg dat je rechtstreeks teruggaat naar Caïro, onder het waakzame oog van je familie.'

'Misschien,' zei ze.

Hij lachte kort. 'Niet "misschien". Ja. Je gaat terug.'

Ze glimlachte wrang. 'Ik denk dat je de waarheid zegt – althans over het feit dat je een Engelse majoor bent. Je weet wel hoe je orders moet geven, hè? En je verwacht ook nog dat ik ze opvolg.'

Hij glimlachte. 'Voor je eigen veiligheid natuurlijk.'

'Of voor die van jou?'

'Ik geef toe dat je aanwezigheid een zekere domper op mijn activiteiten zet. Het wordt niet makkelijk om jou terug te krijgen zonder gezien te worden door de Turken.'

'Dat bedoelde ik niet.'

'Wat bedoelde je dan?'

'Ik bedoelde dat jij me uiteraard graag ziet weggestopt ergens in Caïro om jouw identiteit te waarborgen – als je inderdaad kolonel Brent Holman bent. Misschien doe je je voor als de Engelse Bret Holden.'

'Nu gaat het ingewikkeld worden.'

'Misschien heb je hem vanavond gedood – en zijn vriendelijke Koerdische bewaker op het erf.' Ze huiverde.

'Dan ben je in ernstig gevaar. We zijn hier alleen.'

Ze deinsde een beetje achteruit, maar op een of andere manier geloofde ze niet echt dat ze bedreigd werd.

'Je bent veilig,' zei hij. 'Althans voor mijn Duitse ambities om elke spion die essentiële informatie naar Caïro terugbrengt, het zwijgen op te leggen.'

Hij zei niet waar ze dan niet veilig voor was, en ze keek weg toen hij haar onderzoekend aankeek. 'Hoe goed ken je David?' vroeg hij.

'Heeft hij je dat niet verteld?'

'Nee. We hadden geen tijd om gezellige wandelingetjes in London Park te bespreken. Ik neem aan dat jullie die samen gemaakt hebben.'

'Nee, we hadden meer discussies.' Ze keek hem rustig aan. 'We bespraken of Jezus de joodse Messias is of niet.'

Zijn donkere wenkbrauwen gingen omhoog. Ferm voegde ze eraan toe: 'Gezellige wandelingetjes in London Park maakte ik met de man met wie ik ga trouwen, Wade Findlay.' Zijn gezichtsuitdrukking bleef onbewogen. 'Een keurige heer, neem ik aan. Zuster Wescott zou hem geen blik waardig gunnen als hij niet aan al haar verwachtingen voldeed. Heel verstandig van je.'

Ze wendde haar blik af. 'Hij komt naar Caïro zo gauw hij is afgestudeerd van de Oswald Chambers' School voor Bijbeltraining.'

'Heel lofwaardig. En jij ook. En nu je me gewaarschuwd hebt uit je buurt te blijven, zullen we het weer over zaken van leven en dood hebben?'

Ze keek hem aan, zijn botheid overrompelde haar. Zijn glimlach toonde een flauwe glimp van cynisme. Hij had er niet ver naast gezeten toen hij suggereerde dat ze hem emotioneel op afstand wilde houden. Het was ook een waarschuwing voor haarzelf.

'Ga je me nog vertellen wat je die nacht deed in de hut van die Duitse majoor?' vroeg ze. *Weet hij dat Karl Reuter een Britse agent was?*

Hij leunde achterover, zijn ontspannen houding weersprak zijn eerdere suggestie van een gesprek over leven en dood, en hij legde zijn arm over de rugleuning van de divan. 'Ik kende de man die vermoord is. Hij was een vriend van me. Jij kende hem ook, hè? Jij was ergens naar op zoek in zijn hut. Wat zeg je daarop, zuster?'

Allison aarzelde, haar ogen ontmoetten zijn strakke blik terwijl de minuten verstreken.

'Waar zocht je naar?' vroeg hij te rustig.

De wind blies tegen de zijkant van het huis en het licht van de olielamp flakkerde in de tocht en wierp bewegende schaduwen op het lage plafond.

Eindelijk zei Allison onzeker: 'Ik ging er niet heen om

iets te zoeken. Ik heb je verteld waarom ik erheen ging toen je me ondervroeg. Ik zag iemand de hut binnengaan. Ik vermoedde een inbreker. Ik kende de dode Duitse officier niet.'

Bret stond op en liep naar Neals bureau waar de stapel boeken lag. Hij keek er nadenkend op neer, en toen naar Allison. Ze wist dat hij vermoedde dat ze ze had doorgenomen.

'Iets gevonden?' vroeg hij vlak. Toen ze niets zei, liep hij terug en kwam met gefronst voorhoofd voor haar staan. 'Je bent betrokken bij iets dat veel gevaarlijker is dan je denkt.'

'Dat heb je mis. Ik weet het best. Majoor Reuter is vermoord; net als je Koerdische vriend vannacht, en –' Ze zweeg, haar ogen onderzochten de zijne in het lamplicht. Ze keken doordringend onder die zwarte wimpers, humeurig bijna, stelde ze vast.

'En net als Leah Bristow,' vulde hij het rustig voor haar in. 'Ja, ik weet het. David heeft het me verteld. Ze vonden haar lichaam bij de Romeins-Syrische opgravingen. Hij vertelde me ook nog iets anders, iets waarvan zelfs jij niet wist dat hij het begreep. Haar plunjezak was leeg en haar revolver was weg. Allebei meegenomen door de vijand.' Hij keek naar de stapel boeken van Neal. 'Dacht je dat je zou vinden wat er weggenomen was?'

Lang staarde ze in zijn kalme, zelfverzekerde ogen en scheen kracht uit hem te putten.

'Je kunt me vertrouwen,' zei hij.

Ze zag nu geen reden meer iets voor hem verborgen te houden en ze knikte, haar handen om de stoelleuningen. Allison geloofde hem. Misschien was het zijn ernst of de zorg in zijn rustige stem toen hij sprak over Leahs dode lichaam, maar wat het ook was, ze liet haar hoofd in haar handen zakken en knipperde fel de emotionele ontlading van tranen weg.

'Nee, ik dacht hier niet te vinden wat ze weggenomen hebben.'

Hij kwam naast haar zitten en zei zacht: 'Het spijt me, Allison.''Ze vertelde me dat ze een boodschap van Neal had gekregen. Ze wachtte al twee dagen tot ze iets van hem hoorde; al vanaf voordat de agent werd vermoord.'

Alert nam hij elke gezichtsuitdrukking van haar in zich op. 'Ja?'

Allison huiverde opeens, alsof het koud was geworden. 'Nadat ze wegging, hoorde ik een geluid in de hut van majoor Reuter, alsof er een deur knarste in de scharnieren. Ik dacht dat er iemand buiten naar ons had staan luisteren. Ik was bang, maar ik kon naar niemand toe. Ze liet me beloven niets te zeggen, wat er ook gebeurde. De Turkse autoriteiten moesten er buiten blijven, zei ze steeds maar. En als haar iets overkwam, moest ik − moest ik −' Haar stem brak af en ze slikte de emotie terug die naar buiten wilde breken.

Zijn ogen flikkerden. 'Ja? Haar werk voortzetten?'

Ze knikte.

Even zweeg hij, toen: 'Weet je wie Karl Reuter was?'

Ze knikte. 'Een Britse agent?'

Hij zuchtte diep, zijn ongenoegen nam toe.

'Leah had mijn hulp nodig en ze geloofde dat ze me kon vertrouwen,' fluisterde Allison verdedigend.

Hij keek niet tevreden, maar vroeg streng: 'Hoeveel weet je?'

Ze keek naar hem op, dit keer met openlijke nieuwsgierigheid. 'Genoeg om te weten dat we allemaal in gevaar zijn. Ze had geen keus. Zonder mij had ze nooit zo ver kunnen komen.'

'Ik weet niet hoeveel ze je heeft verteld,' zei hij, 'maar ik ben bang dat het meer is dan ze had moeten doen. Ze had je dan misschien nodig voor hulp, maar door jou erin te betrekken, plaatste ze jou in hetzelfde dilemma waar ze zelf in zat. Iemand probeerde vannacht via dat raam in te breken. Als ik op dat moment niet gekomen was... Nou, je snapt het wel.'

Ze bleef aan de buitenkant beheerst.

'Ik vind dat je me beter de waarheid kunt vertellen, Allison. De hele waarheid.'

'Ben jij een van hen? Een Britse agent?'

'Dat zul je van me moeten aannemen. Ik draag geen papieren bij me. En ik verplicht je erover te zwijgen.'

Haar opluchting ontlokte haar een halve glimlach. 'In plaats van papieren met "majoor Holden" snauw je bevelen in het Duits. Ik zal het nog missen *Fräulein* genoemd te worden.'

'Misschien kan ik daar in Caïro iets aan doen.'

Ze bloosde een beetje en om het te verbergen, zei ze iets te kordaat: 'Ik denk van niet.'

In zijn ogen blonk vermaak. 'Wade Findlay. Ja, ik begrijp het helemaal, maar nogmaals, we lopen een beetje op de zaken vooruit, hè?'

'Ja, nogal,' zei ze vlug. 'Als jij, zoals je zegt, aan onze kant staat, waar gaat dit dan allemaal om?'

'Ten eerste, hoeveel weet de nobele zuster Wescott? Alles alsjeblieft, vanaf het begin.'

Allison vertelde het hem, te beginnen bij haar aankomst bij de hutten om vakantie te houden. Ze sprak zacht, en deze keer hield ze haar emoties streng onder controle, want iets in zijn strakke blik weerhield haar. Ze legde nog een keer uit hoe ze wakker was geworden omdat ze iemand hoorde binnengaan in de hut van de officier, en haar verrassing toen ze zag dat het haar nicht Leah was. Ze was haar gevolgd, waarop iemand achter haar opdook en de koude loop van een wapen in haar nek drukte.

'Ik wist in het donker niet wie je was,' zei Bret verontschuldigend. 'Je kon wel op zoek zijn naar informatie. Ik moet bekennen dat je me behoorlijk liet schrikken toen ik terugkwam en het licht aandeed.'

Opnieuw kon ze de steelse voetstappen bijna horen van de derde man nadat Bret door de voordeur achter Leah aan was gegaan. Allison vertelde verder hoe Leah op haar had zitten wachten toen ze na zijn verhoor terugkwam in haar eigen hut. Hoe ze Leah daar twee dagen verborgen had gehouden terwijl ze wachtten op Neal en de dreigende kolonel Holman ontweken. Ze gaf toe dat Leah het codewoord gevonden had.

'Dus daar weet je ook al vanaf?' zei hij boos.

'Ze verklaarde niet wat er in de informatie zat, alleen dat het een belangrijke aanwijzing bevatte waar we het konden vinden. Ik weet niet eens wat "het" is waarnaar we op zoek zijn.'

'Niet "we"; jij raakt er niet verder in verwikkeld. Geen wonder dat ik geen succes had toen ik Karls hut doorzocht. Leah had het al meegenomen.'

'Alleen het codewoord.'

'Zeg dat nog eens?' zei hij scherp.

Allison boog zich naar hem toe. 'Pas na een dag raadden we wat het woord betekende. Het was Woolly's boek. *De Hittieten*. Majoor Reuter had het op de tafel laten liggen.'

'Wat een pech! Ik zag het liggen toen ik aan het zoeken was.'

'Je had het codewoord niet. Dus je kon het niet weten.'

'Fijn dat je een excuus voor me bedenkt, maar ik ben het niet met je eens. Ik had het moeten vermoeden. Maar goed, ga verder.'

'Terwijl ik tijdens de lunch de clubleden in de eetzaal in de gaten hield, ging Leah naar de hut terug en haalde het boek.'

Hij pakte haar arm. 'Wil je zeggen dat je het hebt?'

'Nee. Leah had het. Ze nam het mee naar Neal.'

Hij stond op, trok haar overeind, zijn ogen keken in de hare. 'Dat is onmogelijk. Neal zit helemaal niet in dit deel van Arabië.'

'Ze zei tegen me dat ze een boodschap van Neal had gekregen. Ze moest hem ontmoeten. Ze geloofde het.'

Terwijl Allison sprak, beleefde ze het voorval opnieuw. Ze zag Leahs gezicht weer in de naderende avondschemering, hoorde dat steelse geluid op de achterveranda nadat Leah was vertrokken om Neal te ontmoeten.

'Iemand is haar gevolgd.'

Opnieuw leek ze Leahs opgeluchte stem te horen, haar bijna blije gezicht te zien, alsof er een zware last van haar af gevallen was toen ze de zekerheid kreeg dat de boodschap van Neal was en dat hun superieur was aangekomen om de zaken over te nemen.

Allison vertelde met zachte stem over hun meningsverschil. Dat ze had geloofd dat er iets raars was aan de boodschap van Neal. 'We hebben precies datgene besproken wat haar overkomen is, maar het was alsof ze het wilde geloven omdat ze radeloos was,' zei Allison. 'Ik kon niet begrijpen waarom, als de derde man Neal was geweest had hij het codewoord niet begrepen toen hij het zag, zoals Leah.'

Allison zag Bret fronsen en begreep dat hij er niet gelukkig mee was dat ze zoveel wist. Het was te laat om bezorgd te zijn om wat hij dacht, hield ze zich voor. Ze wist het, of het nu verstandig was geweest van Leah of niet, en ze praatte vastberaden verder, probeerde Bret Holden met kalmte te overtuigen dat ze capabel was en betrouwbaar.

'Ze was blijer dan ik haar gezien had sinds mijn aankomst –' Haar stem brak af in een droog gefluister. 'Maar ik wilde niet dat ze ging. We bespraken de mogelijkheid of het de moordenaar kon zijn die op haar wachtte in plaats van Neal, en ik wilde met haar meegaan, maar ze weigerde.'

'Ze had gelijk,' zei Bret.

Allison kon het niet laten. 'Maar als ik daar niet was geweest met Leah, zou je niets weten over die zogenaamde boodschap van Neal en over waar ze heen ging en over een heleboel andere belangrijke dingen die ik nog niet heb kunnen uitleggen.'

'Dan is het misschien te laat,' zei hij meer tegen zichzelf dan tegen haar. 'Als het boek is doorgegeven naar de andere kant, kunnen die de informatie het eerst lokaliseren. Ik heb geen idee waar Karl het bewaarde.'

Ze stak haar hand op. 'Misschien hebben ze het niet. Er is

nog meer. Leah was voorzichtig. Dat werd van haar verwacht, zei ze. Zelfs met Neal had ze haar orders om het veilig te spelen. Daarom nam ze een bundel papieren mee in haar tas, alsof dat de informatie was. Lokeendjes noemde ze dat.'

'Mooi! Slimme vrouw!'

'En mijn boeken, zelfs mijn Bijbel. Die nam ze ook mee, ter misleiding. Wie haar om de informatie heeft vermoord, heeft het verkeerde in handen.'

'Jouw boeken en je Bijbel – en jij liet haar haar gang gaan? Wat haalde je je in je hoofd?'

Ze begreep zijn bezwaar niet. 'Natuurlijk liet ik haar haar gang gaan. Het waren de volmaakte lokeendjes.'

'Precies. En nu ben jij het nieuwe aas.'

Ze sidderde. 'Wat bedoel je?'

'Leah heeft het niet met opzet gedaan. Ze zal wanhopig geweest zijn. Maar door jouw boeken en papieren mee te nemen, heeft ze zonder het te weten de andere kant ervan overtuigd dat jij erbij betrokken bent. Snap je het niet? Ze zullen denken dat ze jou de informatie heeft verteld. Ze kunnen zelfs denken dat jij het hebt.' Hij keek nadenkend uit het raam. 'Geen wonder dat iemand vannacht probeerde in te breken. Daarom is de bewaker dood.'

Allison huiverde. 'Ik begrijp het niet.'

'Het is simpel. Nadat Karl was uitgeschakeld, waren er nog twee mensen over die van het boek wisten: Neal en Leah. Neal heeft mij een noodsignaal gestuurd, maar –'

'Dus jij bent zijn superieur?'

'Ja, maar dat is tussen jou en mij.'

'Natuurlijk.' Ze keek hem onderzoekend aan. 'Maar ze weten van jou. Dus dat zijn vier mensen die van het boek wisten.'

'Drie,' herhaalde hij. 'Ze weten niets van mij. De aankomst van kolonel Holman heeft mijn identiteit bezegeld. Toen Karl dood was en Neal opgehouden werd, bleef alleen Leah over. We weten wat er met Leah is gebeurd,' zei hij zacht. 'Vanwege die "briljante" lokeendjes, hebben ze nu iemand anders om zich druk over te maken: zuster Allison Wescott. Ze weten niet precies hoeveel je weet, maar ze nemen geen risico.'

Ze beefde. 'Daar had ik niet aan gedacht.'

'Nee,' stemde hij in. 'Dat dacht ik al. Snap je nu waarom je regelrecht teruggaat naar Caïro?'

'Maar ik had Leah beloofd –'

'Wat je Leah hebt beloofd, kun je aan mij overdragen, waar het hoort. Jij bent verpleegster op een zendingshospitaalschip, als ik me goed herinner, en daar hoor jij. Als ik je thuis heb gebracht, heb je er niks meer mee te maken.'

Ze hief haar kin, haar mond strak. 'Ben je daar zo zeker van, majoor Holden? Ik niet, zie je. En je hebt me nog niet uitgelegd waar het allemaal om gaat.'

'Hoor 's, Allison, er zijn drie mensen dood – allemaal vrienden van me. Allemaal toegewijd aan een vaderlandslievende, nobele zaak, als je het niet erg vind dat ik het zo formuleer. Het is jouw strijd niet. Ik wil niet dat je net zo eindigt als Leah.'

Waardig stond ze op. 'Je hebt het mis, majoor. Het is mijn strijd wel. Vaderlandsliefde is niet genoeg. Ik ben Engeland en de zaak van de vrijheid mijn volledige steun verschuldigd en ik zal doen wat ik kan, wat ik moet, om te zorgen dat waar Leah voor gestorven is, tot een succesvol einde komt.'

Hij fronste. 'Ja, ik ben bang dat je het nog meent ook. Allemaal heel nobel en innemend, maar zeer onverstandig als je lang wilt leven op deze goede aarde en je kleinkinderen wilt zien.'

'*Bang* dat ik het meen? Jij die elke dag je leven op het spel zet om je land te dienen? Stoort het jou dat ik mijn vaderland liefheb? Dat ik erom geef? Wat zou ik anders kunnen voelen, nadat ik Leah in het zand vond?'

Hij sloeg haar gade. 'Je bent nieuwsgieriger en dapperder

dan goed voor je is. Bewaar je heldenmoed maar voor de Mercy. Heette dat schip niet zo? Toon je genade maar aan de *fellahin* en wacht de aankomst af van je grote liefde van de Chambers' Bijbelschool. En als je dat niet doet... nou, je snapt het wel, hoop ik.'

'Net iets voor jouw type, majoor, om mij op de tribune te zetten terwijl jij elke dag je leven riskeert tussen de leeuwen. Nou, ik ga niet op de tribune zitten. Als je me niet wilt laten helpen, dan doe ik het wel alleen. Voor Leah.'

Hij keek haar van terzijde met samengeknepen ogen aan. 'Neem me niet kwalijk, maar daar komt niks van in. Als ik mijn toevlucht moet nemen tot een bepaalde invloed die ik in Caïro kan uitoefenen, dan zal ik dat doen om jou hier buiten te houden.'

'Je vergeet wie mijn vader is,' zei ze met een triomfantelijk lachje. 'Hij is behoorlijk vaderlandslievend en hij zou trots zijn als hij wist dat ik erbij betrokken was.'

Hij lachte kort. 'Dat denk je maar. Misschien ken ik hem wel beter dan jij denkt. Trouwens, wat bedoel je met "net iets voor mijn type"?' informeerde hij droog. 'Je hebt al een mooi klein pakje van me gemaakt en er een etiketje op geplakt, hè juffrouw Wescott? En hoe zie je "mijn type" dan wel?'

Ze liep van hem weg naar de divan en zonk erop neer. Ze wilde hem niet vertellen wat ze van hem dacht, omdat het iets anders was dan hij verwachtte. Ze vond hem moedig en heldhaftig – en maar al te zeer gedenkwaardig. Ze bracht het onderwerp weer op Leah.

'Ik begin te denken dat Leah het boek misschien toch niet heeft meegenomen, maar dat ze het verstopt heeft voordat ze naar Neal toe ging.'

'Als dat waar was, zou het een goudmijn zijn. Het zou de deur wijdopen laten staan. Het betekent dat ik nog steeds in de strijd ben.'

'Ik denk dat ze het niet heeft meegenomen omdat mijn hut doorzocht was, niet voor haar dood maar erna, vlak voordat David en ik hierheen vertrokken.'

'Aha.'

'Snap je wat ik bedoel?'

'Natuurlijk. Als ze hadden wat ze wilden, dan zochten ze niet meer. Weet je zeker dat het de Turkse officials niet waren? David zei dat ze waren gekomen om alle hutten te doorzoeken.'

'Dat dacht ik eerst, maar ik ben er nu niet meer van overtuigd. Ze waren laat aangekomen en waren er pas kort voordat David en ik weggingen. Maar voor die tijd waren mijn laden al doorzocht. Maar ik weet niet hoe, want we waren allemaal naar de opgravingen toen Leah werd gevonden.'

'Het kan iemand geweest zijn die niet bij het genootschap hoorde, en we weten niet wanneer ze vermoord is. Het kan de nacht ervoor zijn geweest, waardoor 's ochtends vrijuit gezocht kon worden toen jullie naar de opgravingen gingen. Je weet zeker niet meer of er iemand miste in de eetzaal aan het ontbijt?'

Ze keek schuldig. 'Ik had me verslapen en heb het overgeslagen. Dus ik zou het niet weten. Maar er kan niemand binnengekomen zijn omdat ik nog lag te slapen.'

Hij glimlachte. 'En wat deed je na het ontbijt?'

'Ik ben naar een lezing gegaan.'

'Toen kan het gebeurd zijn. Daarna gingen jullie naar de opgravingen?'

'Ja, na de lunch. Maar als Leah het boek niet meegenomen heeft, waar kan ze het dan verstopt hebben? En zou ze niet zo voorzichtig zijn geweest om een soort boodschap achter te laten voor het geval het toch Neal niet was?'

'Ja, en ik wou dat ik het wist.'

Ze vertelde hem van haar eigen verdenking van barones Helga Kruger en van professor Jemal Pasha.

'We houden Jemal al maandenlang in de gaten.'

'O ja? En er is nog iets. Leah ging niet naar de verlaten opgravingen om Neal te ontmoeten. Ik weet het, want ze vertelde me over een hut halverwege tussen hier en de Carchemish-opgravingen. Soms sloegen ze daar stukken op. Neal zou een kaars voor het raam laten branden als ze kwam, als de kust veilig was om binnen te komen.'

'Als ze zover gekomen was, zou de kaars helder gebrand hebben, dat weet ik zeker,' zei hij bitter. 'Ze zou regelrecht in de val gelopen zijn. Maar de val was veel dichterbij – maar een kilometer of zo van de hutten. De auto, bijvoorbeeld. Je zei dat ze je verteld had dat die driekwart kilometer verderop verstopt was?'

'Ze zei dat Neal hem daar had neergezet voor de veiligheid.'

'Waarschijnlijk wist de dader ervan en heeft ie haar opgewacht. Haar kwijt te raken in de verlaten opgravingen zou veel makkelijker geweest zijn dan de 130 kilometer naar Jerablus rijden – en veel dichterbij, als het iemand van het genootschap was of uit Aleppo. Dat sluit ik namelijk ook niet uit. Een Duitse consul daar werkt nauw samen met de Turken.'

'Bedoel je dat de vijand misschien toch niet iemand van het genootschap is?' Ze was opgelucht.

'Niets kan worden uitgesloten. Ik zal de hut moeten doorzoeken waar Neal op Leah zou wachten.'

'Maar ze is er niet heen gegaan. Dat was te ver.'

'Ik denk het ook niet, maar misschien vind ik daar iets anders. Wat dan ook. Hoe goed heb je je hut doorzocht voordat je wegging met David?'

'Heel nauwgezet. Er was niets – zeker niet iets ter grootte van een boek.'

'Nou ja, ik zal hem toch zelf nog een keer controleren voor de zekerheid.'

'Hoe kan dat? Als je teruggaat, weten ze dat je kolonel Holman niet bent.'

'Lieve meid, zelden begeef ik me zo in de openbaarheid als ik moest doen toen ik kolonel Holman neerzette. Ik geef er de voorkeur aan in het geheim te werken. Ik ben een geschoolde, maar eerbare inbreker. Wat ik moet doen, zal ik doen zonder betrapt te worden.'

'Hadden Leah en ik maar geweten wie je was,' zei Allison.

'Ja, we hebben langs elkaar heen gewerkt, hè? Wat een strop. Maar jij leeft nog, en dat wilde ik graag zo houden.'

'Geloof me, ik ben niet op vakantie gegaan om in spionage te belanden maar om wat meer te leren over archeologie. Mijn belangstelling was puur Bijbels, en ik ben hier gewoon... nou ja, tegenaan gelopen.'

'Ja,' zei hij vriendelijk, 'ik herinner me het gedenkwaardige ogenblik in de hut van majoor Reuter dat we "tegen elkaar aan liepen". Maar goed, ik zou er alles voor over hebben als het de derde man was geweest, en niet jij. Eén ding staat vast, het was niet Neal.' Hij stond op. 'Wat er ook gebeurt, zo gauw David er is, moeten we maken dat we wegkomen.' Hij fronste. 'Hij is laat. Altijd als er iemand te laat is, heb ik een gegronde reden om me zorgen te maken.' Hij liep naar het bureau. 'De Turkse officials zullen spoedig weten dat kolonel Holman vanmiddag moet aankomen uit Bagdad. En dan stropen ze heel Jerablus af op zoek naar zijn vervalsing.' Hij keek haar aan. 'Zorg dat je spullen ingepakt klaarstaan, goed?'

'Dat zijn ze al. Ik heb ze niet uitgepakt. Komt David met een auto?'

'Als het hem lukt. Anders gebruiken we mijn paard. Hij zal het op zijn eigen houtje moeten zien te halen. Ik kan geen risico nemen en afwachten, niet met jou erbij.'

In de stilte die volgde, flakkerde de lantaarn. Hij stond diep in gedachten op de boeken neer te kijken.

Allison liep naar hem toe. 'Dus niemand anders kent de informatie die majoor Reuter ontdekte. Zelfs jij niet?'

'Nee, hoewel –' Hij zweeg.

'Hoewel wat?' drong ze aan.

Hij keek haar aan, zijn blauwe ogen intens peinzend. 'Ik heb een idee. Ik heb genoeg gezien en gehoord om te begrijpen wat de Duitsers van plan zijn. Maar toch, de documenten die onze agent in Constantinopel in beslag genomen heeft, waren essentieel omdat ze het officiële bewijs bevatten dat de Britse regering nodig had.'

Haar opwinding nam toe. 'Het officiële bewijs van wat?'

Hij antwoordde niet en Allison zei: 'Nu Reuter dood is en Leah ook, waar kunnen we nog op hopen? Hoe zullen we ooit de waarheid weten? Heb je geen idee waar hij de documenten verstopt kan hebben?'

'Nee. Het antwoord kan waarschijnlijk gevonden worden in het boek.'

De wind jammerde langs de zijkant van het huis en opnieuw, net als eerder die nacht, kreeg Allison het gevoel dat ze gadegeslagen werd. Ja, het boek, maar waar had Leah het verborgen?

In de luwte van de wind en de stilte die volgde, klonken buiten op het erf voetstappen.

Deel 2

Op de weg van Jerablus

10

Allisons ogen vlogen naar het raam waarop iemand klopte. Geschrokken snakte ze naar adem en ze deed een stap achteruit tegen het bureau. Bret sloeg een arm om haar schouders en trok haar naar zich toe, zijn gezicht stond ondoorgrondelijk terwijl hij haar tegen zich aan hield.

'Niet bang zijn, het is David maar.'

Allison beheerste zich en knikte, onzeker of zijn aanwezigheid haar een veiliger gevoel gaf of niet. De laatste paar dagen van gevaar die vooraf gingen aan Leahs dood en vannacht hun hoogtepunt bereikten met Bret die door het raam binnenkwam, hadden haar zenuwen geprikkeld.

Bret liet haar los en ze deed een stap opzij, ze voelde zich een beetje dwaas nadat ze had volgehouden dat ze bekwaam was om Leahs werk voort te zetten. Om Brets aandacht af te leiden van haar reactie, vroeg ze: 'Wat gaat er nu gebeuren?'

'Laten we ten eerste maar hopen dat hij een auto te pakken heeft kunnen krijgen.' Bret liep naar het raam en klopte als antwoord.

Haar ogen volgden hem door de kamer, ze zag zijn gespierde bouw en merkte op dat hij er van top tot teen uitzag als een goedgetrainde soldaat, zelfs in een wit shirt en broek. De vloer vibreerde onder zijn kuithoge militaire laarzen. Ze moest er niet op letten. Ze kreeg een schuldgevoel als ze aan Wade Findlay dacht.

'Wat is er met de Mercedes gebeurd?' vroeg ze.

Hij draaide zijn donkere hoofd om, zijn strakke blik was terughoudend en zijn toon achteloos. 'O, de Koerden hadden er een beetje moeite mee Mustafa te overreden David aan hun zorg over te geven. Hij is een beetje beschadigd.'

Ze durfde niet te overdenken wat dat betekende. 'Zo.'

Bret knikte naar de revolver op het bureau. 'Ik ga naar buiten om met David te praten. We gaan een poosje weg. Als er iemand binnenkomt die je niet kent, gebruik hem dan.'

Haar hart sloeg een slag over. 'Waar gaan David en jij heen?'

'Rondkijken,' verklaarde hij ontwijkend. Zonder Allison tijd te geven om tegenwerpingen te maken, liep hij door het donker van de zitkamer. Even later hoorde ze de voordeur achter hem dichtgaan en zijn voetstappen die knerpten op het verspreide zand op het erf.

Allison stond stil, spande zich in om elk geluid in de nacht op te vangen, haar hart bonsde. Ze had het wilde idee achter hem aan te rennen, maar beheerste zich en liep naar het bureau waar ze de revolver pakte die hij haar in majoor Reuters hut gegeven had.

Het leek haast niet mogelijk dat majoor Bret Holden dezelfde man was die haar zo geïntimideerd had met beschuldigingen in de nacht van de dood van de agent. Bret zette nu zijn eigen veiligheid op het spel voor die van haar. Als hij gewild had, had hij alleen kunnen ontsnappen en veel meer kans gemaakt ongezien door de Turkse of Duitse autoriteiten terug te gaan naar Caïro. Ze was zich ervan bewust dat het voor hen drieën inderdaad een hele klus werd te ontsnappen uit Jerablus en de 130 kilometer terug te rijden naar Aleppo. Zoals Bret had gezegd, zou het Duitse hoofdkwartier bij de spoorweg algauw ontdekken dat hij zich voorgedaan had als de echte kolonel Holman.

Bret had met opzet een hoop dingen opengelaten om veiligheidsredenen, en veel had hij niet verteld vanwege de korte tijd. Als ze veilig terugkeerden in Caïro, besloot ze, zou ze naar hem informeren bij haar vader, sir Marshall Wescott. Als gepensioneerd gouverneur-generaal had hij toegang tot bepaalde informatie over de gang van zaken binnen de inlichtingendienst van Caïro. Opeens verlangde ze naar haar vader. Ze had hem de afgelopen jaren weinig gezien. Zijn werk en zijn toewijding aan koning Edward waren lang een bron van wrijving geweest tussen hem en haar moeder. Haar moeder, Eleanor Bristow Wescott, vond dat sir Wescott al te lang zijn familie en zijn huwelijk had verwaarloosd omwille van het Britse rijk.

Haar vader zou binnenkort thuiskomen uit India, waar hij de afgelopen drie maanden was geweest om te vergaderen met de Britse onderkoning van India. Nu verlangde Allison ook naar huis, in Port Said. *Misschien ben ik toch niet in de wieg gelegd voor spionage,* dacht ze.

Ze zat nog over dit alles na te denken toen Bret twintig minuten later in zijn eentje terugkwam. Hij stond in de deuropening en het lamplicht flakkerde tegen zijn silhouet. Uitdrukkingsloos keek hij haar aan. Maar toen ze naar hem toe liep, zag ze in zijn vernauwde blik de doelbewuste terughoudendheid van een onderliggende bezorgdheid. Hij keek haar aan, maar zijn gedachten waren elders.

Ze probeerde zijn kalmte te evenaren. 'Nou? Waar is hij?'

'David?'

'Ja, David! Je zei toch dat hij het was. Bedoel je dat hij het niet was?'

'Nee, het was Hamid, maar David is onderweg. We hebben een auto en we moeten meteen vertrekken als hij komt.'

'Wie is Hamid?'

'Mijn assistent en een vriend.' Hij liep vlug naar de stapel boeken die Allison niet had doorzocht en greep een tas van de vloer achter het bureau. Hij smeet de boeken erin, samen met de inhoud van de laden. Allison liep naar hem toe.

'Je zegt alleen maar dat alles onder controle is om mij gerust te stellen, hè? Er is David iets overkomen,' zei ze.

Hij keek haar aan, met diezelfde onverstoorbare blik die haar zo zenuwachtig maakte. 'Nee, hij zou het moeten halen.'

Ze worstelde om zijn onaardse kalmte te evenaren. 'Zou moeten? Misschien niet, bedoel je?'

'Die kans bestaat altijd in dit werk, maar David is competent en sterk. Dat heb ik in Londen aan hem gezien. Dus ik reken op hem.' Hij keek op zijn horloge. 'Hij heeft nog tien minuten.'

Ze slikte, streek een krul uit haar gezicht. 'Tien minuten? Wat gebeurt er over tien minuten? Waarom geen vijftien? Waarom geen twintig?'

Hij rukte een lade open en haalde er enkele mappen uit die hij in de tas stopte. 'Over tien minuten vertrekken we, met of zonder hem.'

Ze staarde hem ongelovig aan. 'Vertrekken zonder David?'

'Ja. We hebben geen keus.'

'Dat doe ik niet,' verklaarde ze ongelovig. 'Hij is een vriend van me. Je zei dat hij ook een vriend van jou was.'

'Is hij ook,' gaf hij kort toe, haar blik negerend.

Hij gedroeg zich naar, en ze begreep het niet. Eerst had hij zo zijn best gedaan om haar angst weg te nemen. 'Als de autoriteiten hem oppakken, brengen ze hem naar Bagdad,' waarschuwde ze, wetend dat hij het wist. Gefrustreerd beet ze hem toe: 'Fijne manier om met je vriend om te gaan, majoor Holden.'

Hij keek op van de lade. 'Wat heb je liever, zuster Wescott, je eigen dood? Mijn dood? Hamids dood?'

Ze keek hem vragend aan, haar handen werden koud van angst. 'De Turkse officials weten dat we hier zijn, is dat het?'

Zijn ogen hielden de hare vast, er blonk een waarschuwing in. 'Duitsers.'

Ze slikte.

'Ze weten wie ik ben en wie Hamid is,' zei hij. 'Alleen daarom zou ik een vriend als David niet in de steek laten, maar ik zit met jou. Ik twijfel er geen ogenblik aan dat je zou eindigen als het slachtoffer van een "dood door ongeval" gemeld aan de Turkse officials, die op hun beurt de Britse consul in Aleppo op de hoogte stellen – met excuses.'

Ze deed een stap achteruit, wilde een snik van angst loslaten maar was vastbesloten zich kalm en moedig te tonen. Ze keerde zich af en beet op haar lip. Met een klap sloeg hij de bureaulade dicht.

'Het spijt me. Ik had niet moeten suggereren dat je een vriend in de steek liet.'

'Geeft niet.'

Ze keek hem aan. 'Ik denk dat je behoorlijk heldhaftig bent als het aankomt op vriendschap en landstrouw.'

Om zijn mond lag de schaduw van een cynisch lachje toen hij haar kort opnam. 'Misschien is dat oordeel ook weer overdreven. Ik ben geen lafaard en ook geen held, maar ik ben verwikkeld in iets dat ik niet los kan laten tot het einde. Ik ben er heel toevallig tegenaan gelopen. Dus je ziet, je Engelse Bijbelstudent – hoe heet ie ook alweer – Wade Findlay? – is een veel heldhaftiger heer.'

Allison bloosde. Ze vreesde dat Bret haar beweerde desinteresse doorzag en met opzet Wade noemde om haar reactie te zien.

'Dat is ook niet waar, hè?'

Hij keek haar aan. 'Wat is niet waar?'

'Dat je "heel toevallig tegen die spionagetoestand bent aangelopen",' verklaarde ze. 'Je zit niet verwikkeld in iets dat je geen fluit kan schelen. Je bent er ontzettend bezorgd om – het staat op je gezicht geschreven.'

'Bezorgd zijn heeft zeker weer iets met mijn "type" te maken? Je moet het me maar eens uitleggen als de Duitsers niet in mijn nek staan te hijgen. En wat dat doorzichtig zijn betreft, ik dacht niet dat ik dat was.' Met enige verbijstering voegde hij eraan toe: 'Ik hoop het niet.'

Ze vond hem helemaal niet doorzichtig en vermoedde dat hij dat wist. Afgezien van zijn opzettelijk militaristische gedrag, was hij uiterst onbekend. Ze kon er alleen maar naar raden hoe hij in werkelijkheid was. Dat ze er nieuwsgierig naar was, gaf haar evenveel onrust als het idee doorzichtig te zijn hem blijkbaar gaf.

Hij gespte de tas dicht en draaide zich naar de deuropening van de zitkamer toen voetstappen de komst van Hamid aankondigden. Allison zag een Koerdische strijder, maar hij zag er totaal anders uit dan ze had verwacht. Afgezien van een verschoten zwarte sjaal om zijn hoofd was hij net zo gekleed als Bret, in een canvas tuniek en broek met zware laarzen. Hij leek in de veertig te zijn, goed aangepast aan de Arabische woestijn en in staat om iedereen te verslaan die het waagde hem te na te komen. Hij had een verzameling woest uitziende wapens, merendeels westers van oorsprong, en hij leek bedreven in het gebruik ervan. Zijn walnootkleurige gezicht was verweerd, rustig en vastberaden; hij had zware, donkere wenkbrauwen boven zwarte haviksogen, die niet zo hard waren dat ze niet even vriendelijk op Allison rustten voordat hij zich tot Bret richtte. 'Er is weinig tijd over, majoor. Als je nog langer wacht, krijgen ze je te pakken. Ga, neem juffrouw Wescott mee. Ik blijf hier en misschien zien David en ik jullie bij de oase.'

De vriendschap en het respect tussen de twee gingen niet aan Allison voorbij. Bret had gelijk; Hamid was zijn trouwe assistent.

Als Bret al boos was om het risico dat dit over zijn vrienden bracht, liet hij geen emoties zien. Over leven en dood was al besloten tussen deze twee vrienden – dat zag ze aan de koele, emotieloze uitwisseling tussen hen – maar hun band was ook onmiskenbaar.

Bret gaf de olielamp aan Allison om mee te nemen naar Leahs kamer. Terwijl ze haastig haar tassen pakte, hoorde ze Bret met zachte stem aan Hamid vragen: 'Is het gelukt?'

'Wapens en munitie in de kofferbak.'

'Hoeveel?'

'Genoeg voor hem om naar de anderen te brengen.'

'Goed werk. Reservebenzine?'

'Niet genoeg. Ze hoorden me.'

'Dan moeten we dat onderweg zien te vinden. Je weet waar je me vinden kunt? Je weet wat je tegen David moet zeggen?'

'Ik zal het hem zeggen. Ga nu maar. We halen het wel.'

Verbaasd en verwonderd stond Allison aarzelend in de deuropening waar ze net hun omtrekken kon onderscheiden. Wapens? Munitie? Voor wie? Waar had hij die vandaan gehaald en waarom?

Bret moest haar hebben zien staan, want hij zei iets onverstaanbaars tegen Hamid en voegde er minder heimelijk aan toe: 'Zorg dat je geen martelaar wordt met je heldendaden. We hebben je nodig in een nog wanhopiger tijd.'

'Die komt misschien niet. We hebben goede plannen, jij en ik.'

Allison kwam naar buiten, bescheiden gekleed in een eenvoudige, tot haar enkels reikende blauwe katoenen jurk met hoge hals en lange mouwen. Eigenlijk was het een oud uniform dat ze had gebruikt tijdens haar verpleegkundigenopleiding, maar ze had het kruis van het lijfje gehaald. Ze had geen moeite gedaan haar haren in een wrong te rollen, want er was geen tijd voor, maar ze had het naar achteren gebonden met een lint en ze droeg een canvas hoed met een brede rand. Als de zon opkwam, zou het een lange en ellendig hete dag worden. Ze droeg stevige leren laarzen, comfortabel en praktisch in de woestijn. Ze hield haar plunjezak vast en keek naar Bret, haar ogen nog smekend omwille van David.

Hij merkte het niet op of deed alsof, want hij bleef ondoorgrondelijk kijken. 'Klaar?'

Ze knikte maar, omdat ze haar stem niet vertrouwde.

Hamid ging voor, een hand op zijn geweer. Bret pakte haar arm en duwde haar de achterdeur uit en vlug over het donkere erf. De wind blies hen recht in het gezicht, heet en droog, en gooide zand naar hen en bruine, broze blaadjes.

'Waar gaan we heen?' vroeg ze half fluisterend.

Hij lachte kort.

Er stond een auto te wachten en Hamid rende naar de passagierskant terwijl Bret naar de bestuurderskant ging en het portier opengooide. Allison kroop naar binnen naast hem, zich afvragend wat voor auto het was. Hamid sloeg de deur dicht terwijl de motor aansloeg.

De auto reed achteruit het erf af, de lichten nog uit. Allison voelde haar hart in haar keel. Toen hoorde ze Hamid roepen: 'Hij komt eraan!'

'David,' riep Allison blij, over haar schouder kijkend. 'Hij komt aanrennen.'

De auto maakte een scherpe draai en stond stil. Bret stak zijn hand naar achteren en rukte het slot van het achterportier open. David klom naar binnen, Hamid vlak achter hem.

Voordat Hamid het portier kon dichttrekken, draaide de auto en vloog naar de smalle achteruitgang. Bret knipte de koplampen even aan en uit en Allison hield haar adem in. De motor liep gesmeerd, de smalle weg vloog onder hen door, de koplampen bleven uit.

'Wat een zooitje!' zei David, ademloos van het rennen. 'Ze zitten niet ver achter ons.'

'Hoeveel?' vroeg Bret, hij trapte het gaspedaal dieper in.

'Vijf, zes, acht misschien. Sorry. Het was niet mijn bedoeling ze naar jullie toe te leiden.'

'We zijn blij dat je het gehaald hebt. Je hebt me aardig in spanning gehouden,' zei Bret. 'Ik vroeg me al af of je wel deugde voor het vak.' De sneer was humoristisch bedoeld en David mompelde, terwijl hij over zijn schouder door de achterruit keek: 'Ik begon het me ook af te vragen. Nog steeds, trouwens.'

Hamid grinnikte en gaf hem een klap op zijn schouder. 'Is dit de eerste keer dat een jood en een Koerd samenwerken tegen één vijand?'

'Het zal in ieder geval niet de laatste keer zijn, ouwe jongen,' zei David.

'Waar zijn ze nu?' Bret keek in de achteruitkijkspiegel en verstelde hem een beetje.

'Ik zie ze niet achter ons,' zei Hamid.

'Reken er maar niet op,' waarschuwde David. 'Ik dacht

dat ik vijf minuten voorsprong had, maar ineens komt uit het niets die rottige Duitse auto op me af en begint te schieten. Ze schoten de achterband aan flarden en ik zwenkte een boerenerf op, reed nog bijna een kip dood voor hun avondeten. Over een erf heb ik de Duitsers rennend kunnen ontvluchten. Een grootmoeder met een mand eieren stond me vuistschuddend na te schreeuwen.'

Hamid lachte.

Bret glimlachte. 'Gelukkig voor jou dat ze geen mand met stenen had. Dan had ze je voor die Duitsers laten belanden.'

'Ik zag hun auto naar de expeditiehut rijden. Ze zullen er nu wel zijn,' waarschuwde David.

Hamid en hij keken door de achterruit.

'Ik zie ze niet,' zei David.

'Ik denk dat ze ook geen licht op hebben,' zei Bret.

Zijn stem, dacht Allison met klapperende tanden, was even onverschillig alsof ze het weer bespraken.

'Blijf kijken,' zei Bret. 'Als ze ons achtervolgen, zullen ze de koplampen toch aan moeten doen als ze de achteringang naderen.'

Ook Allison draaide zich om in haar stoel om door de achterruit te kijken.

Bret draaide de auto de hoofdweg op waar ze algauw met grote snelheid op de desolate wildernis af reden.

Allison zag een snelle flits en riep uit: 'Daar komen ze.'

'Ze zijn ons op het spoor,' zei Hamid.

Allison keek naar Bret en zag dat hij naar de snelheidsmeter keek.

'Hoe hard rijden ze, David?'

Ze wist waarom hij het vroeg. Ze zouden het op een scheuren moeten zetten, en als de Duitsers een sneller voertuig hadden, zaten ze in de problemen.

'Lijkt me een moffenbak,' zei David. 'Waarschijnlijk een Mercedes.'

Ze keek naar Bret, maar of hij was eraan gewend zijn

gedachten te verbergen, of hij wist dat ze hem gadesloeg, want David had net zo goed kunnen zeggen dat ze op muilezels zaten.

'Er is altijd nog hoop,' zei Hamid plezierig, en stak van wal met een verhaal over een manke kameel en een Turks pantservoertuig.

'Ik denk dat de kameel uiteindelijk wint,' zei David.

Hamid glimlachte. 'Waarom niet? De kameel kan lange afstanden afleggen zonder water en de pantserwagen moet benzine hebben.'

'Ik vind dat de vergelijking nergens op slaat. We gebruiken allebei benzine, maar zij hebben de Mercedes,' merkte David op.

'Tja, maar de Mercedes is afhankelijk van banden en een radiateur.'

'Dus dat is wat Bret in gedachten heeft –'

Bret keek over zijn schouder naar Hamid. Dat moest de Koerd iets duidelijk hebben gemaakt, want hij reikte naar de vloerplank. Allison hoorde hem een doos openmaken. Een paar seconden later hief hij twee geweren. Allison vermoedde dat ze van Duitse makelij waren, maar afgezien daarvan zagen ze er onbekend uit. Hamid haalde ook enkele karabijnen tevoorschijn en dozen met munitie die hij binnen bereik zette.

Ze verstrakte, greep de stoel vast en keek weer naar Bret. Opeens zwenkte hij en reed de auto van de weg af in de richting van een paar duinen.

'Wat snelheid betreft zijn we geen Mercedes, maar wij liggen lekker vast op de weg. Hou je vast!'

Allison klemde zich aan de stoel vast terwijl ze snel vaart minderden tot een hotsebotsende slakkengang over een karavaanweg die gemaakt was voor kamelen en paarden. Aan weerskanten waren bergen zand en stenen.

Bret wachtte niet lang voordat hij Hamid en David een teken gaf. Ze zwaaiden de portieren open en klommen naar buiten met de wapens in hun handen. Allison reikte naar haar portier om hetzelfde te doen, maar Brets hand pakte haar pols en in het maanlicht dat weerkaatste tegen het witte zand keken ze elkaar in de ogen. 'Blijf hier. We komen terug als het voorbij is. Begrepen?'

Ze probeerde de angst weg te slikken die in haar keel opkwam. Ze vermoedde dat ze de Duitse auto in een hinderlaag wilden opwachten, en haar hart bonkte zo hard dat ze buiten adem raakte.

'Niet bang zijn,' fluisterde hij. Terloops voegde hij eraan toe: 'Hamid en ik hebben dit eerder gedaan. Ik hoopte dat we het konden vermijden, maar...' Hij opende het portier en was buiten. 'Hou je hoofd naar beneden,' zei hij alleen nog. 'Er zijn schorpioenen, dus ga niet lopen ronddwalen.'

Het portier ging dicht en ze bleef achter in de hete stilte. Ze voelde hoe de wind de zijkant van de auto ranselde met zandkorrels. Ze keek uit het zijraampje en zag dat ze al verdwenen waren in de woestijnnacht.

Ze kromp in elkaar op de stoel, haar hart riep uit tot God om de verschrikking die ze meemaakten. Ze kon zich alleen maar voorstellen wat ze deden met de geweren aan de zijkant van de weg. Om de gruwelen buiten te sluiten, de werkelijkheid van geweld en dood te ontgaan, sloot ze haar ogen en legde haar zwetende handpalmen over haar oren.

Hoe lang – vier minuten, vijf? Toen kraakte snel geweervuur door de inktzwarte duisternis. Ze wachtte een minuut of tien. David kwam naar de auto rennen en zwaaide het achterportier open, terwijl Bret aankwam die Hamid ondersteunde. Ze sleepten hem achterin. Hamid was geraakt tijdens het vuurgevecht. David scheurde de voorkant van Hamids shirt opzij.

Allison wilde naar de achterbank klauteren, maar Bret pakte haar arm en draaide haar met haar gezicht naar hem toe. 'Er is geen tijd. We moeten maken dat we wegkomen.'

Geschrokken schoten haar ogen naar de zijne, maar hij weigerde haar te laten kijken, zijn handeling te begrijpen.

Er was op het eerste gezicht geen verontschuldiging voor zijn klaarblijkelijke onverschilligheid tegenover Hamid. Hij draaide haar terug op haar stoel.

Ze voelde tussen hen een hevige spanning opkomen, als een muur. In het licht van de sterren was zijn ingehouden spanning te zien in zijn knappe, ruige kaaklijn, in zijn brandende, onbereidwillige ogen.

Allison was ontzet. 'Hij is je vriend,' knarsetandde ze fluisterend.

'Daar hoef je me niet aan te herinneren. Ga zitten. Alsjeblieft.' Allison keek om naar Hamids gestalte. Hij zweette en klemde zijn tanden op elkaar tegen de pijn. Toen keek ze weer naar Bret. Langzaam ontwaakte haar verontwaardiging. Hij was bereid geweest Jerablus te verlaten zonder David en al begreep ze dat haar eigen leven daardoor gered had kunnen worden, ze geloofde dat majoor Bret Holden zo koel bekwaam was dat hij harteloos was.

'Ik laat hem niet zo liggen. Kan het je niks schelen of hij doodgaat?'

Heel even was zijn kwetsbaarheid zichtbaar en Allison voelde hoe hard haar opmerking aankwam. Ze wilde dat ze het niet gezegd had, maar zijn ogen keken vast in de hare. Ze probeerde haar reactie te verzachten, alsof hij het niet begreep. 'Deze omgeving is slecht voor een wond. Zelfs een blaar kan binnen een uur leiden tot bloedvergiftiging. Ik heb licht nodig.'

'Er zijn nog steeds Duitse soldaten daarbuiten,' zei hij vlak. 'Licht trekt ze naar ons toe.'

Ze begreep het nu, maar hij draaide zich om naar David en zei toonloos: 'Help juffrouw Wescott. Er ligt een zaklantaarn achterin. Ik hou de wacht.'

Geschrokken wilde ze *Nee!* roepen, maar hij nam zijn wapen mee en verdween weer in de duisternis.

Allison keek hem na, toen kroop ze achterin naast Hamid terwijl David in de kofferbak rommelde tot hij haar EHBO-doos vond en het haar bracht.

'Ik heb tien minuten nodig,' fluisterde ze.

David nam een van de geweren op en ging achter Bret aan.

Ze werkte met verrassend vaste hand, probeerde kalm en geconcentreerd te blijven op wat ze deed. Maar haar geest en hart waren verdeeld tussen Hamid, en Bret en David die in het donker op wacht stonden tussen hen en Duitse soldaten die zich bij de weg verborgen hielden.

Weer kraakte er geweervuur en ze sloot even haar ogen terwijl het zweet uitbrak op haar voorhoofd. *Alstublieft, God, nee.*

Rennend kwamen de mannen terug. Er werd geen woord gesproken terwijl Bret snel achteruit reed naar de smalle hoofdweg, de verharde weg opdraaide en met de koplampen uit en de neus van de auto in de richting van Aleppo plankgas gaf.

Allison keek naar de verduisterde Duitse auto die vanuit een hinderlaag was aangevallen op de weg naar Aleppo.

'Hoe gaat het met hem?' vroeg Bret een minuut later.

'De wond was te hoog voor de long,' zei ze, verrast dat haar stem kalm klonk. 'Zijn sleutelbeen kan verbrijzeld zijn. Ik weet het niet zeker. Ik kan niet veel anders doen dan proberen vergiftiging te voorkomen. Ik heb de instrumenten niet om een kogel te verwijderen. Hij heeft een bed nodig en een arts.' Ze voegde eraan toe: 'Ik begreep niet dat er nog soldaten waren. Anders zou ik niet −'

'Ze zijn nu allemaal dood,' zei hij kort.

Hamids zwarte ogen concentreerden zich op haar en hij probeerde iets te zeggen, maar hij was te zwak. Ze knikte, suste hem.

'Het is goed,' fluisterde ze. 'We zijn op weg naar Aleppo.'

David haalde een veldfles water tevoorschijn en gaf hem aan Allison. Ze haalde de stop eraf en hief Hamids hoofd op om hem te laten drinken, liet het water druppel voor druppel over zijn tong vloeien en keek of hij kon slikken. Toen gaf David de veldfles aan Bret, die dorstig dronk en het zweet van zijn gezicht afveegde aan zijn nu vuile overhemd. Hij reed zo hard als de auto kon en niemand zei iets. Allison voelde zich verdoofd. Ze liet Hamids hoofd tegen haar schouder rusten en keek voor zich uit waar de koplampen kilometers wildernis verlichtten.

David praatte zacht tegen Bret, maar Allison verstond Brets antwoord. 'Hoe sneller we deze auto dumpen, hoe veiliger het is. En we moeten uit elkaar. Dan trekken we minder aandacht. Er staat een auto te wachten bij het huis. Neem hem en ga mee met juffrouw Wescott.'

'Met de spullen?' vroeg David.

'Nee. Niet nu. Het is te riskant. Je hebt haar bij je.'

'Het was niet de bedoeling dat jij de spullen meebracht. Ze zullen je op je nek zitten. Ik zou het in mijn eentje riskeren. Ik vond het niet erg omdat ik er met hart en ziel in geloof, maar jij –' David werd onderbroken door Bret.

'Het is een keus die ik gemaakt heb. Laten we maar zeggen dat ik er meer in geloof dan jij denkt.'

'En Hamid? Hij valt op, voor iemand die waakzaam is.'

'We hebben wel voor hetere vuren gestaan. Ik neem hem wel mee. Als we Aleppo bereiken, gaan we uit elkaar. We zien elkaar in Jeruzalem.'

'Goed. We zullen dit niet vergeten, majoor.'

'Ik ook niet. We verwachten een oogst, weet je nog?'

'We zullen er zijn. Haar naam is Rose Lyman. Haar broer werkt onder een andere naam voor de Turkse officier. Het is een volmaakte opzet en ik kan me niet voorstellen dat er iets misgaat.'

'Vertrouw er nooit op dat plannen zo goed verlopen als ze er op papier uitzien. Als er iets mis kan gaan, dan gaat het ook mis. Maar als we dat weten, laten we ons er niet door tegenhouden.'

David leunde achterover in zijn stoel en ze reden in stilte verder.

Jeruzalem. Ondanks Brets woorden dat plannen gewoonlijk mislukten, geloofde ze dat hij ze maakte met buitengewone zorg, dat hij een militaristische majoor was die zelden fouten maakte. En als hij dat wel deed, vrat het hem van binnen op, geloofde ze, al deed hij of het niet zo was.

Ze wilde hem vragen naar de geweren en de munitie, maar ze bedacht zich. Ze had zijn oordeel genoeg verkeerd geïnterpreteerd voor één nacht. Ze hoorde niet te weten dat Hamid het erover gehad had in de expeditiehut. Het was verstandiger om te zwijgen.

Had het deel uitgemaakt van een of ander plan dat David hen onder de neus van de Turken door wilde smokkelen naar Jeruzalem? Een gevaarlijk voorstel, maar als het zo was, wat verwachtte hij dan te doen met wapens in Jeruzalem? Het was Allison niet ontgaan dat Bret de leiding had en dat ze allebei bereid waren de plannen te veranderen en een groter persoonlijk risico te nemen als het noodzakelijk was. Het was niet zijn eerste plan geweest de wapens zelf af te leveren.

Bret scheen gevoelloos; misschien was hij cynisch. Maar hoe moest ze weten of hij dat echt was? De echte majoor Bret Holden leefde en handelde achter een barricade van harde onverschilligheid. Tenzij hij meewerkte, was er geen manier om tot hem door te dringen.

Misschien moest ze niet nieuwsgierig zijn, waarschuwde ze zichzelf. Als ze probeerde te begrijpen wat er achter die koele en brute buitenkant lag, kon ze emotioneel in de problemen komen.

★

Aleppo was rustig en donker toen ze aankwamen, maar algauw zou in het oosten de zon opgaan. Hadden de Turkse of Duitse autoriteiten in de buurt van Jerablus de officials in Aleppo getelegrafeerd dat ze naar hen uit moesten kijken? Wist de Britse consul dat een van hen zich voordeed als kolonel Brent Holman? De Britse official zou om deze tijd van de nacht liggen slapen als een blok en hij was waarschijnlijk zo onschuldig als een pasgeboren lammetje, of dat kon hij de Turkse autoriteiten morgen laten weten als bekend werd wat er gebeurd was op de weg buiten Jerablus.

Bret had David laten weten dat hij de communicatielijn had stilgelegd toen ze de Duitsers op de weg aanvielen. Ze vroeg zich af wat het allemaal te betekenen had, maar ze wist niet zeker of ze het echt wilde weten. Haar bemoeienis met Leah en haar dood was tragisch genoeg geweest en had haar leven op zijn kop gezet.

Toen ze Aleppo binnenreden, overdacht Allison haar situatie. Het was niet bepaald ongevaarlijk dat ze zich ingelaten had met David en Hamid en wat ze ook wilden bereiken met de wapens. Ze vroeg zich af of het enig verband hield met het werk van Leah en Neal of de dood van de Britse agent die zich had voorgedaan als majoor Reuter. Misschien bestond er geen direct verband.

Ze overlegde bij zichzelf over haar plannen, vroeg zich af wat die precies waren afgezien van veilig terugkeren naar Port Said en met haar moeder op haar vaders aankomst wachten. Sir Marshall zou gauw thuiskomen van zijn regeringsreis naar de Britse onderkoning in India. Allison had natuurlijk haar werk met tante Lydia aan boord van de Mercy, en het was dáár, bezig met geneeskunde en het uitdragen van de boodschap van het christendom, dat haar hart zijn uiteindelijke en ware roeping vond. Maar hoe kon ze ooit weer dezelfde zijn nu Leah was vermoord? Als majoor Holden gelijk had en oorlog met Duitsland was onvermijdelijk, wat moest ze dan doen? Was ze het Leah niet schuldig erbij betrokken te raken? En neef Neal? Tot nu toe scheen niemand te weten waar hij was. Als Bret het al wist, was hij er niet voor in de stemming het haar te vertellen. Dan was er nog David met zijn passie voor een thuisland in Jeruzalem. Ze had zoveel om over na te denken, om te beslissen, dat ze verlangde naar de rustige sfeer van haar thuis in de veiligheid en de eenzaamheid van de ambtswoning in Port Said.

Bret manoeuvreerde de auto door een nogal smerig, smal, stenen straatje. Allison dacht dat het niet breder kon zijn dan twee of drie meter. Elk moment verwachtte ze de zijkanten van de auto te horen schrapen tegen de chaos van kleine vierkante huizen, die op elkaar gebouwd waren tussen overvolle winkels. Toen werd de straat breder en liep uit in een *soek*, een plein of bazaar stampvol kraampjes. Bret stopte naast een fruitkraam.

Het was nog donker en naar verhouding rustig, hoewel in enkele zaken al voorbereidingen werden getroffen voor de dag. De aromatische geur van gebakken brood hing in de lucht. Enkele ezels die ladingen fruit en groenten droegen die drie keer zo breed waren als hun rug, trippelden naar het eind van de *soek* waar de straat weer versmalde tot vooruitspringende stalletjes. Er waren bedelaars die hun lievelingsplekje voor de nieuwe dag reserveerden door ter plekke te slapen. Ze zag een kat rondsluipen en omhoogkijken naar duiven op een til die op hun beurt minachtend op hem neerkeken. Een hond blafte met een monotoon keffen alsof hij het vooruitzicht verafschuwde van weer een dag met ondraaglijke hitte en vliegen.

Hamid lag te slapen en David bewoog toen Bret zich naar hem omdraaide. 'Hier gaan we uit elkaar,' zei Bret. Hij knikte met zijn hoofd. 'Ga verderop in de straat naar links. Op een wagen ligt een Arabier te slapen. Zeg dat ik je gestuurd heb. Hij spreekt Engels. Hij brengt je naar de auto. Je vindt de sleutels op de binnenplaats bij een deur waar klaprozen groeien. Wacht niet. Rij meteen door. Er is reservebenzine in de kofferbak.'

Emotioneel greep David Brets schouder en zijn ogen glansden warm en bruin. Zonder een woord stapte hij uit en wachtte op Allison. Ze aarzelde, haar ogen zochten die van Bret. Ze keken elkaar aan, maar terwijl zij in het licht van de sterren stond en vreesde dat haar ogen haar verraadden, stond hij in de schaduw van een overdekte kraam en ze kon zijn gezicht niet zien.

'Misschien moet je me helpen met Hamid. Misschien kan ik –'

'Ik heb een vriend hier in Aleppo,' viel hij haar in de rede. 'Een Koerd. Ik laat Hamid bij hem achter. Hij zal voor hem zorgen tot ik terug ben.'

'Dan nemen we nu dus afscheid,' zei ze.

'Het schijnt zo. Dag.'

Als ze verwacht had dat majoor Holden ineens warm en gevoelig zou zijn en de kameraadschap zou tentoonspreiden van twee vrienden die samen zoveel hebben meegemaakt, vergat ze zijn emotionele afstandelijkheid. Hij boog zich over en opende het portier aan haar kant.

Wat is hij arrogant, dacht ze.

'Ik zie je wel in Jeruzalem,' voegde hij eraan toe toen ze uitstapte.

Als die suggestie meer inhield dan een terloopse opmerking, weigerde ze het.

'Ik ga niet naar Jeruzalem, majoor,' verklaarde ze. Of hij het wist of niet, ze had zojuist haar besluit genomen. Ze wilde hem niet meer zien. 'Ik ga naar de Britse consul hier in Aleppo. Ik heb daar toevallig een paar vrienden die hierheen zijn komen rijden van de archeologische hutten. Gegroet,' voegde ze er met opzettelijke onverschilligheid aan toe. Ze sloot het portier en voelde de boosheid op haar gezicht.

Maar ze had pas een paar passen gezet in de richting van de winkel waar David stond te wachten in de schaduw van de kraampjes, toen ze Bret het portier hoorde openen en uitstappen. Met korte, snelle passen haalde hij haar in en onderschepte haar.

'Daar kun je niet heen,' zei hij met gedempte stem.

'Dat kan ik zeker wel en ik doe het ook.'

Hij lachte. 'Je moet naar huis naar Caïro via Jeruzalem, tenzij ik een bootreis kan regelen via Haifa naar Port Said.'

Haar ogen vlogen naar de zijne en ze zag warme vlekjes kobaltblauw. 'Jij hoeft helemaal niks te regelen. Ik ben uitstekend in staat mijn eigen reis af te spreken.'

'Ik snap niet waarom je zo op je teentjes getrapt bent.'

'Ik ben helemáál niet "op mijn teentjes getrapt"!'

'Laten we er niet over strijden,' zei hij met een glimlach. 'Daar heb ik geen tijd voor. Je doet gewoon wat ik vraag. Alsjeblieft.'

Ze zweeg en probeerde haar bonzende hart tot bedaren te brengen. 'Waarom? Waarom moet ik via Jeruzalem?'

Zijn toon was ontwijkend. 'Voor je veiligheid.'

'Maar ik heb het boek niet –'

'Niet over praten,' viel hij haar zacht in de rede. 'Je mag er nooit iets over zeggen, tegen niemand. Begrepen?'

Ze keek rond alsof hij haar had gewezen op een spookachtige schaduw die verstopt achter de stalletjes stond te luisteren. 'Je denkt toch niet –' begon ze, maar hij trok haar naar de motorkap van de auto.

'Je veiligheid kan afhangen van vergeetachtigheid. En ja, ik denk aan jouw veiligheid en aan die van David, Hamid, de mijne, en anderen – vele anderen.'

'Ik begrijp het niet,' fluisterde ze. Onderzoekend keek ze in zijn opzettelijk neutrale blik.

'Weet ik. Ik vraag je me te vertrouwen, Allison.'

Het was een van de weinige keren dat hij haar naam had genoemd. De stilte, de hete, verstikkende lucht van dieren en stof en oude steen leken haar de adem te benemen.

'Ik vertrouw je ook. Zou ik je anders over Leah hebben verteld? Maar ik zie niet in waarom ik mezelf geen plezier mag doen met een comfortabel veren bed en een bad bij de Britse consul. Ik ben gekomen met de Blaines. Waarom zou ik niet met ze teruggaan?'

'Om een eenvoudige reden die ik je nu niet kan uitleggen. Het gaat me niet om generaal Blaine en zijn vrouw, maar je moet daar morgen niet zijn als de Turkse of de Duitse officials verschijnen. Ze zullen overal zitten en antwoorden eisen. Zelfs al doe je of je niks weet van wat er gebeurd is, ze komen erachter dat je met Leah was als ze je daar vinden, als ze dat niet al weten.'

Daar had ze niet aan gedacht. 'Maar als ik niet verschijn of een of andere verklaring geef aan de Blaines, zullen ze dodelijk ongerust over me zijn. Het zijn vrienden van mijn familie, heel betrouwbaar.'

'Ik heb geen reden om daaraan te twijfelen.' Zijn donkere wimpers zakten een beetje. 'Doe maar gewoon wat ik zeg, wil je? We verspillen kostbare tijd. Elk ogenblik dat we hier staan, geeft een voorsprong aan hen die ons willen tegenhouden.'

Opeens voelde ze zich uitgeput en emotioneel leeg. Het zat haar dwars dat haar aanwezigheid een extra risico voor hem betekende. Hij zag het en pakte haar arm. 'Ik wil niet grof klinken, Allison. Het is niet mijn bedoeling je te treiteren, als je dat soms dacht. Het is heel rot voor me jou zo te zien.'

'Goed. Ik zal met David naar Jeruzalem gaan,' zei ze. 'Ik moet mijn bagage hebben. Die zit in de kofferbak van je auto.'

In zijn ogen was een flauwe glans, toen ging hij naar de auto, haalde haar tassen eruit, stapelde ze op naast het stalletje en liep naar het autoportier. Toen hun blikken elkaar kort ontmoetten, was er een schaduw van een glimlach om zijn mond. Zonder dat er nog een woord tussen hen werd gewisseld, stapte hij achter het stuur en sloot zacht het portier. Het volgende ogenblik reed de auto weg door het smalle stenen straatje en verdween om een hoek.

Allison keek het stoffige voertuig na. Ze wist dat het voor de Duitse en Turkse inlichtingendienst een herkenbare auto was. Toch had hij erop gestaan dat David met de tweede auto naar Jeruzalem reed. Ze voelde zich onzeker worden als ze nadacht over Bret. Ze had nog nooit iemand ontmoet als hij en ze wist niet of ze hem beter wilde kennen of volkomen ontwijken.

Ze stond daar nog steeds, zwetend en ellendig, verlangend naar een bad en denkend aan de lange, zware reis naar Jeruzalem, toen David haar bagage verzamelde en met zachte stem haastig zei: 'Kom mee, Allison. Laten we maken dat we wegkomen.'

Het was nog donker, maar de dageraad zat de wegstervende nacht op de hielen. Ze snelden langs de rand van de stalletjes, bewust van het feit dat het stadje begon te ontwaken. Als de zon rozerood opkwam, stroomden de plaatselijke Arabieren naar de *soek*. Enkele kamelen kwamen door de straat met hun last op hun rug en liepen naar het eind van de scherp versmallende straat tussen uitstekende rijen voedselstalletjes. Haveloze kinderen speelden en aten brood als ontbijt terwijl de volwassenen hun stalletjes openden voor de lange verkoopdag.

'Iets verderop moeten we linksaf,' zei David, en naast hem haastte ze zich voort, rondkijkend over de bazaar. Ze was vermoeider dan ze had beseft, want haar plunjezak begon al zwaar te worden. David, die de rest van de tassen droeg, verschoof ze van de ene hand naar de andere.

Ze worstelden zich van het volgepakte plein af en draaiden een smalle, gegroefde straat in waar het zonlicht nu brutaal op het stof brandde.

'Er zijn zoveel Arabieren met een wagen,' zei ze. 'Hoe weten we welke het is?'

Ze hadden nog niet ver gelopen toen ze bij kleine huisjes kwamen die gedeeltelijk gemaakt waren van leem.

'Dat moet hem zijn. Hij is de enige die ligt te slapen op een wagen. We zullen het gauw weten.'

'Of in de val lopen.' Allison aarzelde terwijl David naar de Arabier toe ging en in het Engels de naam van Bret Holden noemde.

De man was klaarwakker. Dat was hij misschien al die tijd al geweest. Hij klom van het houten geval af, riep 'Allo' tegen haar en 'Goedemorgen'.

David gooide de tassen achterin en de Arabier ging op de bok zitten om de ezels te mennen. Allison stapte op de wagen om op de rand te gaan zitten en David sprong achterop toen de ezels weg draafden, poederig donkergeel stof opstuivend met hun hoeven.

Ze arriveerden sneller bij de plaats waar de auto stond

dan ze verwacht had, en ze keek nieuwsgierig om zich heen. Er was weinig leven te zien op de binnenplaats bij het achterhek waar ze gestopt waren. Op het eerste gezicht leek het hek nergens heen te leiden. Ze verwonderde zich over de smorende hitte die al opgesloten was binnen de hoge, witgewassen muren. In de lucht hing de geur van kippen en geiten. Toen zag ze hem, geparkeerd in wat donkerblauwe ochtendschaduw – een kleine auto. De Arabier liet hen alleen en David ging snel naar de schuilplaats, haalde de sleutels bij de muur waar overvloedig klaprozen groeiden. Het was een chic klein autootje, Engels, veronderstelde ze. Ze vroeg zich af van wie hij was. Van Bret? Had hij een huis in Aleppo? Het volgende moment zaten ze in de auto en liep de motor als een zonnetje. David keek haar grijzend aan.

'Deze week in Jeruzalem,' zei hij.

11

Toen Allison de vogels hoorde die hun ochtendbad namen in de fontein van de tuin en het zonlicht naar binnen zag gluren door de rotan jaloezieën in de kleine slaapkamer, herinnerde ze zich waar ze was. Ze tilde haar hoofd op, helemaal wakker nu, en rook de vers gezette koffie en gebakken eieren. Haar gezicht verzachtte door een glimlach toen ze rechtop ging zitten, het dunne dekbed opzij sloeg en haar peignoir van het voeteneind van het bed griste.

Ze was te gast in het huis van mevrouw Rose Lyman, een joodse vrouw van middelbare leeftijd met donkerbruin haar en vriendelijke ogen. Haar warme gastvrijheid gaf Allison bijna het gevoel dat ook zij joods bloed had en naar huis was gekomen om familie te bezoeken.

Toen drong het tot haar door: *Ik ben in Jeruzalem, de stad van de grote Koning, het land waar mijn Heer mijn Heiland werd.*

Ze verroerde zich niet, want haar hart bonsde toen ze de volle betekenis van de plaats waar ze was tot haar ziel liet doordringen. Een leger van Bijbelse helden marcheerde door haar hart: Abraham en Sara, Izaäk, Jakob, Samuël, David, Jesaja, Petrus, Jacobus, Johannes, de apostel Paulus, de vervolgde Kerk.

Nu doemde de oorlog op aan de horizon van Palestina. Wat wachtte er in de wervelwind van stof en zand en in Gods doelen voor de historie?

Ze keerde haar hoofd naar het open raam waar de vogels haar zingend toejuichten. Het was avond geweest toen David en zij aan kwamen. De stad had oud geleken, stoffig en niet veel anders dan Aleppo. Maar het was anders. Dit was de uitverkoren stad, gekozen door God in het verleden, gekozen door Hem voor de toekomst. Naar deze geliefde stad zou Jezus Christus op een dag terugkeren en regeren. Op een glorieuze dag.

Ze herinnerde zich hoe moe ze gisteravond was geweest, maar zelfs toen had de vermoeidheid haar groeiende enthousiasme hier te zijn niet kunnen dempen. Ze was nu blij dat majoor Holden erop gestaan had dat ze ging. Ze herinnerde zich hoe mevrouw Lyman haar uitgenodigd had zolang te blijven als ze wilde, en David ook. Hem had Rose Lyman natuurlijk verwacht. Hij had haar geschreven vanuit Londen en ze had met hem gecorrespondeerd zoals een moeder haar afwezige zoon schrijft, hem verteld van het politieke klimaat in Jeruzalem, van de groep joden die werkte aan een mate van onafhankelijkheid en regering van henzelf in de stad. David Ben-Goerion was hun woordvoerder en meneer Ben-Goerion kende belangrijke mensen in de Engelse regering – lord Balfour, Chaim Weizman en anderen die welwillend tegenover het zionisme stonden.

Gisteravond had ze hun verteld dat ze meneer Ben-Goerion zouden ontmoeten. Misschien over een dag of twee, zo gauw het veilig leek voor een bijeenkomst bij haar thuis. De Turkse officials waren faliekant tegen een onafhankelijkheidsbeweging van joden of Arabieren, had ze gezegd. Ze behandelden beide groepen als verschoppelingen en zetten veel Arabieren uit Turkije, die zich ook georganiseerd hadden voor vrijheid van het Ottomaanse rijk, in de gevangenis.

Allison keek rond in de sprankelende kamer met witte katoenen gordijntjes, handgemaakte meubels en een vaas met gele rozen uit de tuin van mevrouw Lyman. Een schotel met vijgen, dadels en repen met sesamzaad stond op een olijfhouten tafel.

Allison haalde diep adem en liep naar de deur. Gisteravond had mevrouw Lyman haar verteld dat de deur uitkwam op een stenen trap die Allison op het platte dak bracht, dat gebruikt werd als terras. Daar kon ze uitkijken over het Oude Jeruzalem. Misschien kon ze zelfs de plaats van de Tempel zien.

Allison wist niet wat ze moest verwachten toen ze de trap opklom, met de heldere zonneschijn van Jeruzalem strelend over haar hoofd en rug als een warme zegen. Ze glimlachte in zichzelf. Dacht ze dat ze terug in de tijd kon reizen om de Here te zien die op een ezel de stad binnenreed? 'Hosanna,' fluisterde ze. 'Hosanna aan de Zoon van David, aan de Zoon van God.'

Maar toen ze het dak bereikte waar een paar tafels en stoelen gezellig waren neergezet, verdween de glimlach van haar gezicht. De Rotskoepel, het moslimheiligdom, schitterde brutaal vanaf de plaats waar eens de Tempel had gestaan. Langs de horizon waren hier en daar minaretten te zien en in haar oren klonk de ongewenste kreet van de muezzin, die de moslims opriep voor het gebed.

Ze stond er nog steeds toen een kinderstem haar gedachten onderbrak. 'Fijne morgen, juffrouw Allison. Mijn moeder zegt komen. Het is tijd voor ontbijt. En ze heeft een verrassing voor u. Ik weet wat het is, maar ik mag het niet zeggen.'

Allison keerde zich af van de reling met een glimlach gemengd met droefheid. Mevrouw Lymans kleine jongen, Benjamin, bekeek haar met onverholen nieuwsgierigheid in zijn zachte bruine ogen. Het was een aantrekkelijk kind, maar klein voor zijn twaalf jaar. Hij was nu een 'zoon van de wet', had hij haar gisteravond verteld, omdat hij vorige week zijn bar-mitswa had ondergaan en delen uit de Thora kon opzeggen. Trots had hij verkondigd dat hij in Jeruzalem geboren was. 'Maar moeder is in New York geboren. We zijn hier bij oom Samuël komen wonen. Vroeger was hij rabbijn, maar nu niet meer. Dat mag niet van ze. Zelfs mijn bar-mitswa moest in het geheim worden gedaan. Maar meneer Ben-Goerion zegt dat alles zal veranderen. Denk jij dat ook, Allison?'

Ze had geglimlacht. 'Moge God het geven, Benjamin. Maar wat is er in New York met je vader gebeurd?'

'Hij is gestorven door een ongeluk in het pakhuis waar ze shirts maken. Ik weet niet precies hoe, maar hij is in een machine gekomen.'

Mevrouw Lyman riep van beneden op de kleine stenen binnenplaats achter het huis. 'Benjamin? Heb je juffrouw Allison gevonden?'

Hij rende naar de reling en gluurde eroverheen. 'Ja, we komen eraan. Ik heb haar verteld dat je een verrassing voor haar had.'

Hij keek Allison aan en glimlachte. 'Vlug maar.'

'Doe ik!' Aangestoken door zijn opwinding, daalde ze vlug de trap af naar haar kamer om zich aan te kleden.

Tien minuten later opende Allison de deur naar het hoofdgedeelte van het huis en werd begroet door de huiselijke geur van wafels.

'De Sabbat is voorbij,' zei Benjamin, haar tegemoetkomend, 'daarom mogen we wafels met honing eten. Dat vind ik het allerlekkerst.'

Ze volgde de jongen door een kleine zitkamer naar de eetkamer die uitkwam op de binnenplaats. De citrusbomen die in tonnen groeiden waren groen, met wasachtige bladeren, en de ovale vormen van sinaasappels en limoenen waren erin genesteld, klaar om geplukt te worden. Een kruidentuin groeide in een keurig houten vierkant en vertoonde verschillende tinten groen, grijs en rood. Toen stond ze verbijsterd stil.

'Neal?' was haar ademloze vraag, alsof ze een luchtspiegeling zag. De man die daar stond, was geen luchtspiegeling. Zijn dikke, zandkleurige haar dat de kraag raakte van zijn katoenen shirt moest geknipt worden. Onder zware goudbruine wimpers waren dezelfde lichtblauwe ogen als die van Leah. Zijn door de woestijn gebruinde gezicht weerspiegelde het gezonde, knappe uiterlijk dat afkomstig was van zijn overleden vader.

'Ik dacht wel dat de geur van mijn kookkunst je wakker zou maken. Goeiemorgen, jij lui wezen.'

Ze liet een kreet ontsnappen en er verscheen een lach op haar gezicht toen ze uitriep: 'Neal!'

Hij lachte, spreidde zijn armen uit om haar een broederlijke knuffel te geven toen ze op hem toe rende. 'Welkom in ons thuis weg van thuis. Ik zie dat Rose het je gemakkelijk heeft gemaakt.'

'O, wat heerlijk om je te zien, Neal. Hoe durfde je ons zo te laten schrikken met je verdwijning uit Aleppo!'

'Ach, ja. Dat zal ik je op een keer uitleggen.'

'Ik neem aan dat dit niet het juiste moment is,' zei ze. 'Nog meer geheimen zeker. Nou ja, ik leer er al mee te leven, maar het valt niet mee. Je had ons best kunnen laten weten dat je veilig was.'

'Ja, dat spijt me. Maar David zei dat je majoor Holden ontmoet hebt.'

Ze keek hem aan en vroeg zich af of dit zijn manier was om te vragen hoeveel ze wist. 'Ja, een man die van alle markten thuis is,' zei ze veelbetekenend, denkend aan zijn rol als kolonel en nu Brits majoor bij de inlichtingendienst van Caïro. 'Is er al bericht van zijn aankomst?'

'Dus je weet het,' zei hij zacht. 'Ik wist het niet zeker. Dus hij heeft het je verteld? En Leah?'

Leah. Natuurlijk had David het hem verteld. Maar zijn uiterlijke verschijning weersprak ieder verdriet om zijn zuster en ze verstrakte, dacht dat hij het niet wist. Kennelijk was David niet in staat geweest zich ertoe te zetten het Neal te vertellen en had hij besloten het aan haar over te laten.

'Leah heeft uitgelegd wat ze veilig vond om te onthullen. Majoor Holden heeft David en mij geholpen te ontsnappen uit Jerablus, maar hij werkt niet erg mee om me te informeren.'

'We verwachten hem vanavond, als alles goed gaat,' zei Neal.

Als alles goed gaat. Alstublieft, God, het moet. Bescherm hem alstublieft.

Ze was dankbaar voor de afleiding in de vorm van een kop hete thee die Neal haar gaf. Hij bekeek haar aandachtig, alsof hij raadde dat ze akelig nieuws had maar nog niet klaar was om het te vertellen.

'Bret wordt gestationeerd in Caïro,' vervolgde hij. 'Dus we zullen hem wel veel vaker zien, vooral als er oorlog uitbreekt. Je krijgt meer dan genoeg gelegenheid om te weten te komen wat er speelt. Helaas hebben noch Leah noch ik de vrijheid er gedetailleerd op in te gaan. Bret zou het kunnen, als hij wilde. Misschien wil hij niet dat je erbij betrokken raakt. De mensen van de inlichtingendienst kunnen meedogenloos zijn als het erop aankomt loslippigheid de kop in te drukken. Ik kan een paar dingen uitleggen en dat zal wel wederzijds zijn. Maar dit is niet het juiste moment. We praten later, als we weg kunnen komen.'

Ze knikte dat ze het begreep en streek met afgewende blik langs de hete theekop.

David kwam met mevrouw Lyman en Benjamin binnen vanaf de binnenplaats.

'Ik hoop dat Neal maakt dat je je thuis voelt,' zei de glimlachende vrouw tegen Allison. 'David en ik wilden jullie even wat tijd alleen geven, maar Benjamin was zo benieuwd hoe je reactie is op onze verrassing. Je zou denken dat hij het alleen voor jou geregeld had.'

'Ik ben verrukt,' zei Allison met een lach. 'Te zien dat Neal gezond en wel is en bezig met zijn favoriete tijdverdrijf, heeft me weer wat blijdschap teruggegeven.'

'Mijn favoriete tijdverdrijf is eten, niet koken,' zei Neal luchtig, terwijl hij de spatel gebruikte om de koek deskundig om te draaien. Benjamin klapte in zijn handen en Neal zei tegen Allison: 'En deze, nicht, zijn met recht verrukkelijk. Als je nooit aardappellatkes hebt geproefd met een beetje jam van Rose, dan heb je niet geleefd.'

'Meestal eten we ze met chanoeka,' zei Benjamin, en hij citeerde: '"De Tempel werd belegerd en er was net genoeg olie om haar voor één dag te verlichten. Maar door een wonder duurde het acht dagen.'" Hij lachte. 'Het vet waarin ze gebakken worden is een symbool voor de olie.'

'Ik ben uitgehongerd,' zei Allison met een lach. 'Wanneer gaan we ze proeven?'

Neal keek naar de deur. 'Zo gauw die zus van me uit bed rolt. Of heeft Leah besloten tot een uur of twaalf te slapen?' Hij keek naar Benjamin. 'Benny, waarom ga jij niet 's even kijken waar Leah blijft?'

Met een scheut van pijn zochten Allisons ogen die van David.

Davids ontweek haar blik. Allisons gezicht moest zichtbaar veranderd zijn, want zelfs mevrouw Lyman schrok. Ze keek neer op Benjamin en zei: 'Ik moet wat sinaasappels hebben. Wil je me even helpen?'

'Maar er staat een hele zak vol op de –'

'Benjamin,' zei ze rustig maar onvermurwbaar, 'ik heb je hulp nodig. Kom mee, zoon.'

'Ja, moeder, maar –'

Ze trok hem mee en ze liepen de binnenplaats op waar de mussen luid zaten te tsjilpen en van boom tot boom vlogen. David liep naar de openstaande deuren en ging met zijn rug naar hen toe naar buiten staan staren.

Neal voelde de spanning en keek Allison aan. 'Wat is er?' vroeg hij zacht.

'O, Neal!' Haar stem begaf het.

Bijna onmiddellijk smeet Neal de spatel neer en rende naar de zitkamer, op weg naar de slaapkamer alsof hij met eigen ogen moest zien dat Leah er niet was.

Allison draaide zich om en rende achter hem aan, maar hij stond al stil in de zitkamer alsof hij een rem op zijn emoties zette. 'Is ze er niet?' hoorde ze hem verbijsterd zeggen.

'Nee,' fluisterde ze. 'Ik dacht dat je het wist. Ik dacht dat David het verteld had.'

'*Wat* verteld? Ik dacht dat ze bij jou op de kamer sliep.'

Allison keek hem wanhopig aan. Wat kon ze zeggen? Wat voor troost had ze te bieden? 'Leah is dood.'

Hij bewoog niet en één seconde dacht ze dat hij haar niet gehoord had. Bijna wilde ze het herhalen, maar toen zag ze de pijn doorbreken in zijn blauwe ogen.

'God,' fluisterde hij schor, eerbiedig als in gebed, 'waarom?' Hij zonk neer in een stoel, het hoofd in de handen.

Ze ging naar hem toe en knielde naast hem neer, haar handen op zijn arm. Tranen stroomden over haar gezicht, nu meer om Neals verdriet dan om wat voor Leah onherroepelijk was.

Na een paar minuten zei hij met gebroken stem: 'Hoe is het gebeurd? Of is het stom om dat te vragen als ik al weet hoe het gegaan moet zijn.'

'Ze – we vonden haar bij de Romeins-Syrische opgravingen, de verlaten plek in de buurt van de vakantiehutten,' verklaarde ze. 'Ze zeiden dat het een ongeluk was…'

Zijn blik zocht de hare. Ze wist dat hij het begreep. Het was geen ongeluk. Bleek en gespannen wachtte Allison tot hij zich enigszins herstelde.

'Weet Bret het?'

'Ja, hij denkt hetzelfde als wij. Neal, ze is vermoord door de vijand. Dezelfde vijand die de man doodde die jij die nacht bij de hutten zou ontmoeten, Karl Reuter.'

'Hoeveel weet jij van dit alles, Allison?'

Ze keek rond in de stille kamer. 'Kunnen we hier veilig praten?'

'Rose is een van ons.'

'Dat dacht ik al toen David zei dat hij met haar gecorrespondeerd had over de zionistische beweging. De wapens en de munitie, zijn die voor vrienden hier in Palestina?' fluisterde ze.

Zijn hand sloot zich om de hare. 'Niet nu. Vertel me over Leah, over hoeveel je hiervan weet.'

Hoe ze hem ook vertrouwde, ze voelde zich geremd om het boek te noemen. Ze dacht aan wat Leah had gezegd over veiligheidsmaatregelen die zelfs noodzakelijk waren als ze met haar eigen broer te maken had. Ze liet het aan

Bret, als Neals superieur, over om het te vertellen als hij wilde. Ook Bret had gezegd dat ze haar mond moest houden.

'Ik weet evenveel als Leah. Ze kon zich tot niemand anders wenden. Ik moest haar helpen. Ik heb haar twee dagen verborgen gehouden in mijn hut, totdat –' Ze zweeg toen hij kermde.

'Ze had je er niet in moeten betrekken. Het is gevaarlijk, zoals je nu onderhand weet.'

'Dat heeft Bret me verteld. Nou, ik ben erin betrokken, daar is niks meer aan te veranderen. We zullen zo goed mogelijk door moeten gaan.' Ze stond op en beende heen en weer terwijl ze hem alles vertelde wat er gebeurd was, eindigend met de aanval van de Duitsers die hen volgden op de weg van Jerablus.

'Ze waren Bret op het spoor,' zei hij. 'De echte kolonel Holman zal aangekomen zijn uit Constantinopel. Jullie vieren mogen van geluk spreken dat je er zo afgekomen bent. David vertelde me over Hamid, maar hij denkt dat hij het wel overleeft.' Hij stond op en liep rond in de kamer. 'Maar ik ben niet tevreden voordat Bret arriveert. Die auto valt op. De Duitsers zullen alles en iedereen getelegrafeerd hebben om hem koste wat het kost aan te houden. En nu heeft hij de wapens en de munitie.'

Ze slikte, dacht aan de lange tocht door de woestijn.

'Vertel me meer over Leah,' zei hij. 'Wat deed ze daar alleen bij de verlaten opgravingen?'

'Ze vertrok die nacht dat we samen waren op weg naar een ontmoeting met jou.'

'Met mij?' vroeg hij ongelovig. 'Mijn orders waren het gebied onmiddellijk te verlaten. Zo gauw onze agent gedood was, zijn de plannen veranderd. Bret moest het overnemen. Leah had dat moeten weten. We hadden eerder plannen gemaakt. Als een van ons in de val zat, moesten de anderen vlug maken dat ze wegkwamen. Ik dacht dat ze naar Damascus ontsnapt was.'

'Damascus? Daar heeft ze het nooit over gehad. Weet je het zeker?'

'Natuurlijk.'

'We hebben gewacht tot we iets van je hoorden. Vreemd, maar ze dacht dat ze reden had om te verwachten dat jij contact met haar zou opnemen.'

'O ja? Dat is inderdaad vreemd. Ik kan het niet begrijpen. We hadden onze orders. Wat heeft majoor Holden je verteld?'

'Niets. Weet hij het? Over Damascus, bedoel ik?'

'Ik zou het wel denken. Hij zit hoger in de organisatie dan Leah en ik.'

Verbijsterd schudde ze haar hoofd. 'Ik weet het niet. Ze verwachtte jou. Het was een van de redenen dat ze niet vertrok.'

'Een van de redenen? Was er dan nog meer?'

Ze keek naar hem. 'Ze had het idee dat de agent een of andere boodschap voor haar achtergelaten had.'

'Reuter? Ja. Die was voor mij bedoeld. Nu snap ik het. Leah zou natuurlijk verplicht zijn het op te pakken waar ik gebleven was. Als mij iets overkwam, lag het op haar bordje. Maar ik wist dat Bret kwam om mijn plaats in te nemen. Ik had gehoord hoe gekwalificeerd hij was. Hiervóór had hij in Constantinopel gewerkt en in Bagdad. En ik dacht dat Leah meteen naar Damascus ontsnapt zou zijn.'

Vermoeid zonk Allison in de stoel. 'Het schijnt dat we allemaal langs elkaar heen gewerkt hebben, hè? Bret wist ook niet dat Leah er was. Als hij dat had geweten, had ze nu misschien nog geleefd.' Ze keek Neal aan door de kamer, zijn gezicht was vertrokken en er stond verdriet in zijn ogen. 'Tot het allerlaatste moment verwachtte ze dat je kwam opdagen.'

Hij kreunde. 'Ze was rijp voor een val. Ik weet niets over die boodschap, Allison. Ik zou haar nooit hebben weggelokt van de hut, laat staan hebben gevraagd me ergens alleen te ontmoeten met de informatie.'

'Ze geloofde het. Voor het eerst sinds haar aankomst was ze ontspannen en hoopvol. Ze zei steeds maar dat jouw contactpersoon gearriveerd was, dat gauw de vreselijke last van haar af getild werd. Ze verwachtte met mij terug te gaan naar Caïro.'

'De contactpersoon was inderdaad aangekomen,' zei Neal vermoeid. 'Maar niet zoals zij dacht. Bret kwam als kolonel Holman. Arme meid, ik heb haar in de steek gelaten.'

'Nee, Neal, hoe moest jij weten dat zij daar was? Ook Bret handelde alleen naar de kennis die hij op dat moment had. Het is niemand kwalijk te nemen. Leah ook niet. Ze was dapper en toegewijd, en ze gaf haar leven omwille van Engeland. Het is aan ons om te zorgen dat ze niet voor niets gestorven is.'

Hij keek haar aan. 'Het bevalt me niet zoals je dat zegt. Keurt Bret het goed dat jij hierin betrokken bent?'

'Je zou beter moeten weten dan die vraag te stellen.'

Hij glimlachte zwak. 'Je hebt gelijk. Natuurlijk niet. Nou, mooi! Hoe sneller je veilig thuis bent op de boot van tante, hoe liever het mij is. Jij bent nu alles wat ik nog over heb, weet je, nu Leah —' Hij zweeg. 'Ellendige ontwikkeling! Waarom moest het Leah zijn? Ik had het moeten zijn. Ze verving mij!'

Allison ging naar hem toe. 'Je moet jezelf niet de schuld geven. Je volgde orders op. Ik heb begrepen dat het absoluut cruciaal is orders op te volgen van je superieur. Er is weinig ruimte om zelf beslissingen te nemen, vooral niet om uit persoonlijke overwegingen informatie in gevaar te brengen. O, Neal, jij dacht dat ze in veiligheid was. En als ze gestorven is in jouw plaats, nou, ze was er toch toe bereid?'

'Misschien. Maar ze dacht dat ze mij zou ontmoeten. Ze vertrouwde me en ik was er niet!'

Allison hield haar neef vast, zijn lichaam schokte van het snikken. 'O, Leah, mijn arme kleine zusje, helemaal alleen in die woestijn met die moordenaar.'

Allison leidde hem naar de stoel en hield zijn blonde

hoofd tegen zich aan tot zijn snikken wegebde en hij stil werd.

Er gingen minuten voorbij voor een van beiden weer sprak. Toen Neal dat deed, was zijn stem weer vast, hij had zijn emoties onder controle. 'Dus zo hebben ze haar daarheen gelokt. Ze lieten haar denken dat ik aangekomen was. Slim van ze. Wat heeft ze je nog meer verteld?'

Allison keek hem aan. 'Ze moest jou de informatie brengen die Karl Reuter voor je in zijn hut had achtergelaten.'

Neal fluisterde iets onverstaanbaars. 'O ja?'

Allison aarzelde. Hoeveel moest ze hem vertellen? Hoeveel moest ze weglaten? Dit was haar geliefde neef. Ze vertrouwde hem haar leven toe. Toch mocht ze niets over het boek zeggen.

'Ze had een tas bij zich.'

'Weet je wat erin zat?'

'Nee,' zei ze naar waarheid. 'Ze was voorzichtig.'

'Dan hebben zij het,' zei hij vermoeid. Hij zakte in een stoel en verzonk in stilzwijgen.

Misschien niet, wilde ze zeggen.

'Die avond,' zei Neal nadenkend, 'toen ze jou achterliet in de hut om naar mij toe te gaan, hoe laat ging ze toen weg?'

'Rond een uur of twee, denk ik, toen het heel donker was. Ze moeten haar bedreigd hebben met een wapen en haar gedwongen hebben naar de verlaten opgravingen te rijden. Daar hebben ze de informatie afgepakt en haar gedood.' Allison slikte, ze zag het voor zich. 'Toen ze weg was, hoorde ik een geluid, alsof iemand in Reuters oude hut geweest was en ons afscheid had gehoord.'

Neal liep naar het raam en zonder de jaloezieën te bewegen staarde hij uit over de binnenplaats.

'Het is nu voorbij,' zei hij grimmig. 'Er valt weinig meer te hopen behalve de veilige aankomst van Bret Holden.'

In de nare stilte die volgde, maakte Allison zich weer ongerust om de veiligheid van Bret. Toen kwam David binnen.

'Het spijt me,' zei hij, zijn handen in de lucht. 'Ik zag het niet zitten om hem over Leah te vertellen. Maar goed,' zei hij half brommend, 'het kan toch maar het beste van een familielid komen. Ik kende haar nauwelijks.'

Neal keek hem aan. 'Kende haar nauwelijks? Ik dacht dat je mijn zuster helemaal niet kende.'

'Ik heb het niet verteld, maar ik ontmoette haar toen ze aankwam bij de hutten, voordat de clubleden kwamen. Ze was er vroeg heen gereden, zei ze. Ze was gastvrouw of zoiets. We hebben een poosje gepraat, dat is alles; toen ben ik weggegaan.'

Allison fronste. 'Maar je kwam toch pas de volgende dag, de dag na de dood van majoor Reuter. Weet je nog? Ik kwam je tegen toen ik uit de hut kwam.'

Hij glimlachte slinks. 'Ik heb je nogal misleid, Allison. Het spijt me. Ik wist niet dat je de ware reden kende van mijn komst. Ik wist niet of ik je kon vertrouwen of niet.'

'Nou, hartelijk bedankt,' zei ze, haar armen over elkaar slaand.

'Je weet best wat ik bedoel,' haastte hij zich te zeggen. 'Ik was gekomen om majoor Holden te ontmoeten en dat moest geheim blijven. Er stonden levens op het spel en ik wilde je niet in gevaar brengen. Daarom zei ik dat ik professor in de archeologie was. Dat leek me gepast met dat genootschap en zo. Ik had geen idee dat jij al betrokken was bij iets dat nog gevaarlijker is dan een aflevering van wapens en munitie. Ik begon te vermoeden dat Leah in je hut zat, en ik voelde dat het iets te maken had met de dood van de Duitse officier, maar ik wist niet wat. Ik had er geen idee van dat Bret zich voordeed als kolonel Holman tot hij en een stel Koerdische soldaten me redden van die Mustafa met die hangsnor! Die vent zou ik nog wel eens willen tegenkomen. Ik zou hem z'n hersens inslaan.' Hij raakte de zijkant van zijn hoofd aan waar hij een mep had gehad.

Allison wist niet hoeveel David wist, maar het scheen dat

hij nauwer betrokken was bij Bret Holden dan ze had gedacht.

Neal scheen te weten wat ze dacht en zei zacht: 'Onze connectie met David is een tweesprong in de weg van wat er aan de gang is aan de Berlijn-Bagdad-spoorweg. Het enige wat hetzelfde is, is onze buitengewoon grote belangstelling om Duitsland en Oostenrijk te verslaan als de oorlog uitbreekt en zich uitstrekt tot Arabië.'

'De wapens en munitie,' vroeg ze, 'waarvoor zijn die? Een verzetsleger?'

'Niet precies.' Hij keek naar David.

'Ze kan het net zo goed weten,' zei David. 'Ik denk niet dat majoor Holden dat erg vindt. Ze staan in verband met de zionistische beweging, met banden naar Ben-Goerion en anderen hier in Jeruzalem en elders.'

'Bedoel je majoor Holden?' vroeg ze verrast.

'Privé deelt hij onze dromen. Maar militair? Nee, hij is er alleen door vriendschap mee verbonden. Hij heeft zijn eigen orders.' Davids bruine ogen werden ernstig en intens toen hij zich vooroverboog in zijn stoel. 'Je kent onze passie voor een thuisland. Joden zoals ikzelf en Rose en de anderen zijn bereid te vechten en te sterven om een thuis te maken hier in het land dat God ons gaf. We willen enige onafhankelijkheid van de Turken, net als de Arabieren hier. Rose zegt dat er al een paar leiders zijn gearresteerd door de Turken. Eén publieke demonstratie van onze kant, en de Turken zullen ons onmiddellijk oppakken en gevangenzetten.

Rose, mevrouw Lyman, is een van ons, een vriendin van Bret. Het was Bret die me in Londen over haar vertelde toen we elkaar die avond ontmoetten op die zionistische bijeenkomst. Mevrouw Lyman heeft aangeboden de Britse regering te dienen als spion hier in Palestina, mocht de oorlog uitbreken. De wapens en munitie zijn voor onze persoonlijke bescherming tegen de Turken of de Duitsers, als het zover komt. Dat hebben we aan majoor Holden te danken. Hij heeft het geregeld. Hoe, dat zul je hem moeten vragen.' David glimlachte enthousiast.

'Spion? Mevrouw Lyman?' vroeg Allison. Het was moeilijk voor te stellen dat de hartelijke joodse moeder van middelbare leeftijd spion voor Engeland was.

'Ze is niet de enige. We hebben een spionnenring gevormd. Rose is een van de leiders. Welke spion is er beter dan een moeder die lekkere kippensoep kan maken, vraag ik je?'

'Ik vind het fantastisch,' fluisterde Allison, als altijd ontroerd door opoffering en moed in anderen. Ja, wie zou een vrouw van middelbare leeftijd verdenken? En Leah had natuurlijk haar deel bijgedragen, ze had haar leven gegeven.

'Rose biedt ook haar diensten aan op het gebied van geografie,' zei David. 'Ze is deskundig als het over Palestina gaat. Ze zal de Britse troepen helpen en waterbronnen voor hen in kaart brengen, als het oorlog wordt. De Britten hopen dat Turkije niet zal binnenvallen aan de zijde van Duitsland, maar ze willen er klaar voor zijn.'

'En jij?' vroeg ze. 'Blijf jij nog hier?'

'Ik ben gekomen als familielid uit Londen, en ik heb banden met haar familie in New York. Ik blijf hier wonen, helpen op alle manieren die ik kan. Ik verwacht me bezig te houden met Ben-Goerion en de beweging.'

'Een beweging,' zei Neal zacht, 'die in een tragedie zal eindigen voor elke jood als de Turken lucht krijgen van de politieke bijeenkomsten. Ik heb vanmorgen net bericht gekregen dat generaal Pasja is aangekomen uit Constantinopel om er onderzoek naar te doen. Er zijn arrestaties ophanden.'

'Die beroerde Turken,' zei David bitter. 'Ik kijk uit naar de dag dat ze Jeruzalem uitgeschopt worden. Het zijn nieuwe, harde opdrachtgevers. Ze zouden ons allemaal stenen laten bakken zonder stro, als ze konden. Ik zal het eerlijk toegeven: ik hoop dat Turkije aan de zijde van Duitsland deelneemt aan de oorlog. Dan hebben wij de vrijheid om tegen ze te vechten tot we ze weer over de Bosporus terug schoppen.'

'Je zult het me niet kwalijk nemen dat ik het niet met je eens ben,' zei Neal. 'Althans wat betreft deelname van Turkije aan de oorlog. Als ze de kant van Duitsland kiezen, dan ligt er een lange en ellendige oorlog voor ons, hier in Palestina, Arabië en Europa.'

'Laat maar komen,' hield David vol. 'Ik ben er klaar voor.'

Allison verschoof onrustig, ze dacht aan de dood en verschrikking die de wereld zouden overspoelen als de oorlog kwam. Toch, als ze naar David keek en de hartstocht in zijn ogen zag voor een joods land, wist ze dat ze de zaak zou steunen als ze kon. Kleine Benjamin kwam binnen en David stond op en trok hem met plots enthousiasme in zijn armen.

'Omwille van hem, omwille van de kinderen, moeten we ons eigen land hebben. We moeten een plek hebben om te wonen, om jood te zijn, om de God van Israël te aanbidden, en op een dag, ja, onze Tempel te bouwen als de Tempel van Salomo. Het zal gebeuren. Zo zeker als zon en maan aan de hemel staan. God heeft het beloofd! Als de Turken, de Duitsers of de moslims ons van het aangezicht van de aarde willen wegvagen, wat moeten ze dan eerst doen, Benjamin?'

Benjamin keek naar hem op, zijn bruine ogen glansden. 'Ik kan het opzeggen, David. Ik ken het uit mijn hoofd. Het is uit de Psalmen. "Indien zijn zonen Mijn wet verlaten, en niet naar Mijn verordeningen wandelen; indien zij Mijn inzettingen ontwijden, en Mijn geboden niet onderhouden, dan zal Ik hun overtreding met de roede bezoeken, en hun ongerechtigheid met plagen; maar Mijn goedertierenheid zal Ik hem niet onthouden, Mijn trouw zal Ik niet verloochenen, Mijn verbond zal Ik niet ontwijden, noch veranderen wat over Mijn lippen gekomen is. Eenmaal heb Ik bij Mijn heiligheid gezworen: Hoe zou Ik tegenover David liegen! Zijn nakroost zal voor altoos bestaan, zijn troon zal als de zon vóór Mij zijn; als de maan zal hij voor altoos vaststaan, en de getuige aan de hemel is getrouw."'

'Psalm 89,' zei Allison, die de passage herkende. 'Om van Israël af te zijn moet de vijand eerst de zon en de maan van de hemel halen.'

'Dat zullen ze nooit doen,' zei Benjamin ernstig.

Allison glimlachte naar hem. 'Niet zolang er een God in de hemel is. Je hebt gelijk.' *Een getrouwe God*, dacht ze diep geroerd. *En als God getrouw is aan het ontrouwe Israël, dan zal Hij ook getrouw zijn aan mij, die soms ontrouw ben. Wat een liefhebbende Heiland, wat een God van genade.*

'Je huilt, Allison,' zei Benjamin. 'Waarom?'

David sloeg zijn arm om de jongen heen en liep met hem naar de eetkamer terug. 'Je stelt te veel vragen. Kom, Benny knul, laten we die latkes eens proberen met je mama's jam. Kom je, Allison? Neal? Als jullie niet komen, kan ik niet beloven dat we er een paar voor jullie bewaren.'

Tegen de avond was Bret nog niet gearriveerd en hun spanning nam toe. Was hij ontsnapt uit Aleppo? Als de Duitsers hem eens overvallen hadden? Er kon van alles fout gegaan zijn. Toen het ochtend werd, was de stemming in het kleine huis gedrukt.

'Ik heb het nog niet opgegeven,' zei Neal met een blik op de ernstige gezichten rond de tafel. 'Majoor Holden is geen groentje. Hij heeft in het verleden gevaarlijke momenten overleefd. Hij is een professional, beter dan wij hier allemaal. Als het mogelijk is erdoorheen te komen, dan doet hij het. Het is te snel om de hoop op te geven.'

David stond onrustig op. 'Ik ga een poosje naar buiten. Er gaan geruchten over meer aanhoudingen. Ik wil Ben-Goerion spreken.'

'Wees voorzichtig,' zei Rose. 'Als er arrestaties worden gedaan, is het geringste probleem al een excuus.'

David lachte kort. 'Denk je dat ik het in mijn eentje tegen de Turken wil opnemen? Ik wil alleen eens kijken wat ik te weten kan komen.'

'Wees voorzichtig,' zei ze nog een keer.

Toen David weg was, ging Rose naar haar kleine kantoortje om aan haar kaart te werken terwijl Benjamin met zijn vriendjes ging buitenspelen. Allison was alleen met Neal. Ze stuurde het gesprek weg van de donkere vooruitzichten. Ze kon zien dat hij die nacht niet goed geslapen had. Hij had waarschijnlijk aan Leah liggen denken en zichzelf de schuld gegeven door alle dingen door zijn gedachten te laten malen die hij anders had kunnen doen.

'Je weet denk ik wel dat onze lieve tante Lydia je ontzettend mist,' begon Allison. 'Ze zou dolgelukkig zijn als je met me mee terugging voor een bezoekje. Moeder en vader hebben je ook gemist. Het zou je veel goed doen om eens lekker uit te rusten.'

'Hoe gaat het met die oude lieverd?' vroeg hij. 'Staat ze nog steeds op bij het krieken van de dag om zieken te verzorgen?'

'Altijd.'

'Wat een vrouw. Je gaat zeker met haar mee op een nieuwe reis over de Nijl?'

'Dat is mijn bedoeling, maar ik weet het nog niet zeker. Ik ga eerst een poosje naar huis, naar mijn ouders. Ze zullen teleurgesteld zijn als ik dat niet doe. Het wordt de eerste keer sinds tijden dat we allemaal bij elkaar zijn. Mam snakt ernaar met vader naar Londen terug te snellen. Ze is Caïro spuugzat.'

'Dan zal ze wel een beetje teleurgesteld worden, ben ik bang.'

'Wat bedoel je? Hij komt thuis, weet je. Als ik daar aankom, zou hij terug moeten zijn uit India. Ik hoop dat je erover wilt denken en met me meegaat.'

'Ik wilde dat het kon, maar het gaat niet. Er is hier nog veel te veel te doen. En Bret brengt mijn nieuwe orders mee. Ik weet niet of ik nu word teruggestuurd naar de Carchemish-opgravingen of niet. Ze hebben niks tegen me aan te voeren, omdat ik niet op de weg van Jerablus was. Trouwens, T.E. Lawrence is daar nog steeds met Woolly voor het British Museum. Het zal nogal logisch schijnen dat ik terugkom. Ik kan zeggen dat ik weggeweest ben, rouwend om mijn zus. Ze zullen niets vermoeden.'

'De Duitsers bij de spoorweg misschien niet, maar degene die Reuter en Leah heeft vermoord, moet weten dat jij als een soort spion werkt.'

'Je vergeet dat hij ook niet wil blijven rondlummelen. Als ze de informatie hebben die Reuter had meegebracht, dan hebben ze hun doel al voor de helft bereikt.'

Misschien hebben ze het boek niet, dacht ze. Maar dat kon ze hem niet zeggen. 'Misschien,' zei ze. 'Maar zelfs in dat geval zullen ze niet rusten voordat iedereen die iets kan weten, voorgoed tot zwijgen is gebracht. Daar hoor jij ook bij.'

'En zuster Wescott,' zei hij ernstig. 'Vergeet dat niet.'

'Dat ben ik niet vergeten. Maar ik weet niet zo veel. En ik ga naar huis.'

Zo gauw Bret er is, wilde ze zeggen, maar de gedachte aan hem maakte haar weer ongerust om zijn afwezigheid.

Ze sneed een ander onderwerp aan. 'Waarom zei je dat mam teleurgesteld zou worden als ze mijn vader wilde meeslepen naar Engeland? Je weet dat ze het hele jaar al plannen maakt voor zijn pensionering uit de buitenlandse dienst. Ze heeft zelfs geld gespaard om een aardige cottage te kopen op het Engelse platteland – met een wit hekje en klimrozen. Als er iets misgaat, denk ik niet dat ze zal blijven,' zei ze zacht. 'Het gaat niet goed met hun huwelijk.'

'Dan benijd ik haar niet.' Neal keek haar met een vermoeid gezicht aan. 'En jou ook niet trouwens.'

Verbaasd trok ze haar wenkbrauwen op. 'Waarom mij?'

Hij gaf haar een klopje op haar hand. 'Omdat ik, lieverd, over bepaalde informatie beschik. Het is niet prettig wat oom Marshall betreft.'

Ze werd onrustig. 'Heb je iets van hem gehoord?'

'Ja. Er kwam een telegram vlak voordat ik vertrok uit Aleppo, voordat al deze beroerde toestanden losbraken. Het wordt geen pretje om je moeder te vertellen dat hij uiteindelijk toch geen afscheid neemt van de regeringsdienst.'

Allison voelde de klap lichamelijk aankomen. 'Geen afscheid? Maar hij wist het zo zeker. Hij heeft het haar beloofd. Het was een geschenk voor hun huwelijk. Dat weet ik, hij heeft het me zelf verteld.'

Hij haalde zijn schouders op. 'Tja, je weet hoe het gaat in deze wereld. De minister van Buitenlandse Zaken vroeg hem uitdrukkelijk of hij nog een tijdje wilde aanblijven vanwege de onzekerheden in Europa, Egypte en het Suezkanaal. Iemand met ruggengraat, die de Egyptische gedachtewereld kent en de Turken, zal hier een hand op de helm van de staat moeten houden.'

'Ze heeft het hele afgelopen jaar ingepakt, in het vooruitzicht uit Egypte te vertrekken,' zei Allison. 'Ik weet niet hoe ze dit nieuws op zal nemen. Weet je het zeker?'

'Het telegram ligt bij mijn spullen. Ik zal het je later geven. Maar ik weet zeker dat Marshall haar heeft getelegrafeerd, of zelfs naar huis is gegaan om het haar zelf te vertellen.'

Allison dacht na. 'Zelfs dan denk ik niet dat ze zijn besluit zal aanvaarden. Er zijn de laatste tijd zoveel misverstanden tussen hen geweest. Ik denk niet dat ze in de stemming is om hem dit te vergeven.' Ze verschoof onrustig. 'Het is geen geheim dat ze het Britse leven in Caïro haat.'

Neal leunde achterover. 'Ik ben blij dat ik er niet bij ben als ze erachter komt.' Zijn glimlach stierf weg en hij keek bedachtzaam. Ze vermoedde dat hij nog meer voor haar verzweeg.

'Ik kan nog niet naar huis, Allison. Ik heb hier in Jeruzalem werk te doen. En dan Carchemish.'

'Lekker meelevend ben je,' zei ze wrang. 'Ik verheug me er echt op degene te mogen zijn die mam vertelt dat haar dromen om naar huis in Engeland te gaan weer eens verstoord zijn door de onderkoning van India.'

'Het was de onderkoning niet; het was Kitchener,' zei hij, verwijzend naar de Britse minister-president.

'O, lieve help.'

Tegen lunchtijd was David nog niet terug en Bret was nog niet aangekomen in Jeruzalem. Neal en mevrouw Lyman waren ongerust. Neal stelde voor dat hij op z'n minst kon proberen te weten te komen waardoor David werd opgehouden.

'Ik ga met je mee,' zei Allison. 'Ik kan wel een lekkere wandeling gebruiken. En ik heb nog niet veel gezien van Jeruzalem bij daglicht.'

★

De oude stad was een doolhof van smalle stenen steegjes te midden van duistere purperen schaduwen. De geur van in de zon gebakken steen doordrong de stille middaglucht.

Allison liep naast Neal naar een plein waar de oude Toren van David langwerpige vlekken schaduw op de versleten rots wierp. Allison keek rond, nam de puntige moslim-minaretten in zich op, de kleine verzakte huisjes, joodse winkels en – Turkse soldaten!

Een menigte boze orthodoxe joden – allen gekleed in zwarte jassen, hoeden en schoenen – was te hoop gelopen op het plein en schreeuwde woedende woorden naar de soldaten die te paard langs galoppeerden. Allison sperde haar ogen wijdopen toen ze de kromzwaarden van de soldaten zag die in een schede over hun linkerschouder hing.

'Daar heb je David,' riep Allison.

Neal liet haar op het plein staan en rende vooruit. Toen Allison hen inhaalde, zag ze dat David kwaad keek.

'David, is alles in orde met je?'

'Met mij wel,' zei hij bitter, 'maar met hen niet. Het is onmenselijk! Het is een overtreding tegen God!'

'David –'

'Maak je maar geen zorgen, de Turken zijn hier niet omdat ik een rel geschopt heb. Ze zijn de huizen van jood-se leiders binnengevallen en hebben de mannen gear-resteerd.'

'Bedoel je David Ben-Goerion?' riep Allison uit.

'Onder andere.'

'Maar waarom? Wat hebben ze gedaan?'

'Gedááán?' schreeuwde hij boven het kabaal van de menigte en het geschreeuw van de soldaten uit. 'Ze hebben helemaal niks gedaan! De pasbenoemde Turkse militaire commandant van Palestina is in Jeruzalem aangekomen. Generaal Pasja heeft vijfhonderd Russische immigrantenjoden bij elkaar gejaagd en over zee gedeporteerd van Jaffa naar Egypte. Er wordt gemeld dat in de haven hele families – oude mensen, moeder en baby's – met hun inderhaast bij elkaar geraapte bezittingen allemaal door elkaar op de boot gedreven worden.'

Allison deelde zijn boosheid. 'Wat hebben ze gedaan om zo'n behandeling te verdienen?'

'Het zijn joden,' snauwde hij met bliksemende ogen.

In de menigte werd snel het bericht verspreid van meer wreedheden door de Turkse generaal en de mensen schreeuwden: 'Moordenaars!'

Onderweg van Constantinopel was generaal Pasja langs Beiroet gekomen, waar hij een aantal joden had laten ophangen omdat ze zionist waren en Arabieren omdat ze leiders waren van een nationale beweging.

'Dit ziet er beroerd uit,' waarschuwde Neal rondkijkend. 'Als de Turkse generaal hier is, kun je er zeker van zijn dat er meer arrestaties komen. Iemand kan beter teruggaan naar Rose om Benjamin en haar te waarschuwen. Zeg haar dat ze de kaart moet verstoppen en alle andere dingen in huis die ons in verband brengen met de beweging van Ben-Goerion.'

'Ik ga wel,' zei David. 'Maar jij dan?'

'Ik ga Ben-Zvi waarschuwen. Allison, ga jij met David mee?'

'Wees voorzichtig, Neal.'

Hij glimlachte en raakte haar schouder aan, toen verdween hij in de menigte.

In het huis had het nieuws mevrouw Lyman al bereikt via ongeruste buren. Een rabbijn was door de muur in de achtertuin gekomen met de waarschuwing. Zijn ogen traanden en zijn grijze baard beefde terwijl hij rad Hebreeuws sprak en in alle richtingen gebaarde. David, die vloeiend Hebreeuws sprak, bracht Allison tussendoor op de hoogte van wat er gebeurd was.

's Nachts waren veel arrestaties verricht. Ben-Zvi was al gearresteerd. Ben-Goerion en hij waren lid van het plaatselijke Ottomanisatie Comité. Ze hadden toestemming gekregen een joods burgerleger op te richten om Palestina te helpen verdedigen tegen Duitsland en haar bondgenoten als het oorlog werd.

'Maar dat betekent dat ze bereid zijn aan de kant van het Ottomaanse rijk te vechten,' zei Allison. 'Waarom worden ze dan gearresteerd?'

'Het maakt niet uit,' zei David ongeduldig. 'Generaal Pasja heeft het burgerleger ontbonden. Hij heeft aangekondigd dat iedereen die wordt aangetroffen met zionistische documenten, ter dood wordt gebracht.'

Allison verstrakte en greep zijn arm. 'David, we moeten je verstoppen; we moeten je hier weghalen! En Rose en Benjamin –'

'Ik ga niet weg,' klonk Roses kalme, maar gespannen stem. 'Ik heb te veel gevlucht, ik ben moe.' Ze zonk in een stoel neer en Benjamin kroop naast haar, zijn ogen wijdopen van angst, maar zijn mond strak alsof hij vastbesloten was niet te huilen, wat er ook gebeurde.

'Toen ik mijn eerste voetstap zette in Jeruzalem heb ik beloofd dat ik nooit meer zou vertrekken,' zei ze. 'Dit is ons huis en we gaan niet weg.'

De rabbijn veegde zijn tranen af terwijl ze hem rustig in het Hebreeuws antwoord gaf.

David keek Allison aan, zijn gezicht stond vastberaden. 'Ik vertrek ook niet.'

'Maar je moet,' wierp ze tegen. 'Als je blijft, betekent het een zekere dood. Wat heeft het voor nut te sterven voor een zaak die voor het ogenblik absoluut verslagen wordt? Ga met me mee terug naar Caïro. Daar kun je ook werken voor een thuisland –'

'Nee, het heeft geen zin,' zei mevrouw Lyman hoofdschuddend. 'We wagen het er hier op. Ze kunnen niet bewijzen dat ik zionist ben, noch mijn zoon Benjamin. We hebben papieren waarop staat dat we Britse onderdanen zijn. Majoor Holden heeft daarvoor gezorgd. Maar wat jou betreft, heeft ze gelijk, David; jij moet gaan en een andere keer terugkomen. Ik hou contact met je in Caïro.'

De rabbijn sprak en ze gaven hem hun volle aandacht. Na een minuut zei mevrouw Lyman: 'Ben-Goerion en Ben-Zvi zijn in Jaffa geboeid aan boord van een schip gebracht, met een brief van de gouverneur van de haven.'

'Wat stond erin?' vroeg Allison.

Roses donkere ogen keken gekweld. 'Voor eeuwig verbannen uit het Turkse rijk.'

Het gezicht van de rabbijn vertrok. David gooide vol walging zijn hoed neer. Maar het was het gezicht van Benjamin dat Allison een steek van pijn in haar hart gaf. Verwilderd, angstig, gepijnigd. Zijn grote bruine ogen vonden de hare en staarden haar aan. Allison voelde hun pijn alsof het haar eigen was.

'"Voor altijd verbannen,"' herhaalde David. 'We zullen zien of die beroerde Turken het lef hebben om hun eigen bevelschrift uit te voeren. Mocht de oorlog komen,' fluisterde hij. 'En ik bid God dat het Ottomaanse rijk de kant kiest van Duitsland. Ik ken die mannen, Ben-Goerion en Ben Zvi. Ze zullen niet wegkruipen als honden. We zullen de zionisten aan de kant van Engeland en Frankrijk verzamelen om manschappen te werven voor een joodse Liga. We zullen vechten; en als God het wil, zullen we overleven om Jeruzalem van de Turken afgenomen te zien worden!'

De uren sleepten zich voort en Neal kwam niet terug. Maar er waren ook geen Turkse soldaten verschenen om het huis te doorzoeken of arrestaties te verrichten. Toen de schemering over Jeruzalem violet werd, met strepen zilverig blauw, gingen ze in de onverlichte kamer zitten wachten.

Buiten werd het dreigende geronk hoorbaar van een naderend voertuig, gevolgd door geschreeuwde bevelen in het Turks en Arabisch.

Allison stond op, net als de anderen in de kamer. 'Vlug! Verstop je!' zei ze tegen Benjamin en David baande zich een weg naar de voordeur.

'Allison, maak dat je wegkomt en neem Benny mee!'

Ze reageerde op de bevelende klank van zijn stem, greep Benjamin vast en rende met hem de eetkamer uit, de bestrate binnenplaats op.

'Ik kan haar niet achterlaten,' protesteerde de jongen, en hij vertoonde voor het eerst tranen. 'Ik moet blijven, Allison! Ik moet! Ik ben een jood!'

Ze greep zijn smalle schouders en schudde hem wanhopig door elkaar. 'Met je moeder komt het goed. David helpt haar. Ze wil niet dat je weggehaald wordt. We verstoppen ons en later komen we terug. Weet je een geheime plek? Die hebben alle jongens toch? We gaan er nu heen, maar we komen om middernacht terug. Kom, Benjamin, doe het voor mij. Doe je het? Alsjeblieft? Ik ben bang.' Enerzijds zei ze dit om zijn jongensachtige trots te bespelen, maar anderzijds was het de waarheid. Ze was verschrikkelijk bang, ze was misselijk van angst.

Hij herstelde zich als een kleine soldaat en rechtte zijn schouders. 'Het is goed, Allison. Ik zal je beschermen. Kom. Vlug! Ik weet een plek waar ze ons nooit vinden!'

Ze renden over de donker wordende binnenplaats en door een zijhek dat uitkwam in een smal straatje met kinderhoofdjes dat al stokoud was vóór de tijd van Rome. Met Benjamin voorop vlogen ze de straat door, dicht bij de stenen huisjes en de ezelkarren blijvend. Nu en dan trok hij haar achter een kar en verstopten ze zich als ze stemmen hoorden.

'En nu?' fluisterde ze toen hij aarzelde, terwijl opnieuw de ongerustheid om zijn moeder en David op zijn gezicht verscheen. 'Waar gaan we nu heen?'

'Deze kant op,' fluisterde hij, en ze renden door tot Allison het nauwelijks meer bij kon houden.

Gebukt schoten ze door tuinen en tussen bomen door om ten slotte uit te komen in een Arabische bazaar die voor de nacht werd afgesloten. De winkeliers haalden hun fruit en groenten van de kramen om ze binnen te brengen. Net als op de *soek* in Aleppo waren overal kamelen, ezels en mensen, kennelijk onwetend van de Turkse arrestaties van zowel joden als Arabische activisten.

Benjamin begreep blijkbaar haar belangstelling voor Jeruzalem, want hij zei trots: 'Ik breng je waar koning David heen vluchtte toen zijn zoon Absalom een opstand tegen hem leidde.'

Ze vermoedde waar ze heen gingen en was diep geroerd door de gedachte. Maar het was niet koning David aan wie ze dacht terwijl hij haar naar hun schuilplaats bracht. Het was een andere afgewezen koning die ze in haar hart herdacht en aanbad, terwijl de nacht viel en de sterren wit en schitterend boven de donker wordende stad verschenen.

Ze staken de beek Kidron over en beklommen de heuvel buiten de stad naar de Olijfberg. Benjamin zakte in elkaar onder een knoestige olijfboom en zat naar de stad te staren, zijn hoofd en hart duidelijk bij zijn moeder en zijn vrienden. 'Ze hebben Ben-Goerion geboeid weggevoerd,' zei hij in de door sterren verlichte duisternis.

Allison luisterde maar half, haar handen raakten de stammen van de oeroude olijfbomen terwijl ze stilletjes door de hof liepen. Waren deze knoestige bomen op die late avond na het Pascha de stille getuigen geweest toen Jezus had gebeden tot de Vader? Was dit de grond die Zijn tranen had ontvangen, Zijn zweetdruppels als bloed, toen Hij Zich voorbereidde om het offer te worden dat betaalde voor de zonden van de wereld?

Mijn zonde, dacht ze, overspoeld door dankbaarheid. *O, Heer Jezus, dank U!*

'Ze hebben hem weggevoerd –' zei Benjamin. 'Hij was de enige die ons kon redden van de Turken.'

Allison keek naar de jongen; ze zag in de schemering dat de jongen in tranen was uitgebarsten en huilde zonder zich ervoor te schamen. Ze ging naar hem toe, knielde bij hem neer en sloeg haar armen om hem heen. 'O, Benjamin, de strijd om de vrijheid van Jeruzalem is nog niet voorbij. Hij is nog niet eens begonnen.' Ze streelde zijn vochtige haar. 'Benjamin? Vertel me eens over koning David, vertel me het verhaal van hoe hij afgewezen werd door zijn volk, ook al was hij hun gezalfde leider.'

'Zijn eigen vlees en bloed keerden zich tegen hem,' huilde hij. 'Toen wilden ze hem niet meer als koning. In plaats van hem kozen ze Absalom.'

Toen hij klaar was, zei ze zachtjes: 'Er is een verhaal over een andere Koning waar ik je van vertellen wil. Hij werd ook afgewezen. Hij kwam uit het koninklijke geslacht van David. Mag ik het je vertellen?'

Hij keek haar aan, tranen op zijn wangen, zijn zachte bruine ogen vonkten in het licht van de sterren.

'Niks zeggen voordat ik klaar ben,' zei ze. 'Je moet me het hele verhaal laten vertellen, al vind je het misschien eerst niet mooi.'

Hij knikte. 'Ik luister.'

Daar, onder de oude olijfbomen op de berg, terwijl de sterren hoog aan de hemel glansden en de volle, bleke maan opkwam achter de heuvels van Judea, vertelde Allison hem over die andere Koning die afgewezen werd, van Zijn bezoek aan de berg in de nacht voor Zijn kruisiging. 'En op de derde dag stond Hij op uit de dood. Nu zit Hij als Koning der koningen aan Gods rechterhand. Zijn naam is Yeshua. Op een dag zal Hij terugkomen. Zijn voeten zullen weer op deze zelfde berg staan.'

Benjamin zweeg en hij zei niets meer. De volgende uren

bleven ze in de olijvenhof, af en toe vriendschappelijk pratend en dan weer zittend zonder iets te zeggen. De maan begon af te nemen en zakte achter de bomen. Er ruiste een briesje door het gras op de heuvel dat de heldere hoofdjes van de zomerklaprozen liet knikken.

Toen ze geloofde dat het veilig en laat was, stond ze op en veegde haar rok af. 'Ik wil dat je hier op me wacht.'

'Waar ga je heen?"

'Terug naar het huis. Als het niet veilig is, ga ik niet naar binnen. Ik moet weten wat er gebeurd is. Misschien komt alles toch nog goed.'

'Misschien – misschien is Neal terug, en majoor Bret ook. Misschien zijn de Turken weggegaan.'

'Ik ga het uitzoeken. Rust hier maar onder de boom. Probeer te slapen. Ik kom terug als de ochtend aanbreekt.'

'Goed, Allison, maar als je niet terugkomt –'

'Ik kom terug,' beloofde ze.

12

Allison vertrok voor de lange wandeling terug naar Jeruzalem, maar ze was nog niet ver gekomen toen ze schrok van het geluid van haastig naderende voetstappen. Turkse soldaten die op zoek waren naar de joden die gevlucht waren! Ze stond stil, deinsde achteruit, overlegde met bonzend hart bij zichzelf of ze moest omdraaien en wegvluchten. Maar ze wilde hen niet naar Benjamin leiden.

Toen hoorde ze: 'Het is Allison!' Het was Rose Lymans stem.

'Rose? O, wat ben ik blij dat jij het bent! Je bent veilig. Ik heb Benjamin bij me. Hij zit veilig in de olijvenhof. Zijn David en Neal bij je?'

Op het geluid van hun stemmen kwamen uit een andere richting voetstappen aanrennen. Blijkbaar had David een tweede spoor gevolgd dat via een kerkhof naar de berg leidde. Allison rende naar hem toe, haar angst ebde weg toen ze besefte dat hij veilig was.

'O, David, David, ik was zo ongerust over je.'

Ze omhelsde hem in het donker, maar zo gauw ze hem vasthield, wist ze met een schok dat het David niet was. Brets warme, sterke handen omsloten haar. Vlug trok ze zich terug.

'Sorry dat ik je teleurstel,' klonk Brets zachte, lage stem.

Een warme blos steeg naar haar wangen. Haar handpalmen tintelden van het gevoel van zijn spieren onder zijn vochtige shirt en zijn omarming, al was het maar kort.

Met vertoon van uiterlijke zelfverzekerdheid tegengesteld aan haar emoties draaide ze haar hoofd in de richting van Rose, die naar hen toe rende. ''Benjamin is daarboven,' zei Allison, wijzend.

'Ik haal hem wel,' zei Bret en hij begon de heuvel te beklimmen.

Allison omhelsde Rose en een ogenblik klampten ze zich aan elkaar vast in een onuitgesproken verbond.

'Hoe wist je waar je ons kon vinden?' vroeg Allison even later.

'Majoor Holden wist het nog. Benjamin had hem verteld over zijn lievelingsplekje toen majoor Bret ons een maand geleden bezocht. Toen heeft de majoor me de papieren gegeven.' Ze sloeg haar ogen op naar de hemel. 'Die papieren hebben ons vanavond gered, Benjamin en mij.'

'Wat voor papieren?' vroeg Allison ineens geïnteresseerd.

'Papieren waarin staat dat wij Turkse burgers zijn. Stel je voor! Ze zien er zo officieel uit dat zelf de Turkse kolonel het verschil niet zag. Ik, Turkse −' lachte ze, maar het grensde aan hysterie. Vlug greep Allison haar bij de schouders en schudde haar even door elkaar. 'Het is in orde nu. We zijn veilig. Het is gelukt.'

'Ja, ja, het is gelukt, en dat heb ik aan de majoor te danken. Daar komen ze. Benny!' Ze rende naar de jongen toe en klemde hem stevig tegen zich aan. 'Mijn jongen, mijn arme dappere jongen! Alles goed?'

Bret liep naar Allison toe en in het licht van de sterren zag ze geen spoor van een glimlach. 'Je kunt hier niets meer doen. We moeten maken dat we wegkomen. De Turken pakken nog steeds vermoedelijke zionisten op.'

'Ik kan nu niet vertrekken, majoor. Hoe moet het dan met Rose en Benjamin?'

Zijn ogen flikkerden. 'Nu al emotioneel betrokken? Eerst spionage, nu een joods thuisland. Binnenkort zal het verdriet van de wereld alle harten breken. Hou je nou maar bij het verlossen van baby's. Dan krijg je tenminste iets terug voor al je zweet en tranen. Kom op, we nemen deze keer het spoor.'

Allison rukte zich los en Bret stond stil. Hij keek haar kort aan en glimlachte. 'Ga je gang en zeg het maar. "Die arrogantie van je! Hoe durf jij me te vertellen wat ik doen moet, wat ik voelen moet? Het is mijn hart!'" En dat is het ook. Maar als je in de toekomst iets wilt doen met je idealen, dan ben je verstandig als je nu met me meewerkt. Tenzij je wilt blijven om de vragen van generaal Pasja te beantwoorden. Hij zit er helemaal niet mee om vrouwelijke spionnen te arresteren en net zo lang te martelen tot ze alles vertellen.'

'Je maakt me expres bang.'

'O ja, hoor. Ik ben een harteloze cynicus.'

'O ja, majoor?' vroeg ze opeens en keek hem recht aan. Op dat moment kwam Rose aanlopen met Benjamin en greep Allisons hand.

'Dank je wel, Allison. De majoor heeft gelijk. Je kunt hier niets meer doen. Het komt wel goed met ons. We overleven de heetste vuren.'

'Willen jullie niet met me mee gaan naar Caïro? Het is hier zo gevaarlijk voor jullie.'

'Ja, maar we hebben een zaak, een zaak die niet zal sterven, wat ze ons ook aandoen. Als ons iets overkomt, dan schieten anderen op als nieuwe planten waar wij vallen. Israël moet leven. En het gevecht, de pijn, de tranen zullen het waard zijn, al is het niet nu voor ons, dan voor een andere generatie. Wij leggen de grondslag en anderen zullen bouwen. Ik kan niet vertrekken. Met de Turkse papieren hebben Benjamin en ik minstens een kans. Dat is meer dan veel anderen hebben.'

Allison keek naar Benjamin en hij sloeg zijn ogen neer. Ze glimlachte. 'Dag, Benny. Ik zie je op een dag weer. Zorg goed voor je moeder. En bedankt dat je me je geheime schuilplaats hebt laten zien.'

Bret was vooruitgelopen en Allison keerde zich af van Rose en Benjamin om hem te volgen. Ze was net een paar meter op weg toen Benjamin vlug riep: 'Allison?'

Ze stond stil en keek om, zag twee duistere figuren die elkaar vasthielden aan de voet van de Olijfberg.

'Ja?'

'Dat verhaal dat je me vertelde. Ik vond het heel mooi.'

Haar ogen werden vochtig en ze glimlachte flauwtjes, toen zwaaide ze hem gedag.

Bret was ver vooruit en stond te wachten alsof hij wist dat ze zou komen. Ze kreeg pijn van een blaar op haar voet, een gevolg van de slecht passende schoenen die ze had gedragen op de vlucht uit de stad. Ze probeerde niet te hinken, omdat ze niet wilde dat hij het zag. Ook was ze stoffig en verfomfaaid, er hingen pieken haar los en haar jurk was vies en had zweetplekken. Ze dacht dat hij het niet zag, maar ze had het mis.

Hij stond stil. 'Ik zal je dragen. Je hebt genoeg doorstaan.'

Ze wist niet waarom, maar het idee ontstelde haar. Ze wilde zover mogelijk uit de buurt blijven van Bret Holden. Had David of Neal het aangeboden, dan had ze het gretig geaccepteerd, maar Bret was een emotioneel risico.

'Dat is niet nodig, majoor,' zei ze afstandelijk. 'Het gaat prima. Maar niettemin bedankt.'

'Zeer onafhankelijk en zo,' zei hij. 'Heel lofwaardig, zuster.'

Ze wierp hem een woedende blik toe.

Bret glimlachte en minderde zoveel vaart dat ze hem bij kon houden. 'Je hoort hier niet, weet je. Je bent net een waterlelie in een rotstuin.'

Ze haalde haar schouders op, haar blik voor zich gericht. 'Ik vind van niet.'

'Nee? Dan verbeeld ik het me zeker.'

Ze hinkte voort, woest op zichzelf. Waarom kon ze hem niet simpelweg toestaan haar te dragen zonder er zoveel drukte over te maken? Nu was het te laat. Ze had hem er al op attent gemaakt dat ze zich al te zeer bewust was van majoor Bret Holden.

'Je bent bang om je door mij te laten dragen.'

'Absurd. Waarom zou ik?'

'Goeie vraag.'

'Ik wil gewoon op mijn eigen benen lopen, dat is alles.'
Haar gezicht gloeide.

'Ik bewonder je nimmer wankelende moed, de geest van de jonge verpleegster toont zich in al zijn aantrekkelijke nobelheid!'

Ze lachte. 'Dat vind je helemaal niet. Je vindt me lastig en hoe sneller je me uit handen kunt geven, hoe meer het je zal opluchten.'

'Opluchten, ja; gelukkig maken, dat valt nog te bezien. Ik ben dol op lelies, vooral als mijn uitgedroogde ziel de woestijn spuugzat is. Maar jouw nobele inborst kan een probleem zijn.'

'Heb je iets tegen vrouwen met, zoals je zegt, een nobele inborst?' vroeg ze, in de verdediging gedrongen.

'Ik heb er nog niet veel getroffen.'

Allison lachte. Het was, ondanks haarzelf, een treurige lach. 'Er zal wel een reden voor zijn dat je zo cynisch bent. Ik denk dat je één vrouw te veel hebt gekend.'

Bret lachte kort. 'Schuldig zonder een spoor van bewijs? Ik ben toch nog teleurgesteld in je. Geef het maar toe, je weet absoluut niets van me. En toch wil je van het ergste uitgaan. Waarom zou dat toch zijn, lieve lelie?'

'Je hebt gelijk, majoor. Ik ken je verleden niet, maar ik kan je verzekeren dat mijn haastige oordeel niet wordt veroorzaakt doordat ik – me tot je aangetrokken voel en de onplezierige ontdekking wil vermijden dat –'

'Zet het uit je hoofd,' zei hij vlot. 'Het zou nooit wat worden, hè? Wees gerustgesteld, zuster, de gedachte is niet bij me opgekomen.' Hij bekeek haar met nieuwsgierige aandacht. 'Dus je hebt toch fouten onder die houding. Ik ben benieuwd. Je bent tot de tanden toe bewapend en je hebt je zwaard al tegen me geheven voordat ik je de handschoen zelfs maar toegeworpen heb.'

'De handschoen?'

Hij glimlachte flauw. 'Als een ridder met een tegenstander wil duelleren om een dame, dan werpt hij hem de handschoen toe. Je bent een beetje overdreven beschermend, hè? Je emoties zijn volkomen veilig, want ik heb nog niet gezegd dat ik het wil opnemen tegen Wade Findlay.'

Ze keek hem aan maar voelde verwarring toen zijn ontwapenende glimlach een wapenstilstand uitriep. Meende hij het?

Ondanks zichzelf lachte ze terug. 'Het spijt me. Je hebt gelijk, ik doe nogal raar en in de verdediging gedrongen, hè?'

'Ik vergeef het je, om wat je net allemaal hebt meegemaakt.'

'Hartelijk dank voor je vriendelijkheid. Op een of andere manier had ik niet gedacht dat je het in je had.'

'Nou dat weer. Natuurlijk, je vraagt je waarschijnlijk af waarom ik je heb verteld dat ik geen plannen heb om de gevoelens te wekken van zo'n edelmoedige jonge vrouw.'

Ze snakte naar adem, maar sloeg haar ogen niet neer. *Hoe durft hij...* 'Dat vraag ik me helemaal niet af. Het is geen ogenblik bij me opgekomen.'

'Ik weet zeker van wel, al geef je het niet toe. Een net meisje geeft dat natuurlijk niet toe. Daarom zal ik het je vertellen.'

'Ik verzeker je, majoor Holden, dat ik niet in het minst geïnteresseerd ben in je redenering.'

'Eén reden is dat als ik een charmante dame als jij tegenkom, met een edel geheven kin en een glans van opoffering en plichtsbesef in haar ogen, het nogal verontrustend is voor wat jij zo onomwonden mijn cynische blik noemt.'

'Ik moet me zeker nogal gevleid voelen dat ik een van de weinigen ben die je nobel noemt.'

'Je bent allesbehalve typisch. Maar ja, voor die anderen had ik nooit veel belangstelling.'

'Misschien is het maar goed dat je de handschoen niet geworpen hebt, want noch Wade noch ik zouden de uitdaging aangaan.'

'Wat teleurstellend. Maar als ik ooit besluit die al te vlotte weigering te tarten, zal ik het eerlijk spelen en je van tevoren waarschuwen.'

'Me waarschuwen!'

'Ja, dat ik van plan ben te winnen, ongeacht wat dan ook. Tot dat ogenblik kun je je in mijn aanwezigheid ontspannen. Romantiek is het laatste wat ik aan mijn hoofd heb met die Duitsers en Turken achter me aan.'

'O, ik ben blij dat je het zegt. Eén verschrikkelijk ogenblik dacht ik dat het anders was. Ik vreesde dat ik uiteindelijk je harde en zelfingenomen hart zou breken, en dat zou ik niet op mijn geweten willen hebben.'

Hij keek haar aan, zijn ogen vernauwden een beetje en hij lachte, maar het was een onprettig lachje. 'Aha, de lelie heeft doornen. Maar ja,' ging hij verder, 'je bent nog zo jong. Een jaar of achttien, negentien, zou ik zeggen?'

Onmogelijk, om razend te worden. 'Je moet een vrouw niet vragen naar haar leeftijd.'

'Ik kan er makkelijk genoeg achter komen als het zover is. Je moest nog maar een beetje volwassen worden voordat ik serieus de gedachte overweeg jouw idealistische wereldje binnen te stormen.'

Ze was te kwaad om antwoord te geven.

'En,' zei hij zacht, 'ik zou het hart niet hebben om je nobele geest aan gruzelementen te slaan. Het staat je goed. Helaas zijn er andere gevaren behalve romantiek; het is roekeloos van je, om niet te zeggen gevaarlijk, om je in te laten met spionage en de strijd voor het zionisme.'

Haar hart voelde alsof er een steen in gevallen was. 'Bedankt,' zei ze stijf. 'Ik zal je woorden in gedachten houden. Als we allebei onze emoties in toom houden, zal het best gaan. Maar je hoeft niet bang te zijn dat ik het idealisme kwijtraak waarvan je schijnt te vinden dat ik het heb. Dat ben ik niet van plan, want wat ik geloof, heeft een stevige grondslag die niets te maken heeft met menselijke verhevenheid. Het christendom is uitstekend in staat mij uit te rusten tot het trotseren van de lelijkheid van het leven en de gevaren die mijn engelachtige vleugels kunnen schroeien.'

Hij stond stil, de handen in zijn zij, en hield zijn hoofd schuin. Een lichte zelfvoldane glimlach was te zien in het maanlicht. Vastberaden tilde hij haar op in zijn armen en beende verder. Allison beperkte zich tot gedweeë stilte en probeerde te denken aan alles behalve zijn armen om haar heen.

Zwijgend liep hij door tot ze bij de plaats kwamen waar hij de auto had geparkeerd, verstopt achter een mirte. Hij zette haar neer en ze leunde tegen de stoffige auto en trok haar schoen uit.

'Voorzichtig,' zei hij. 'Er zijn schorpioenen.'

'Ik weet er alles van.' Ze gooide haar schoenen achter in de auto. 'Waar zijn David en Neal?' Met droge keel keek ze rond. 'Ik dacht dat ze op ons wachtten –'

Ze zweeg, haar ogen zochten de zijne.

De wind blies tegen hen aan en ze keek in zijn ondoorgrondelijke gezicht. Een ogenblik kon ze niets zeggen. Een nieuwe onzekerheid rees pijnlijk in haar hart en sneed haar de adem af.

Bret zuchtte en zonk achterover tegen de boom. Haar vermoedens werden een verschrikkelijke zekerheid.

'Noch jij noch Rose zei iets over ze,' zei ze met een zachte stem. 'Maar ik was er zeker van –'

Hij richtte zich op, pakte haar arm en opende het portier. Zijn aanraking en zijn stem waren zacht en vriendelijk en opzettelijk kalm. 'Je hebt een moeilijke dag gehad, hè? Ben je in staat nog wat meer te horen?'

'Waar zijn ze?' vroeg ze. De wanhoop klonk door in haar stem. 'Wachten ze ergens anders op ons?'

'Nee.'

Ze sloeg haar armen om zichzelf heen en vocht tegen de opkomende tranen. 'Waarom niet?' zei ze half beschuldigend, alsof het zijn schuld was. 'Wat heb je met ze gedaan?'

'Lieve meid, ik heb helemaal niks met ze gedaan. Waarom zou ik dat willen?' Hij zuchtte. 'Ze zijn gearresteerd. Ik heb er tot nu toe nog niets aan kunnen doen. Ik kan het proberen als we Caïro bereiken, maar hier kan ik nu niks doen. Als ik het probeer, stortten ze zich op me als een wespennest. Ik heb generaal Pasja een keer ontmoet in Constantinopel. Hij weet wie ik ben, en nu weet hij onderhand wel dat ik in de Duitse laarzen heb gelopen van kolonel Holman.'

Allison wilde haar verdriet uiten, maar de plotselinge greep om haar handen waarmee hij zijn medeleven en begrip toonde, gaf haar een flits van kracht. Ze slikte moeizaam.

'Goed zo, Allison. Je hebt wat nodig is.'

'Nee,' snikte ze half. 'Dat heb ik niet, heb ik niet – jij vindt van niet –'

Hij hield haar stevig vast. 'Je hebt het mis!'

Ze duwde hem van zich af.

De wind liet de bladeren van de mirte ritselen en de takken kraakten. De maan was ondergegaan en de duisternis omhulde hen alleen in een troosteloze wildernis.

'Ik zal doen wat ik kan in Caïro,' fluisterde hij ferm. 'Het beste wat ik nu voor ons allemaal kan doen, is te zorgen dat we niet opgepakt worden.'

Ze hoorde hem nauwelijks boven de gepijnigde kreet van haar hart. Ze wilde niet voor zich zien wat Neal en David wellicht moesten doorstaan in handen van de Turken. Als ze dat deed, ging ze gillen. Ondanks haar goede bedoelingen moest ze een snik inslikken.

'Ik wilde het je niet vertellen,' zei hij. 'Probeer er niet aan te denken. Je kunt niets aan de zaken veranderen, en ik ook niet, nu niet.'

'Dat kun jij makkelijk zeggen –'

'Dat zie je verkeerd. Het is afschuwelijk moeilijk voor me! Het zijn allebei vrienden van me. En ik vind het nooit makkelijk. Vooral nu, met jou –' Hij zweeg.

Allison keek hem aan.

'Ik breng je terug naar Egypte,' zei hij bruusk.

Allison stapte in en hij reed weg zonder een woord. Ze voelde zich genadig verdoofd.

Van onder de zitting pakte hij een veldfles en een tas die hij haar gaf. 'Het leven gaat door,' zei hij nogal geprikkeld. 'En ik heb honger en dorst. Er zit brood en vlees in de tas. Wil je een sandwich voor me maken?'

Ze deed het, haar handen voelden zwaar en traag.

Hij at, maar zij kon niet. In plaats daarvan maakte ze de veldfles open en dronk. Ze had water verwacht en de heerlijke hete koffie was zeer welkom.

Bret keek naar de weg die voor hen lag. 'In Jaffa gaan we aan boord van een stoomschip naar Port Said. Mochten de Turken vragen stellen, dan moeten we ons verhaal klaar hebben. We zijn getrouwd.'

Allison keek naar haar smerige jurk en haar blote voeten met blaar. Ze dacht aan haar door de wind in de war geblazen haar. *Mooi huwelijk*, dacht ze ironisch en toen lachte ze schor.

Bret glimlachte droogjes, maar in zijn ogen stonden vriendelijkheid en geduld te lezen. 'Geef me de koffie maar, mevrouw Holden.'

Ze hadden Neal en David, Rose Lyman en Benjamin achtergelaten in het heetst van een politieke en godsdienstige strijd. Bret had haar beloofd dat hij alles zou doen wat hij kon bij de inlichtingendienst in Caïro om Neal en David vrij te krijgen uit Turkse gevangenschap. Wat Rose betreft en de beweging voor het joodse thuisland, degenen die erbij betrokken waren, trotseerden altijd de dreiging van de dood. Rose zou de zaak nooit in de steek laten omwille van haar eigen veiligheid. En David?

De Arabische woestijn, Aleppo, de Hittitische archeologische vindplaats vlak bij Jerablus waren ook achtergelaten, evenals het eenzame graf van nicht Leah. En het boek, het boek dat de sleutel was voor de informatie die zo belangrijk was voor Bret en de inlichtingendienst van Caïro. Waar was het? In handen van de vijand? Bret dacht van niet en ze was het wel met hem eens. Had Leah het verstopt? Waar dan?

Het zou allemaal in de toekomst ontdekt worden.

De auto reed in de richting van Jaffa, waar David Ben-Goerion geboeid was verbannen uit Jeruzalem. Over een paar dagen zou ze aankomen in Port Said in de veilige schoot van haar familie in het comfortabele witte huis en haar ruime blauw met witte slaapkamer. Een heerlijk bad, haar kledingkast en dagenlang slapen in een zacht veren bed wachtten haar. Ze zuchtte bijna hardop als ze eraan dacht.

Ze keek naar Bret toen hij het niet merkte en bestudeerde de knappe, mannelijke lijnen van zijn gezicht terwijl hij zijn hoofd in een hand liet rusten, zijn elleboog tegen het portier steunend, de andere sterke hand aan het stuur. Terwijl ze hem bekeek, vroeg ze zich af of het haar echt speet dat de Britse majoor in Caïro gestationeerd werd.

Vastberaden deed ze haar ogen dicht en begon te denken dat het beter was – voor wie dat wist ze niet precies – als Bret werd overgeplaatst naar een andere post. Haar vader, dacht ze, kon dat zeker wel regelen. De gedachte aan haar vader bracht het onrustbarende nieuws in haar gedachten dat haar neef Neal haar bij mevrouw Lyman thuis had verteld. Haar vader trok zich niet terug van zijn post zoals haar moeder had verwacht. Er kwam nog meer wrijving in de familie, nog meer moeilijkheden tussen hen. Ze wist niet wat ze eraan zou moeten doen. En als puntje bij paaltje kwam en haar moeder boekte een reis naar huis naar Engeland, dan zou ze natuurlijk willen dat Allison met haar meeging. Nu Leah dood was, zou Allisons moeder nog onwrikbaarder volhouden dat de gevaren van Arabië en Caïro een te grote bedreiging vormden voor haar dochter. En nu zat Neal vast.

Allison dacht dat Bret waarschijnlijk de militaire beambte zou zijn die haar ouders op de hoogte zou stellen van Neals gevangenschap, en daar zou zij natuurlijk bij moeten zijn. Als de dreiging van oorlog met Duitsland zo groot was als Bret scheen te denken, zou haar moeder plannen maken om naar Engeland te reizen voordat het gevaar van torpedo's burgerschepen bedreigde. Hoe kon ze haar moeder vertellen dat ze er nog steeds over dacht achter te blijven om de Britse en Australische soldaten te dienen als verpleegster in een militair hospitaal?

Opeens leek die gedachte heel wel mogelijk en zelfs aantrekkelijk. Hoe kon ze vertrekken terwijl Leah haar leven had gegeven? Als vrouwen als Rose Lyman bleven onder de dreiging van gevangenschap en marteling? En David. Op ditzelfde ogenblik was hij onder de genadeloze hand van de Turkse generaal.

Maar haar moeder zou dit alles nooit begrijpen. Ze zou erop staan dat haar dochter terugkeerde naar het beschaafde Engeland. Allison had veel uit te leggen als ze thuiskwam. Weer keek ze naar Bret.

Hij zou haar kunnen helpen met uitleggen als hij dat wilde, maar zou hij willen dat ze bleef of naar Engeland reisde en uit zijn leven verdween?

Deel 3

Egypte

13

De Sinaï, die grote en verschrikkelijke wildernis, veertig jaar lang thuis van de Israëlieten na de exodus uit Egypte, lag landinwaarts als een driehoekige duim vanaf de noordelijke kustlijn van de Middellandse Zee. De binnenlandse vlakte van de Sinaï werd gemarkeerd door verschuivende duinen die het troosteloze plateau werden van grind en kalksteen dat het begin aangaf van de *al-Tih*, 'De Zwervende'.

Maar toen Allison net vanuit Jaffa in Al-Arish aankwam, aan de kust tussen het door de Turken beheerste Gaza en Egypte's Port Said, waren de stranden van Al-Arish blauw en warm. De kleine golfjes spoelden over het witte zand. Verder landinwaarts kwamen op deze bijzondere woensdag de bedoeïenen bij elkaar voor hun *soek*, de openluchtmarkt.

Allison werd overvallen door de bekende geuren van kamelen en geiten, en verhandelde goederen variërend van dieren tot tapijten. Kaas, kleding, sieraden, meel, thee en geweren lagen in de bazaar uitgespreid. Ze zag Bret praten met een van de leiders die verscheidene karabijnen had en ze herinnerde zich de munitie en wapens die Jeruzalem binnengebracht waren. Wat had Bret daarmee gedaan? Moesten ze afgeleverd worden aan David Ben-Goerion en de zionisten?

De bedoeïenen waren een bekende aanblik voor Allison. Gekleed om de schroeiende stralen van de woestijnzon te weerstaan, droegen de mannen fladderende gewaden die een verkoelende bries doorlieten. Als verpleegster wist ze dat de gewaden vochtverlies verminderden in de hete, droge wind, en daardoor hielpen een zonnesteek te voorkomen. Een doek om hun hoofden gewonden beschermde hun gezichten tegen de zon en opwaaiend zand.

De vrouwen waren in het zwart gekleed. In het begin had ze het oneerlijk gevonden dat hun islamitische godsdienst hun deze kleur opdrong, omdat zwart sneller heet wordt dan wit, maar de buitenste kleding werd gedragen over jurkachtige gewaden van golvend materiaal dat verrassend koel was. Op hun hoofdbedekking was met piepkleine kruissteekjes een patroon geborduurd, blauw voor ongetrouwd of rood voor getrouwd. Ze droegen een sluier met dezelfde gekleurde steekjes en ze zag er veel die versierd waren met muntjes of zeeschelpen. De muntjes deden haar denken aan de vrouw in de gelijkenis die een lamp had aangestoken en haar huis veegde terwijl ze ijverig zocht tot ze haar kwijtgeraakte muntje vond.

Ben ik even ijverig op zoek naar het geestelijk welzijn van de verlorenen? vroeg ze zichzelf. *Geef ik om deze bedoeïenenstammen, of stel ik me ermee tevreden ze verloren te laten liggen in hun moslimgeloof, door mezelf voor te houden dat ik het recht niet heb hun cultuur te verstoren? Wat is dat voor een leugen van satan dat hele volkeren moeten worden overgelaten aan de fatalistische hulpeloosheid van de islam? Het evangelie is niet cultuurgebonden,* dacht ze. *Noch vernietigt de waarheid wat goed is in een cultuur. Waarom konden de Schriften niet in hun taal vertaald worden, zodat ze de waarheid konden horen, zonder hun cultuur te verstoren door Britse invloed?*

De bedoeïenen waren liefhebbers van gastvrijheid en hun tenten stonden altijd open om bezoekers te ontvangen. Bret stond erop dat ze de gastvrijheid aanvaardden van een bepaalde bedoeïenenleider, maar Allison was sceptisch.

'Waarom wil je dat zo graag?' fluisterde ze terwijl ze hem volgde.

'Waarom denk je dat ik dat zo graag wil?'

'Omdat we niet *hoefden* te stoppen in Al-Arish. We hadden direct door kunnen gaan naar Port Said. Er is hier niets anders dan prachtige stranden en bedoeïenen, dus ik neem aan dat je een speciale reden hebt om hier te zijn, vooral omdat we allebei graag naar Caïro willen.'

'Heel opmerkzaam. Help me onthouden dat ik nooit je vermogen tot deduceren moet onderschatten.'

'Dank u, majoor,' zei ze luchtig. 'Zo'n oprecht compliment heb ik nog nooit van je gehad.'

'Ik denk zo dat mannen je te veel complimentjes geven, daarom verwacht je ze.'

Hij had het antwoord ontweken op haar vraag over zijn belangstelling voor Al-Arish, en ze keek hem aan. Zijn donkerblauwe ogen toonden geamuseerde verdraagzaamheid.

Gestoken zei ze: 'Doe geen moeite. Ik betwijfel of je weet hoe je het soort complimentjes geeft die een vrouw vleiend vindt.'

'Nee, hoor. Maar ik moet eerst de consequenties overdenken.'

Allison speelde onverschilligheid en beende naast hem naar de bedoeïenentent. Die was opgetrokken uit geiten- en kameelharen panelen die de vrouwen hadden geweven en aan elkaar gestikt.

'Ik heb gehoord dat bedoeïenenvrouwen Engelse vrouwen beschaamd maken op het punt van onderdanigheid en hard werken,' zei hij.

Ze negeerde zijn opzettelijk plagende toon.

'Mannen zijn hun meesters,' zei hij.

'Dat moet natuurlijk ook.' Allison liep door, weigerde hem aan te kijken.

'Als de bedoeïen verhuist,' ging hij door, 'is het de vrouw die de leiding heeft bij het afbreken van de tent. Ze bevestigt hem op de familiekameel en zet hem op de nieuwe plek weer in elkaar. Ze kan de zijkant oprollen om de prettige woestijnwind binnen te laten, of ze kan hem vastzetten in het zand. Bij een echtscheiding mag zij de tent houden terwijl manlief alle huisdieren meeneemt en vertrekt.'

'Op zoek naar een nieuwe vrouw die nog een beetje harder kan werken natuurlijk,' zei ze. 'Misschien was ze niet gespierd genoeg om zijn meel fijn te malen en moest hij klontjes in zijn brood verdragen.'

'Interessante observatie. Ik vond inderdaad altijd al dat spieren behoorlijk hoog op de prioriteitenlijst staan als een man een bruid uitzoekt.'

Ze keek hem aan. Hij glimlachte en gebaarde naar de tent. 'Wat mijn reden om hier te komen betreft, misschien is het simpelweg alleen wat die man aanbood. Voor de bedoeïen is gastvrijheid verplicht. Gasten zijn welkom en mogen drie dagen en drie nachten blijven.'

'Ik hoop dat je niet van plan bent om alles te aan te nemen wat verplicht is.'

Hij glimlachte. 'In ruil voor thee of koffie verwacht de gastheer een lang en vriendschappelijk gesprek. Op die manier blijft hij op de hoogte van het nieuws in de bevolkte gebieden.'

'Ben je daarom hier, om nieuws te brengen of te krijgen?'

'Altijd achterdochtig.'

'Ik begin te denken dat alles wat jij doet voor de Britse spionage is, zelfs als je een kop koffie drinkt met een vriendelijke bedoeïen.'

'Niet alles.'

Voor de tent stonden ze stil, terwijl de bedoeïen met zijn vrouw en dochter sprak.

'Misschien wil je informatie hebben voor je eigen belangen?' fluisterde ze. 'Heb je geen last van mijn aanwezigheid? Ik hoor ook alles want ik ken een beetje Arabisch.'

Bret glimlachte. 'Nee, ik heb geregeld dat jij achter dat gesluierde gedeelte theedrinkt in het gezelschap van vrouwen.'

'Je hebt het allemaal voor elkaar, hè? Je wilt niet dat ik het hoor.'

'Ik had je ook op de *soek* kunnen laten ronddwalen, maar je weet hoe moslims denken. Een vrouw alleen die westerse kleren draagt en het haar los draagt, wordt verkeerd geïnterpreteerd.'

Allison vermoedde dat Bret belangstelling had voor Al-Arish omdat het in de woestijn gelegen was in de buurt van

Gaza en Beersheba. Mocht de oorlog uitbreken, dan was het een goede plek voor Britse troepen, maar wat de bedoeïen kon weten of bieden, bleef een geheim dat Bret bewaarde.

★

De oranje zon stond laag aan de blauwe hemel toen ze vertrokken van de bedoeïenententen en in Al-Arish aan boord gingen van het stoomschip naar Port Said. Staand op het dek met Bret, leunde ze tegen de reling terwijl ze genoot van de wind uit de Middellandse Zee. 'Ben je in Al-Arish geïnteresseerd voor een militair kamp?' vroeg ze.

'Denk je niet dat je onderhand genoeg weet om je een poosje in de problemen te houden?'

'Een beleefde manier om te zeggen dat ik me met mijn eigen zaken moet bemoeien.'

'Om een goede reden. Ik zou niet willen dat Wade Findlay op de Oswald Chambers' School voor Bijbeltraining moet ontdekken dat ik zijn verloofde aan hetzelfde lot heb overgeleverd als Leah.'

Het noemen van Leah maakte een eind aan haar opgewekte stemming om het blauwe water en de warme wind. Ze werd somber toen de gloeiende bol van de Egyptische zon onderging in een vloed van oranje en rood boven de woestijnhorizon.

Ze bewonderde zijn profiel zoals ze daar stonden in de warme schemering, en hij draaide zich om en zag haar blik. Ze bloosde, bang dat hij het gemerkt had.

'Heeft iemand je ooit verteld dat je ogen lichtgroen zijn als warm zeewater?'

Ze lachte om haar verwarring te verbergen. 'Dus je geeft toch complimentjes aan vrouwen.'

'En met de wind in je kastanjebruine haar ben je adembenemend mooi.'

Ze keek van hem weg, een warme gloed steeg naar haar wangen.

'Je gaf geen commentaar toen ik zei dat je Wade Findlay's verloofde was.'

Ze klemde haar handen om de reling en keek naar de Middellandse Zee. 'Ik beschouwde het niet als een vraag.' 'Mijn opmerking was bedoeld om je de gelegenheid te geven de zaken op een rijtje te zetten.'

'Ja, dat dacht ik al.'

'Je hebt mijn nieuwsgierigheid nog niet bevredigd.' Hij stak zijn hand uit en maakte haar linkerhand los van de reling, hield hem omhoog ter inspectie. Zijn wenkbrauwen gingen nieuwsgierig omhoog. 'Ik zie geen verlovingsring.'

Ze trok haar hand los. 'Bijbelstudenten staan er niet om bekend dat ze een inkomen hebben.' Haar stem klonk vast.

'Betekent je ontwijkende antwoord dat je eigenlijk niet met hem verloofd bent?'

Allison streek haar haar uit haar ogen en ontweek zijn blik, genietend van de verkoelende wind tegen haar warme huid. 'Ik denk dat je wel zou kunnen zeggen dat we verloofd zijn. Misschien is het meer een aanname dan dat het openlijk uitgesproken is.'

'Je klinkt niet erg verrukt van het vooruitzicht.'

Een beetje geschrokken keek ze hem aan. Toen zei ze licht terechtwijzend: 'Ik vind niet dat een gezonde en goede relatie gebaseerd hoeft te zijn op ademloze verliefdheid. In een huwelijk is zoveel meer om rekening mee te houden dan romantiek.'

'Toegegeven. Veel meer, zoals gedeelde geestelijke waarden, die je vast en zeker met hem hebt, en vriendschap. Door een sterke zwijger kun je je eenzaam voelen. Je treft mij als een vrouw die lange gesprekken wil om je hart uit te storten terwijl hij luistert, begrip toont en meer biedt dan een snel antwoord om op te lossen wat je dwarszit.'

Zijn inzicht was verontrustend. Allison keek van hem weg. Ze dacht aan het lange gesprek dat ze die nacht met hem had in de expeditiehut, terwijl ze op Davids aankomst wachtten. Om haar kwetsbaarheid te verbergen zei ze vlot: 'O, Wade Findlay en ik hebben veel gemeenschappelijke interesses. Ik mis hem verschrikkelijk.'

Bret glimlachte zuur en sloeg zijn armen over elkaar. 'Daarom draag je zeker al dagenlang zijn ongeopende brief bij je?'

Geconfronteerd door zijn uitdaging haastte ze zich uit te leggen: 'Misschien hecht je daar te veel waarde aan.'

'Dat kan, maar is het ook zo?'

'Het juiste ogenblik om hem te openen en te lezen is nog niet gekomen, omdat ik er mijn volle aandacht bij nodig heb. Trouwens, hoe weet je van die brief?'

'Hij zat in je plunjezak,' zei hij vlak.

Ze draaide zich verontwaardigd naar hem om. 'Heb je in mijn plunjezak gekeken?'

'Ja. Oppervlakkig natuurlijk. Strikt zakelijk. Je verwacht toch niet dat een agent Leah er niet minstens van verdacht het boek van Woolly in je tas te stoppen?'

'Het boek —' Ze zweeg. Die mogelijkheid had ze niet eens overwogen. Haar ogen vernauwden. 'En ben je tevredengesteld dat ik het niet vlak onder je neus heb weggehaald?'

'Kom, Allison, doe niet zo verontwaardigd. Neem me niet kwalijk, maar ik kon geen risico nemen.'

'Je had me simpelweg kunnen vragen hem open te maken zodat we samen konden kijken,' wierp ze stijfjes tegen.

'Dat kon, maar dan zou jij het ook weten. En ik wist niet zeker of je het expres voor me verstopte.'

'Denk je nog steeds dat ik een spion kan zijn voor de andere kant?'

'Met glasheldere groene ogen en kastanjebruin haar? Je zou een machtige tegenstander zijn. Ik ben blij te ontdekken dat je je net zo min schuldig maakt aan spionage als aan een romance met Wade Findlay.'

'Dat zei ik niet.'

Bret leunde tegen de reling en keek naar haar. 'Nou, straks heb je tijd zat om je te verlustigen in zijn liefdesbrief. Je kunt je slaapkamerdeur op slot doen en lekker zwijmelen.'

'Ik zwijmel niet,' corrigeerde ze hem. 'Maar goed, zulk soort brieven schrijft Wade niet. Hij heeft wel wat beters te vertellen dan dat hij smacht van liefde. Hij schrijft over wat er gebeurt op school en over zijn plannen om naar Caïro te komen als aalmoezenier bij het leger.'

'Heel lofwaardig allemaal. Maar waarom is het,' zei hij peinzend, 'dat ik denk dat je het idee van de diepte van de liefde te kennen of te waarderen al te gemakkelijk van je af werpt?'

'Dat is niet waar,' zei ze verontwaardigd. 'Ik ken de diepte van de liefde. Er was iemand –' Abrupt zweeg ze. Hij keek op, maar vlug keerde ze haar hoofd af en kneep stevig in de reling.

Een tijdlang zweeg hij en ze beet op haar lip, boos op zichzelf omdat ze de herinnering aan Nevile aan de oppervlakte had laten komen.

'Ik zie dat ik het mis had,' zei hij en wendde zich af om uit te kijken over de donkere zee.

Ze bleef zwijgen, liet de wind tegen zich aan spelen, de pijn in haar hart verlichtend.

'Ik neem aan dat het niet Wade Findlay was,' zei hij.

'Nee. Maar ik wil het verleden niet bespreken. Het is nu Wade en verder valt er niets te zeggen.'

'Ik denk dat er nog heel wat meer te zeggen is, maar je hebt gelijk. Dit is niet het juiste moment en ik begrijp waarom.'

Ze wierp hem een zijdelingse blik toe, verwachtte op zijn gezicht de pijn te zien van een voorbije liefdesrelatie. Ze had kunnen weten dat een groot aantal vrouwen belangstelling had voor een man met zijn kwaliteiten, maar had hij om een van hen gegeven? Zijn gezicht stond ondoorgrondelijk. Ook hij zocht emotionele verlichting achter een gewapende façade en ze vroeg zich af hoe het zou zijn om hem uit zijn tent te lokken.

Nee. Bret Holden moest boven alle mannen degene zijn waar ze in romantische zin bij uit de buurt moest blijven.

★

De volgende dag liep het stoomschip even na vijf uur de haven van Port Said binnen, een eigenaardige stad van zowel oud en modern Egypte die de noordelijke toegang was tot het Suezkanaal. In veel straten stonden gebouwen die dateerden uit de vorige eeuw, en mensen die naar Amerika hadden gereisd, zeiden dat de pilaargevels leken op het Franse *Vieux Carré* van New Orleans. Allisons familie had hier een huis evenals in Caïro, maar lady Wescott gaf de voorkeur aan Port Said met zijn Britse invloeden, hoewel ze de helft van het jaar in de residentie in Caïro doorbracht.

De mediterrane stranden tegenover de huizen met hun gietijzerwerk en terrassen boden aangename zeewind en uitzicht op de langsvarende schepen, wat anders was dan de moslim-Egyptische sfeer van Caïro. De hoofdstraat van Port Said liep langs het strand en een tweede liep langs de kanaalhavens waar Allison en Bret van boord gingen van het stoomschip. Bret sleepte een wagentje mee om hen naar het huis van de Wescotts te brengen.

De zon stond laag aan de hemel en haar wegstervende stralen veranderden het water van Port Said in rozerood en geel. De golven van de Middellandse Zee deinden. Granaatappelbomen en platanen groeiden langs de straat bij het huis. In de voortuin stonden verscheidene weelderige bananenbomen, die volgens de overlevering in de tijd van de kruistochten voor het eerst Egypte binnen waren gekomen. Deze speciale bomen bloeiden onder de toegewijde zorg van lady Wescotts tuinman, Ayub.

Tijdens de wandeling naar het voorterras begon Allison harder te lopen, langs groene Perzische seringen en jacaranda, koraal en vlammende bomen. Terwijl Bret vlak achter de deur bleef staan, ging Allison de voorhal binnen en riep vrolijk: 'Moeder? Ik ben thuis. We hebben een gast.'

*

Lady Eleanor Bristow Wescott was tweeënvijftig jaar maar kon makkelijk doorgaan voor een stuk jonger. Volgens de opvatting van haar tijd was haar leven nagenoeg voorbij en de weinige jaren die haar leven telde, had ze ook nog eens verspild als de vrouw van de gouverneur-generaal van Brits Egypte. Zo ervoer ze het althans in haar gekwelde geest. Ze verontschuldigde zich er niet voor dat ze een hekel had aan de cultuur, noch had ze het gevoel dat ze welkom was, als echte dochter van Engeland. Ze geloofde trouwens ook dat de man die ze getrouwd had niet van haar hield, noch een sikkepit gaf om wat zij nodig had.

Sir Marshall Wescott was getrouwd met de Britse regering. Zij was slechts de moeder van zijn twee liefhebbende kinderen, Allison, die de oudste was en Beth, die met haar vijftien jaar allang een schoolopleiding en een sociaal leven in Engeland nodig had.

Eleanor woonde het liefst een zo groot mogelijk deel van het jaar in Port Said. Daar voedde het uitzicht op de Middellandse Zee en de komende en gaande schepen haar fantasieën over ontsnapping uit Egypte. In Caïro waagde ze zich zelden naar buiten om te winkelen op de bazaar omdat, zoals ze tegen sir Wescott verklaarde: 'Ik word genadeloos geteisterd door het lawaai, het zand en de chaos op straat. Overal treurigheid – en vliegen.'

De buitenlandse geur van Caïro maakte dat Eleanor zich niet op haar plaats en alleen voelde. 'Ik betreur de dag dat ik hier gekomen ben. Waarom kunnen de mensen niet normaal praten in plaats van alles te schreeuwen alsof de mensen doof zijn?'

Eleanor voelde zich kwetsbaar. Ze hoorde niet bij de

Britse buitenlandse dienst en ze zou er nooit bij horen, ondanks het feit dat ze Marshalls 'roeping' tien jaar lang verdragen had. Voor Egypte was het Bombay geweest. In India had ze zich ook niet thuis gevoeld, maar ze had zich daar veel beter kunnen redden met de Engelsen van de Oost-Indiase Compagnie dan in Caïro. Er waren natuurlijk de vrouwen van de andere Britse officials, en generaal Rex Blaine en lieve Sarah – wat had ze moeten beginnen zonder Sarah? – maar verder waren er niet veel en ze had geen intieme vriendin met wie ze haar huwelijkse frustraties kon delen als sir Wescott weg was, soms maandenlang.

Lady Wescott had al deze gedachten gedeeld met haar dochter Allison, maar het had lady Wescotts pijn niet kunnen verlichten. Ze had immense opluchting getoond toen haar man ermee had ingestemd met kerst af te treden of zo gauw zijn vervanger aankwam. Hij had gezegd dat hij bereid was de rest van zijn jaren door te brengen in de Engelse cottage op het platteland waarvoor ze had gespaard, en hij had beloofd een paar van de dingen te doen die zij belangrijk scheen te vinden. Nu stond de komende oorlog op het punt dat alles te veranderen. Allison vroeg zich af hoe haar moeder zou reageren op het verontrustende nieuws van haar man.

14

Allisons voetstappen klonken op het rijke mahoniehout van de gewreven hardhouten vloer toen ze door de hal liep, die koel en beschaduwd werd gehouden door de neergelaten houten luiken aan de binnenkant van de ramen. Het licht stroomde door de dubbele openslaande deuren die naar de grote zitkamer leidden die uitkeek op de tuin. Ze stak de hal over naar de deuropening en bleef staan rondkijken of ze haar moeder zag, die om deze tijd van de avond meestal buiten in de tuin was.

Haar zintuigen werden gestreeld door de troost die ze voelde bij het zien van de bekende sofa's, stoelen en ottomanes, die gestoffeerd waren met ivoorkleurig brokaat en geborduurd met kleine, blauwgrijze blaadjes. Het weefsel paste bij de dikke gordijnen die opengetrokken waren om de koelte van de tuin naar binnen te laten zweven, samen met de bekende geur van haar moeders Perzische seringen.

Toen zag Allison haar over het tuinpad lopen. Een ogenblik werd Allison teruggevoerd naar Engeland, naar een tijd van grote lady's, van elegantie, van hoffelijkheid. Lady Eleanor Bristow Wescott droeg seringen, en haar lichtgrijze satijnen jurk deed haar roodgouden haar perfect uitkomen. In haar soepele huid zaten een paar rimpeltjes en haar delicate wenkbrauwen boogden met vrouwelijke bevalligheid boven ogen van een lichter groen dan die van haar dochter Allison.

Eleanor zag haar en stond even verbaasd stil, toen glimlachte ze. Ze legde de seringen op een gietijzeren tafeltje en kwam het terrastrapje op naar de zitkamer. 'Allison, lieverd, ik ben zo bang geweest!'

Allison snelde door de kamer op haar toe. 'Moeder, het spijt me verschrikkelijk. Ik had een telegram moeten sturen dat alles in orde was. Zijn de Blaines hier geweest?'

Eleanor omhelsde haar stevig. 'Ze waren hier gisteravond voor een dineetje. Sarah zei dat je simpelweg verdwenen was in Aleppo. Stel je mijn schrik voor toen ze me vertelde dat om dezelfde tijd dat jij verdween, Leah is gestorven en Neal verdwenen. Ik was bang dat jou ook iets vreselijks was overkomen. Waar ter wereld heb je –'

Haar woorden bleven in de lucht hangen toen haar ogen langs Allison heen majoor Bret Holden vonden.

Bret stond zwijgend in de deuropening van de zitkamer. Allison zag dat haar moeder hem waakzaam opnam.

'Eh – dit is majoor Bret Holden,' zei Allison zenuwachtig, en toen haar moeders wenkbrauwen suggestief omhooggingen: 'Hij is overgeplaatst van Constantinopel naar de inlichtingendienst in Caïro.'

'O, werkelijk? De inlichtingendienst, zeg je?'

Allison ontspande een beetje toen ze zag dat snelle goedkeuring de plaats innam van vermoedens. Ze kon haar moeders bezorgdheid begrijpen. Allison was verdwenen en dook weer op in gezelschap van een uitzonderlijk knappe Britse majoor.

'Ik kan alles uitleggen,' begon Allison.

Toen hoorde ze Bret met zijn beleefde stem zeggen: 'Ik heb uw dochter naar huis geëscorteerd vanaf het Archeologisch Genootschap, lady Wescott. Er zijn wat moeilijkheden geweest, zoals u al zult weten als generaal Blaine u heeft verteld over uw nichtje, Leah Bristow.'

'Ja, hij heeft me van haar dood verteld,' zei ze zacht. 'Een verschrikkelijk ongeluk. Ik begrijp dat de Turkse autoriteiten de zaak nog steeds in onderzoek hebben, en de Britse consul ook. Alstublieft, wilt u niet gaan zitten, majoor? Ik zal Zalika een verfrissing laten brengen.'

Met heimelijk vermaak zag Allison hoe Bret hoffelijk de leiding nam en alles verklaarde wat er gebeurd was. Ze merkte dat hij niet noemde dat zijn werk bij de inlichtingendienst in Caïro niet voortvloeide uit zijn vroegere activiteiten in de spionage. Zijn werk in Caïro, verklaarde hij, omvatte 'verscheidene militaire aspecten', waarvan sommige hem terugbrachten naar Bagdad en misschien ook naar Constantinopel. Omdat hij 'wat familie' had in Caïro, vond hij het prettig dat hij naar Egypte was overgeplaatst.

Allison vroeg zich af waarom hij haar niet eerder had verteld dat hij familie had in Caïro. Maar die gedachte werd algauw overschaduwd door een andere ontstellende opmerking die haar moeder maakte. 'Aha, dus daar heb ik uw naam gehoord. Lady Walsh noemde hem zondag nog na de kerkdienst. Ze zei dat haar nicht Cynthia was aangekomen uit Engeland. Lady Walsh' nicht is uw verloofde, heb ik begrepen?'

Allison verroerde zich niet. Brets kalmte vertoonde geen scheuren toen hij zei: 'Dus Cynthia is hier. Ik begon me al zorgen te maken. Ze had vorige maand al moeten arriveren.'

Allison zorgde dat haar gezichtsuitdrukking neutraal bleef en reikte naar haar theekopje. Maar tot haar ontzetting stootte ze het om. 'Het spijt me. Wat een rommel maak ik.'

'Zalika?' riep haar moeder kalm het dienstmeisje, en Allison stond op want ze had wat op haar rok gemorst. Bret Holden depte de thee met een servet. Ze hoopte maar dat hij de gemorste thee niet op zou vatten als een reactie op het noemen van Cynthia.

'Het geeft niet, majoor,' zei ze toonloos, de servet uit zijn hand nemend. 'Mijn jurk was toch al vies geworden van het reizen.'

Toen ze zich oprichtte, ontmoette ze zijn blik en Allisons irritatie nam toe toen ze een blos naar haar wangen voelde stijgen en een glimp van een lachje om zijn mond zag. Zalika kwam onopvallend Allisons kopje vervangen door een nieuw.

Bret bracht het gesprek terug naar Carchemish, en zonder duidelijk uit te spreken dat hij het met de Blaines eens was dat Leahs dood een ongeluk was geweest, deed hij geen poging om dat tegen te spreken. Tegen de tijd dat hij klaar was, was Allison er zeker van dat haar moeder ervan overtuigd was dat majoor Bret Holden een voortreffelijke en galante Britse officier was die weinig anders op het oog had dan eerzaam zijn militaire dienst in Egypte uit te dienen, Cynthia Walsh te trouwen en terug te keren naar een rustig en beschaafd leven in Engeland.

Allison was daar niet zo zeker van, althans wat zijn toekomst betreft. Hij had niet eerder de wens uitgesproken binnenkort naar Engeland terug te gaan. Niet dat zijn zwijgen hierover iets bewees. Ze besefte dat ze weinig wist van zijn ambities en dat ze weinig hadden gedeeld behalve het gevaar dat ze samen hadden meegemaakt. Waarom ze verontrust was door het noemen van een of andere jonge vrouw die Cynthia heette, was een zaak die op een later tijdstip meer aandacht verdiende, als Allison alleen was en vrij om de betekenis daarvan te overdenken.

Ze besefte dat haar moeder naar haar keek en iets zei. Vlug richtte Allison haar aandacht op wat lady Wescott zei, zich bewust van het feit dat Bret moeder en dochter nadenkend gadesloeg.

'Generaal Blaine vertelde me dat je de archeologiehutten in Aleppo op hetzelfde moment had verlaten dat de jonge joodse activist David Goldstein ook verdween. Je hebt het een paar keer over David gehad, maar ik moet zeggen dat het me verbaasde te horen dat hij uit Engeland was vertrokken om hierheen te komen. Heeft hij ook belangstelling voor archeologie? Was dat de reden dat hij naar de bijeenkomst van het genootschap ging?'

Het was tijd om haar moeder het slechte nieuws van zijn arrestatie te vertellen, en die van haar neef, want de Blaines hadden niet geweten wat er gebeurd was na Leahs dood en Allisons verdwijning met David.

255

'David is zionist,' zei Allison. 'Ik heb je verteld over zijn verlangen een joods thuisland te vestigen. Hij kwam naar Aleppo om mij een brief te brengen van Wade Findlay en...' Ze aarzelde, vroeg zich af of ze Bret moest noemen en dat David en hij vrienden waren. Weer kwam Bret haar vlot en gemakkelijk te hulp en vertelde haar moeder van Davids arrestatie door de Turken.

'Helaas, lady Wescott, heb ik nog meer onaangenaam nieuws voor u. Uw neef Neal Bristow was bij David en wordt ook vastgehouden voor ondervraging. Eenmaal in Caïro verwacht ik alles te doen wat ik kan om te zorgen dat beide mannen worden vrijgelaten. Ik twijfel er niet aan dat Neal Jeruzalem zal verlaten en hij zal waarschijnlijk hierheen komen om u te bezoeken. Van David kan ik dat minder zeker zeggen. Zijn hart ligt in Jeruzalem en hij zal daar waarschijnlijk blijven als hij niet verbannen wordt.'

'Verbannen? Dat is nogal verachtelijk van de Turken, maar wel waarschijnlijk,' zei Eleanor. 'Ik las juist vanmorgen in de krant van Caïro over de aankomst van meer dan vijfhonderd joden die generaal Pasja uit Palestina heeft verbannen. Er zou iets aan gedaan moeten worden door de Europese regeringen. Het lijkt me dat de joden evenveel recht hebben om in Jeruzalem te wonen als de Arabieren en de Turken. Misschien nog wel meer, want God heeft dat land gegeven aan de joodse aartsvaders. En wat een zorgwekkend nieuws over mijn neef.' Ze keek Bret nieuwsgierig aan. 'Wat deed Neal eigenlijk in Jeruzalem in plaats van de Carchemish-opgravingen?'

'Ik heb Neal niet kunnen spreken. Hij werd samen met David gearresteerd voordat ik arriveerde.'

Allison wist niet zeker of haar moeder opmerkte dat Bret haar vraag ontweek. 'Misschien had het iets te maken met het British Museum,' hielp haar moeder. 'Neals werk heeft hem in verschillende oude steden en archeologische plaatsen gebracht. Maar de Turken zullen hem vrij moeten laten,' zei ze ferm. 'Ik zal met Marshal spreken als hij aankomt. Als gouverneur-generaal van Egypte zal zijn invloed helpen.' Ze keek alert en toonde meer belangstelling voor nationale zaken dan Allison zich herinnerde.

'Denkt u ook niet, majoor, dat het Ottomaanse rijk zich brutaler gedraagt tegenover de Engelse regering dan in het verleden? Ik zou bijna denken dat ze welwillender tegenover de ambities van de keizer in Europa staan dan onze bondgenoot te zijn.'

'U heeft een duidelijk inzicht,' zei hij neutraal.

'Over de Ottomanen gesproken en hun behandeling van de joden,' zei ze met een blik naar Allison, 'in de krant werden vrijwilligers gevraagd om te helpen met voedsel, kleding, medische zorg en onderdak.'

Allison voelde een golf van trots in haar hart dat haar moeder zoveel medeleven toonde. Er was zo weinig waarover haar moeder zich bezorgd maakte als het over Egypte en Arabië ging.

'Ik dacht dat ik wel eens kon proberen de Engelse dames op te porren om iets te doen om te helpen,' zei Eleanor. 'We zouden onze tijd constructiever moeten gebruiken dan met roddelen op bridgeparty's of toekijken hoe onze mannen het uitvechten op het poloveld. Trouwens, majoor Holden, speelt u polo? De officieren zitten verlegen om een goede man nu generaal Blaine zijn rug heeft bezeerd in Aleppo. Als ik u zo bekijk, denk ik dat het team van de brigadegeneraal enorm veel plezier zou kunnen hebben van uw deelname. Ik zal uw naam noemen tegen de vrouw van de brigadegeneraal op het liefdadigheidsbal.' Zonder Bret de kans te geven te reageren, wendde Eleanor zich weer naar haar dochter.

'Beth wil deze keer met jou naar het bal. Ik heb nog geen besluit genomen. Vijftien is erg jong.'

Denkend aan haar zusje, glimlachte Allison. 'Ik heb een perfecte jurk voor haar; wit en charmant.'

'Dan zal ik misschien maar toegeven. Het kan een afscheidsfeestje zijn voordat we volgende maand afvaren.'

Het noemen van de reis gaf Allison een onrustig ogenblik, denkend aan wat Neal haar in het huis van mevrouw Lyman had verteld. Haar vader zou zijn post niet zo snel verlaten als haar moeder verwachtte. Wetend hoeveel het voor haar moeder betekende naar Engeland terug te keren en op het platteland te gaan wonen, vroeg Allison zich af hoe ze de moed kon vinden om haar moeder teleur te stellen, zo gauw na de dood van Leah en de arrestatie van Neal in Jeruzalem.

'Vanavond tijdens het diner zal ik tegen Beth zeggen dat ze naar het bal mag.' Eleanor keek Bret met een vriendelijke glimlach aan. 'Wilt u niet bij ons blijven dineren, majoor Holden?'

Bret was opgestaan toen het gesprek tussen Allison en haar moeder over huiselijke dingen ging. Allison merkte op dat hij eruitzag alsof hij ernaar verlangde weg te gaan.

'Dank u wel, maar ik kan niet blijven. Ik moet dringend zo gauw mogelijk naar Caïro terugkeren.'

'Ja, de kwestie Jeruzalem. Ik begrijp het volkomen. Ik had u niet moeten ophouden. Dank u wel voor het begeleiden van mijn dochter naar Port Said, majoor. Misschien zien we u op het liefdadigheidsbal of op het poloveld.'

Brets korte glimlach overtuigde Allison ervan dat hij op dit moment voor geen van beide belangstelling had. Hij zou zijn vrije tijd laten opmaken door lady Walsh en haar nichtje Cynthia.

'Als het lukt,' zei hij en keek haar moeder bedachtzaam aan. Hij haalde een verzegelde envelop tevoorschijn en overhandigde hem aan haar. Allison dacht dat ze ingehouden medeleven zag.

'Sir Wescott vroeg me deze aan u te bezorgen.'

'O? Een brief van Marshall?'

'Ja.'

'Wat vreemd. Ik verwacht hem aanstaande donderdag thuis. Eigenaardig dat hij niet heeft gewacht of me tenminste een telegram heeft gestuurd.'

Ook Allison was verbaasd. Niet door een brief van haar vader, want ze vermoedde dat hij daar de voorkeur aan gegeven had boven een telegram, om uitgebreider en met meer verontschuldigingen de onwelkome veranderingen van hun plannen voor vertrek uit Egypte uit te leggen aan Eleanor. Allison was onthutst dat Bret die brief had. Had hij die al die tijd bij zich gedragen toen ze in Arabië waren?

Allison boog naar haar moeder toe om een glimp op te vangen van het bekende handschrift van sir Wescott, alsof ze verwachtte dat Bret een vergissing had gemaakt. Wanneer had haar vader hem de brief gegeven? Was Bret in Bombay geweest? Ze wierp hem een nieuwsgierige blik toe, maar ze hield haar moeder in de gaten alsof ze wist dat ze een teleurstelling te verwerken kreeg.

Allison stelde vast dat als Bret het niet de moeite waard had gevonden een meisje genaamd Cynthia te noemen, het haar niet moest verbazen dat hij zich niet geroepen had gevoeld haar te vertellen van de brief die hij van haar vader had ontvangen. Dat hij haar over geen van beide had verteld, versterkte haar conclusie dat Bret geheimzinnig en voorzichtig was. Het was nu haar moeders reactie op de brief die Allison zorgen baarde. Bret nam afscheid van haar moeder en wendde zich tot Allison. Ze werd geconfronteerd met een beleefd maar afstandelijk militair gedrag, zijn ogen stonden ondoorgrondelijk.

'Ik zal bericht sturen over Neal en David als ik iets zinnigs weet. Goedendag, juffrouw Wescott.'

Terwijl haar moeder met Marshalls brief naar de andere kant van de kamer ging, liep Bret de zitkamer uit naar de hal. De deur ging open en dicht terwijl Allison, met een blik op haar moeder die volkomen in beslag genomen werd door de brief, wegglipte en achter hem aan rende.

Hij stak het tuinpad al over. 'Majoor, wacht!'

De zon was helemaal ondergegaan en had sporen van saffier in de lucht achtergelaten. Geluiden van het scheepvaartkanaal klonken over het water van de Middellandse

Zee terwijl Allison langs de zware stengels van de geurige seringen stormde en de plaats bereikte waar hij stond te wachten. Bret scheen te weten wat ze zou vragen en hij was niet in de stemming om meer te verklaren dan hij in het huis had gedaan. In plaats van medewerking, bespeurde ze een lichtelijk sardonische glimlach. Hij stond in de schaduwen van een overhangende jacaranda.

'Dit is geen definitief afscheid. Ik zou niet graag de kans missen met je te walsen op het liefdadigheidsbal.'

Ze voelde zich overrompeld. 'Je verwaandheid is afschuwelijk. Dat is niet de reden dat ik achter je aan kwam rennen. Je kunt je wals bewaren voor Cynthia, want ik ben niet van plan erheen te gaan. Ik heb belangrijker werk te doen met tante Lydia.'

Haar woorden schenen hem niet te raken. 'Ik moet een boot over de Nijl zien te halen.'

'Die boten gaan elk uur,' verklaarde ze toonloos. 'En denk maar niet dat ik je hier probeer te houden om een andere reden dan –'

'Ik zou niet durven. Het keurige gedrag van juffrouw Allison Wescott is onberispelijk, dat is me volkomen duidelijk. Je wilt me ondervragen over hoe ik je vader heb ontmoet.' Hij glimlachte. 'En ik ben vastbesloten die discussie uit de weg te gaan, althans voor het ogenblik.'

Als ze niet zo ongerust was over de zaken, zou zijn beleefde maar koele gedrag haar van haar apropos hebben gebracht. 'Wanneer heeft hij je die brief gegeven?'

Hij sloeg zijn armen over elkaar. 'Dat weet ik niet precies meer. Misschien een maand of twee geleden.'

'Dat is niet waar, hè? Twee maanden geleden zat je in Constantinopel.'

'O ja?'

'Dat vertelde je me in Carchemish.'

'Dat denk je maar. Ik heb je verteld dat ik eerder in Constantinopel gestationeerd was geweest. Dat kan op elk moment in het verleden zijn geweest.'

Haar ogen vernauwden terwijl ze zijn gezicht bestudeerde bij het licht van de sterren. Hij was niet van plan ook maar iets uit te leggen. Ze kon alleen maar aannemen dat hij zijn redenen had en dat ze zich ermee tevreden moest stellen te wachten tot hij op eigen initiatief besloot haar meer te vertellen. Ze voelde frustratie opkomen, maar beheerste zich.

Hij stond haar aan te kijken, de wind beroerde zijn donkere haar en zijn shirt. Even kreeg ze het gevoel dat ze iets belangrijks uit haar vingers liet glippen als hij uit haar leven verdween, want hoewel hij had laten doorschemeren dat hij haar zou zien op het liefdadigheidsbal, was ze er tamelijk zeker van dat hij dat helemaal niet van plan was. Allison wist dat als ze hem probeerde te grijpen, zou verliezen. Bret was juist uitdagend genoeg om haar ervan te overtuigen dat één vrouw te veel hem had geprobeerd te grijpen en vast te houden, en had gefaald. En Cynthia? Was zij gekomen om te proberen aanspraak op hem te maken? Opeens geloofde Allison dat ze medelijden kon hebben met het meisje dat Cynthia heette.

Achteloos wendde Allison zich af. 'Heel goed, majoor. Ik zal je geheimzinnigheid respecteren.'

Als haar veranderde houding hem overviel, dan liet hij het niet merken. Met waardigheid liep ze naar het huis. Zalika knipte kamer voor kamer de lampen aan en de gouden gloed stroomde over het voorterras.

Allison hoopte half hem te horen roepen dat ze moest wachten. Hij deed het niet, en pas toen ze het trapje naar het terras had beklommen en de klink van de voordeur oplichtte, keek ze achterom. Bret stond naar haar te kijken. Ze kon alleen maar raden wat er omging in de harde geest van een man die zich niet zo makkelijk liet vangen door vriend of vijand, en vooral niet door vrouwen die het dromerige sterrenlicht in hun ogen lieten spelen als ze hem aankeken.

Allison ging het huis binnen en deed de deur dicht. Daar

stond ze in de schaduw te kijken naar de helder verlichte zitkamer waar haar moeder de brief nu wel gelezen zou hebben.

Ze hoorde Beths stem teleurgesteld uitroepen: 'Niet naar Engeland! En mijn schoolopleiding dan? Ik ben Egypte spuugzat! O, moeder, kunnen we niet weggaan? Kan vader niet over een paar maanden bij ons komen? En – en we zouden hem kunnen verrassen door in het weekend naar het huis op het platteland te gaan om alles klaar te maken. Er is vast zo veel te doen – je zei dat ik mijn eigen slaapkamer mocht behangen.'

Vlug liep Allison de kamer binnen en zag in één oogopslag haar moeders teleurgestelde blik die ze voor Beth probeerde te verbergen. Allisons begrijpende blik ontmoette die van haar moeder en gleed toen naar Beth.

Haar zusje leek op hun vaders kant van de familie, ze had donker haar en aardebruine ogen. Ze was langer dan Allison, iets wat Beth altijd van streek maakte omdat ze jammerde dat ze geen schoentjes met hakken kon dragen op een bal, omdat die haar te lang maakten. Noch waardeerde ze haar sensuele uiterlijk, ze voelde zich opgelicht omdat ze bruine ogen had in plaats van zeegroene en dat haar haar gewoon bruin was in plaats van glanzend met goudtinten en kastanjebruin.

'Ik snap niet waarom ik altijd het lelijke eendje moet zijn,' had ze meer dan eens gemompeld, en als men haar verzekerde dat ze allesbehalve lelijk was, weigerde ze het compliment te aanvaarden.

'Ik lijk wel een Egyptenaar,' snauwde ze dan. 'Als ik te lang in de zon ga zitten, word ik meteen bruin. Het leven is niet eerlijk.'

Nu Beth haar zus in de deuropening zag staan, moest ze de milde vermaning in Allisons blik gezien hebben, die haar vertelde dat ze meer oog moest hebben voor haar moeders teleurstelling. 'Ik ga natuurlijk nooit naar een populaire school, zoals Geraldine en Francis,' zei Beth. 'En ik heb de afgelopen maanden beknibbeld op mijn zakgeld om kleren te kopen.'

'Je kunt hier naar de muziekschool,' zei Eleanor vaag. 'Ik sprak gisteren nog met Herr Frederick Ridder. Hij vertelde me dat hij een tweede school opent in Caïro, vlak bij het museum. Barones Helga Kruger beveelt hem sterk aan als Weense leraar.'

'O, moeder, waarom kunnen we niet afvaren zoals het plan was? Het is niet eerlijk van vader –'

'Beth, zo spreek je niet over je vader.'

'Moeder heeft gelijk,' zei Allison. Ze liep vlug naar Beth toe en ging naast haar op de sofa zitten. Ze pakte Beths handen. 'Het uitstel is niet voorgoed. Een paar maanden maar. Daarna wordt het Engeland, zoals het plan was.'

'Dat kun jij makkelijk zeggen. Jij bent al naar huis geweest om je verpleegstersopleiding te doen.'

'Beth,' waarschuwde Eleanor, 'je bent ongemanierd tegen je zuster en je gedraagt je onbehoorlijk. Bovendien, met het nieuws van de dood van je nicht Leah en nu de arrestatie van Neal in Jeruzalem, is dit niet het ogenblik om te gaan zitten jammeren over onze eigen teleurstellingen. Morgen houden we een herdenkingsdienst voor Leah en ik verwacht de komende weken respect van je. Als je vader arriveert, nou, dan bespreken we de kwestie van Engeland wel.'

In Beths ogen welden plotseling tranen op. 'Sorry. Dat van neef Neal wist ik niet. Maar Leah kende ik nauwelijks.'

'Dat maakt niet uit,' zei Eleanor. 'Ze was je nicht. Je zult fatsoenlijk respect tonen voor haar dood.'

'Ja, moeder. Heeft – heeft vader precies gezegd wanneer hij aankomt uit Bombay?' vroeg ze hoopvol.

Eleanor zuchtte en keerde zich naar de tafel waarop de kristallen lamp het vel papier bescheen. 'Met kerst,' zei ze. 'Hij komt thuis voor de feestdagen. Hij verhuist naar Caïro.'

Allison merkte op dat ze het woordje 'hij' gebruikte in plaats van 'wij'.

'Naar Caïro?' vroeg ze. 'Dus hij heeft besloten aan te blijven als gouverneur-generaal?'

'Helaas. Hij belooft het nader uit te leggen als hij arriveert, maar ik ben niet zo hersenloos dat ik niet weet van hij van plan is. Het schijnt dat minister-president Kitchener hem heeft gevraagd voor onbepaalde tijd aan te blijven. Kitchener is zelf gouverneur-generaal van Egypte geweest en hij gelooft dat het belangrijk is mannen in positie te hebben die de Egyptische geest begrijpen en de problemen waar het land voor gesteld wordt als de Turken politieke controle hebben over de buitenlandse betrekkingen en de Britten het Suezkanaal beheersen. Als het oorlog wordt, is de bescherming van de vaarwegen op het kanaal van essentieel belang voor Engeland. Hij vindt dat je vader de meest gekwalificeerde is van de mannen die hij op die positie zou kunnen benoemen.'

Er viel een ongemakkelijke stilte en Allison zag iets in haar moeders gewoonlijke rustige ogen dat haar aan het schrikken maakte. Het was een flikkering van ongeduldige woede. Haar moeder was veel bozer om zijn beslissing dan ze wilde laten merken waar Beth bij was. Als lady Wescott nu uiting gaf aan haar frustratie, had Beth reden te meer om haar bij te vallen en oneerbiedig te zijn over haar vader. Allison had altijd waardering gehad voor haar moeder toen ze opgroeide, omdat ze, ondanks de problemen waar ze in haar huwelijk met sir Wescott voor gesteld werd, nooit minachtend over hun vader sprak. Nu ze een vrouw geworden was, kon Allison achteromkijken en zich ogenblikken herinneren dat haar moeder naar haar kamer was gegaan omdat ze zogenaamd ziek was, of het rijtuig had genomen om de dominee en zijn vrouw te bezoeken. Toentertijd had Allison niet begrepen wat er achter die bezoekjes aan de dominee zat, en achter de lange gesprekken met zijn vrouw. Nu meende ze te weten dat het een uiting was van haar moeders ongelukkigheid en een poging een scheiding te vermijden.

Allison huiverde een beetje en verstrakte toen ze aan haar eigen toekomst dacht. Ze had zoveel ongeluk in het huwelijk van haar ouders gezien, dat ze tegenzin had om zich serieus te binden aan een man. Ze vond dat ze al één ernstige fout had gemaakt door verliefd te worden op Nevile toen ze pas zestien was. Ze had gedacht dat ze wanhopig veel van hem hield en was weggegaan naar de verpleegstersopleiding in Engeland met een belofte tussen hen dat ze, nadat ze vier jaar later van school kwam, zouden trouwen. In het tweede jaar van haar opleiding aan de Florence Nightingale's Verpleegstersschool, kwam het nieuws dat Nevile de dochter van een Britse kolonel had getrouwd en was overgeplaatst naar Australië.

Het pijnlijke nieuws was de grootste teleurstelling van haar leven geweest. Twee jaar later, toen ze na haar afstuderen de Oswald Chambers' School voor Bijbeltraining bezocht, had ze Wade Findlay ontmoet, een godvrezende en toegewijde jongeman. Ze waren vrienden geworden, en toen was ze geleidelijk aan gaan geloven dat Wade de man was die God voor haar bedoeld had om mee te trouwen, om Hem hier in Egypte te dienen – Allison in de geneeskunde met tante Lydia, Wade als militaire aalmoezenier gestationeerd in Zeitoun.

Beth stond chagrijnig te kijken. 'Ik mag zeker niet naar het liefdadigheidsbal nu we in de rouw zijn.'

Allison keek door de kamer heen naar haar moeder. Ze stond in het licht van de lamp maar naar de brief te staren, volkomen verzonken in haar eigen gedachten. Haar moeder keek naar Beth en bij het zien van de terneergeslagen uitdrukking, glimlachte ze. 'Nee, we gaan het bal niet afzeggen. Leah was het type jonge vrouw dat gewild had dat we gingen. En de zeden van Brits Egypte zijn niet die van Victoriaans Engeland. We zullen naar de herdenkingsdienst gaan die ik gepland heb, en dan gaan we door met leven. Ik vind wel dat we wat zorg voor Neal moeten hebben. Ik had gehoopt dat je vader dit weekend thuis zou zijn om een protest te sturen naar de Turkse ambassadeur, maar ik denk dat ik die brief nu maar zelf schrijf.'

'Een uitstekend idee, moeder,' stemde Allison met haar in. 'En majoor Holden zal het ook melden aan zijn superieuren in Caïro. Misschien dat er gezamenlijk snel iets gedaan kan worden.'

'We kunnen alleen maar bidden en nog eens bidden. Vanavond ga ik naar Marshalls kantoor om de brief te schrijven. Ik zal hem morgenochtend officieel laten posten onderweg naar de herdenkingsdienst. En Beth, ik heb besloten dat je zaterdag naar het bal mag. Ik verwacht rustig gedrag van je, gezien de tragedie in de familie.'

Beths bruine ogen glansden van opwinding, maar ze deed alle moeite om bedrukt te kijken. 'Ja, moeder. Ik zal geen rouge opdoen, dan zie ik bleek.'

Allison onderdrukte een glimlach en Eleanor trok een wenkbrauw op. 'Rouge? Dat mag je bij geen enkele gelegenheid op. Je hebt al genoeg jeugdige kleur op je wangen. En de witte jurk die Allison je lenen wil, zal prachtig staan bij je bruine haar.'

Toen Eleanor in het kantoor van haar man verdween om het bericht te schrijven aan de Turkse officials, lachte Beth blij naar Allison. 'Ik heb zo'n zin om het aan Geraldine en Francis te vertellen. Ze zullen groen zien van jaloezie. En Allison, mag ik dat kleine satijnen tasje ook gebruiken dat bij de jurk hoort? Dat tasje dat je zo leuk om je middel kunt vastmaken. Niet tegen mama zeggen, hoor, maar ik heb een lippenstift gekocht. Die wil ik in dat tasje dragen. Wie weet? Misschien geeft een of andere knappe officier de voorkeur aan een brunette in plaats van een roodharige!'

Allison lachte ondanks zichzelf. 'Ja, je mag dat tasje met die kraaltjes gebruiken. Maar als je lippenstift opdoet, ziet mama het meteen. Je kunt er beter een kammetje in stoppen.'

Beth holde de trap op naar de slaapkamers. 'Ik haal nu

meteen de jurk en het tasje uit je kast. Als hij niet past, moeten we misschien de zoom uitleggen.'

Na de herdenkingsdienst de volgende morgen had Allison voor het eerst de kans haar moeder alleen te spreken. Beth was de hele dag naar de meisjes Hollingsworth, Geraldine en Francis, en Allison reed met haar moeder van de kerk naar huis in een gehuurde *cadishe*, een door een paard getrokken rijtuig. Het rijtuig was klein met een open dak, een versleten leren bank en verschoten vloerbedekking.

'Ik weet dat je teleurgesteld bent om vaders beslissing,' zei ze zacht.

Eleanor haalde diep adem en keek naar de smalle, kronkelende straten met aan weerskanten grote huizen met *mashribiyya*, houten roosters voor de ramen.

'Ik verzwijg het voor Beth, maar jij mag het best weten. Ik neem je zusje mee en vertrek vóór de kerst uit Egypte naar Engeland.'

Allison slikte, haar keel voelde droog en pijnlijk. Het besluit was niet makkelijk geweest voor haar moeder. Door de donkere kringen onder haar moeders ogen wist Allison dat ze de hele nacht opgebleven was.

'Als je hem zou schrijven in Bombay, dan komt hij misschien voor de kerst hierheen.'

Eleanor keek Allison aan, haar ogen stonden hard en vastberaden. 'Ik ben niet van plan om Marshall te schrijven. Ik ga met Beth naar Bombay. Van daaruit nemen we de boot naar Engeland. Of hij zit met ons op dat schip, of het is over tussen ons. Ik kom hier nooit meer terug.'

Allison staarde haar verbijsterd aan. 'Ga je naar India?'

'Ja. Ik heb vanmorgen met dominee Radbourne gepraat. Daarom was ik laat. Wat ik je vader te zeggen heb, kan niet wachten tot hij besluit hier te komen voor de feestdagen. Het moet zo snel mogelijk beslist zijn tussen ons. Ik kan binnen een paar weken in Bombay zijn. Dan kan ik een week of twee met hem doorbrengen voordat het vaarseizoen moeilijk wordt. Ik vind dat hij moet weten hoe het er voor staat tussen ons.'

Allison had zich voorgenomen zich er niet mee te bemoeien, ze ging geen ruzie met haar moeder maken om haar niet van zich te vervreemden. Maar ze had niet verwacht dat de beslissing zo snel en zo vastberaden zou vallen.

'Moeder, is het wel wijs om zo'n ultimatum te stellen? Ik bedoel, je kent vader, hij is stijfkoppig en –'

'Stijfkoppig, inderdaad. Nee, liever, ik weet precies wat ik doe. Dit ogenblik zat er al jarenlang aan te komen, en ik ben bang dat ik een punt heb bereikt vanwaar geen terugkeer mogelijk is. Het is ons huwelijk of zijn carrière. Hij zal nu moeten kiezen wat hij wil, want ik heb meer van dit leven gehad dan ik verdragen kan. Ik was gisteravond tamelijk hard tegen Beth, maar ik kan me haar verlangens voorstellen. Ze heeft net zo'n hekel aan Egypte als ik, en ik wil dat ze het leven krijgt dat ik niet gehad heb. Ik wil niet dat ze trouwt met een of andere soldaat en in de buitenlandse dienst gedwongen wordt in de Soedan, India of Egypte.'

Haar moeder meende het. Ze had haar besluit genomen. Allison verzonk in een pijnlijke stilte, verscheurd tussen begrip en medeleven voor haar moeder, en liefde en medelijden met haar vader. Ze hield van hen allebei en begreep hun beider wensen en verschillen. Ze wist dat ze geen partij moest kiezen voor de een of de ander. Het emotionele dilemma was haast ondraaglijk. Ze was blij dat haar moeder het nog niet aan Beth wilde vertellen.

'Hoe wil je het uitleggen aan Beth? Zal ze geen vragen gaan stellen als jullie samen naar Bombay varen?'

'Nee, ik vertel haar dat het gepland was; dat je vader vanuit India met ons meegaat naar Engeland.'

Allison keek haar onderzoekend aan. 'En als hij dat niet doet?'

Eleanor glimlachte vermoeid. 'Dus jij gelooft ook al dat hij zal kiezen voor Egypte en niet voor zijn vrouw?'

'Moeder, dat bedoelde ik niet. Ik bedoelde alleen maar dat als minister-president Kitchener hem persoonlijk heeft bevolen om aan te blijven als gouverneur-generaal, hij met zijn rug tegen de muur staat. Een ultimatum zal jullie alleen maar verder uit elkaar drijven, zelfs als hij met Beth en jou naar Londen vaart. Hij zal niet vergeten dat je hem voor het blok hebt gezet. Diep in zijn hart zal hij een hekel aan je krijgen omdat je hem dwong een beslissing te nemen waar hij niet klaar voor was.'

Eleanors ogen bliksemden en onverwacht kwamen de tranen. 'Ik heb het de afgelopen tien jaar doorstaan, en kan het hem iets schelen? Ik sta al op de laatste plaats in zijn programma, in zijn verplichtingen, in de eerzame eisen waaraan hij moet voldoen. Ik leef in emotionele afzondering en ik ben het zat om te doen alsof. Ik heb genoeg opgeofferd!' Haar stem rees tot een hoogte die Allison nooit eerder had gehoord en ze sloeg haar armen om haar moeder heen.

'Moeder, het spijt me. Ik wilde je niet de les lezen, ik heb geen kritiek op je. Ik hou innig van je. Ik wilde – ik wilde dat ik je beter had kunnen helpen, maar ik wist niet hoe.'

Haar moeder verstrakte om geen snik te laten ontsnappen en ze kneep Allison in de arm. Na een tijdje zei ze al te kalm: 'Je hoeft geen enkel schuldgevoel te hebben, lieverd. Het was net zo min jouw last als het nu die van Beth is. Maar je moet begrijpen dat ik hier al jaren mee zit. Het is alleen Beths opleiding die nu uiteindelijk de doorslag heeft gegeven.'

Ze verzonken in stilte. De geluiden van Port Said klonken om hen heen.

'Ik ben moe,' zei Eleanor met doffe stem. 'Ik heb hem ons hele getrouwde leven met iedereen gedeeld. Ik wilde deze laatste jaren voor ons alleen. Ik rekende erop. Nu wordt hij ons weer afgenomen – en Marshall heeft het toegelaten. Hij wist dat ik het huis op het platteland gepacht heb. Ik heb zelfs fruitbomen besteld om hem te verrassen, en nu heeft hij zich door Kitchener laten overhalen in Arabië te blijven. Ik heb mijn hele leven alles gegeven aan anderen. Wij kwamen altijd het laatst, en —' Haar stem brak af en ze liet haar hoofd in haar handen zakken, haar schouders schokten.

'Moeder,' fluisterde Allison met strakke en pijnlijke keel. 'Het spijt me zo.'

15

Allison wilde haar moeder niet teleurstellen, vooral gezien lady Wescotts recente besluit, de dood van Leah en de gevangenneming van Neal. Toch vond Allison dat ze niet met haar moeder en Beth mee kon reizen naar Bombay en dan naar Engeland, al scheen haar moeder te denken dat ze dat zou doen. 'Je hebt in Engeland veel meer gelegenheid om vooruit te komen in de verpleging.'

Hoe kon Allison uitleggen dat vooruitkomen niet was wat ze wilde, maar dat het haar verlangen was een missie te vervullen waarvan ze voelde dat het een roeping van God was? Op de dag van de polowedstrijd en het liefdadigheidsbal hoorde ze van Beth dat hun moeder overtocht had geboekt voor hen alledrie.

'Wat wil je dan gaan doen?' vroeg Beth, haar aandachtig gadeslaand. 'Hoe kun je hier alleen blijven? Wat zullen de mensen er wel van zeggen! Het is ongepast voor een ongetrouwde vrouw om alleen in Egypte te zijn.'

Allison wist er alles van en had de laatste twee dagen diep nagedacht over een antwoord. 'Ik ga niet,' zei ze zacht, terwijl ze haar jurk voor die dag uit de kast haalde. 'Ik heb hard geleerd voor mijn werk als verpleegster, en ik hoor hier. Trouwens, ik zal niet alleen zijn. Je vergeet tante Lydia. Het grootste deel van de tijd ben ik bij haar. En anders, nou, dan kom ik naar Port Said, naar het huis. Zalika is er, en misschien komt tante ook wel mee. Ze wordt oud, ondanks dat ze volhoudt dat ze nog steeds zo sterk als een paard is.'

'Na wat er is gebeurd met Leah en neef Neal zal moeder van streek zijn als je hier blijft.'

'Dat weet ik wel,' zei Allison zacht. 'Maar eerlijk waar, Beth, het is niet eerlijk om van me te verwachten dat ik alles waar ik zo hard voor gewerkt heb, laat vallen om te vertrekken.'

'Nu klink je net als vader.'

Allison keek haar aan, verrast door de vergelijking. Daar had ze niet eerder aan gedacht. Misschien leek ze wel een beetje op haar vader.

'Lydia heeft me nodig op de Nijl. Ze zijn bang voor een tyfusuitbarsting in de buurt van Thebe.'

'Bah – je mag dat ouwe Thebe houden,' zei ze. 'Al die reusachtige beelden van farao's. Zalika zegt dat in het Koningsdal kwade geesten spoken.'

'Als er al iets spookt, dan zijn het archeologen,' zei Allison droog. 'Maar goed, ik zal mijn best moeten doen om moeder te overtuigen. Ik zal haar beloven dat ik eens per jaar op bezoek naar huis kom.'

Beth schudde verdrietig haar hoofd, haar donkere krullen zwaaiden. Ze was bezig ze op te steken, om Allisons moderne haardracht te kopiëren. 'Je weet hoe mam is. Ze zal hevig geshockeerd zijn als je hier blijft zonder haar.'

Allison friemelde met haar rits en kreeg haar velletje ertussen. 'Au – ach stik! Ik snap niet waarom ik zo'n drukte maak. Ik heb niet eens zin om naar de polowedstrijd of het bal te gaan.'

Beth glimlachte schalks terwijl ze Allison hielp met de rits. 'Mij hou je niet voor de gek. Ik heb een glimp van hem opgevangen. Eigenlijk was het meer dan een glimp. Ik heb hem bekeken vanaf de trap en ik snap best waarom je wilt gaan.' Ze zuchtte. 'Hij is bijna al te knap – behalve dat kleine littekentje op zijn kin – maar dat ziet er zo mannelijk uit.'

Allison ontmoette Beths blik in de spiegel. 'Ik ga niet vanwege Bret Holden. Hij komt niet eens.'

'Ja, hoor,' zei Beth vol vertrouwen. 'Zo, rits zit dicht en je ziet er schitterend uit. O, soms haat ik je.' Haar ogen gleden over de plooien van lichtblauwe zijde met glanzende zilverdraden.

'Beth!'

'Je snapt wel wat ik bedoel, gekkie. Niet echt "haten", maar je bent zo knap. En ik voel me zo lang en zo slungelachtig –'

'Je bent vijftien. Je vult vanzelf wel op. Als ik je de volgende keer zie in Londen ben je helemaal volwassen. Geef me die stola eens. Waarom zei je dat de majoor er zou zijn? Dat is niet zo. Hij zit in Caïro.'

'Ik weet dat hij er zal zijn omdat generaal Blaine aan iedereen loopt te vertellen dat majoor Holden voor hem invalt, althans voor vandaag. Het is de laatste wedstrijd en de brigadegeneraal was woedend om het verlies. Daarom is generaal Blaine naar majoor Holden gegaan om hem over te halen.'

'Wat? Speelt Bret mee in het team van de brigadegeneraal? Niet te geloven.'

'Waarom niet?'

Allison haalde haar schouders op. 'Omdat hij zich gauw verveelt bij zulke dingen. Ik geloof niet dat hij ergens veel om geeft, behalve –' Ze had willen zeggen zijn werk bij de Britse inlichtingendienst, maar besefte toen dat Beth het niet wist, noch iemand anders, behalve haar vader en moeder.

'Behalve wat?' vroeg Beth nieuwsgierig.

Allison zat met haar mond vol tanden. 'Het verbaast me gewoon dat hij erin heeft toegestemd.'

'Nou, dat heeft hij wel gedaan. En de brigadegeneraal zegt dat hij goed speelt en agressief rijdt, wat dat ook mag betekenen.'

'Dat betekent dat hij kan paardrijden en de bal raken als de beste.'

Beth beende naar de deur, keek over haar schouder om naar Allison. 'Cynthia komt ook. Ik heb haar gezien. Ze is nog knapper dan jij.' Met een medelevend gezicht zuchtte ze. 'Ik wens je veel geluk.' Ze deed de deur open en ging naar buiten, liet hem als gewoonlijk op een kier staan. Allisons verwarde emoties hielden haar verstrikt in een klem van onrust.

★

Beth had gelijk. Cynthia Walsh kon zó op de cover van de *Vogue*. Allison hield zichzelf kalm voor dat ze geen reden had voor en geen recht op angst en jaloezie.

'Maar ze is vreselijk arrogant,' zei Sarah Blaine later die dag tegen Allison, terwijl ze een lok grijzend haar van haar slapen wegstreek. 'Als ze haar neus nog hoger in de lucht steekt, krijgt ze kramp in haar nek.'

Generaal Blaine boog zich over naar zijn vrouw en streelde zijn snor. 'Lieve, je bent vanavond vreselijk kattig.'

'Ja hoor, miauw,' zei Sarah, achterover leunend in haar terrasstoel. Ze zaten gedrieën aan de rand van het poloveld te kijken naar het spel. 'Ik ben niet de enige "kat" die er zo over denkt. Ik vraag me af hoe ze het kon verdragen om Londen achter te laten voor Egypte.'

'Het antwoord daarop is absoluut geen mysterie,' kwam Allison ertussen met een lachje. Haar ogen volgden majoor Bret Holden op de racende polopony.

'Ach, ja…' zei Sarah, die de wedstrijd gadesloeg over de rand van haar citroensorbet. 'Ik hoorde zoiets van mevrouw Walsh. Ze suggereerde dat er binnenkort een dikke diamant zal prijken aan de delicate hand van onze modepop.'

'Is ze helemaal naar het land van de farao's gekomen om die te krijgen?' vroeg generaal Blaine, terwijl hij zijn zonnebril lager op zijn neus zette. 'Nou, nou, ik kan het haar niet kwalijk nemen. Maar jullie meisjes weten niet alles.'

'En dan zeggen ze nog dat mannen niet roddelen,' spotte Sarah knipogend tegen Allison. 'Zeg op, Rex,' zei ze, hem aanstotend met haar elleboog. 'Je moet ons niet zo laten lijden. Wat heb je gehoord?'

'Over juffrouw Vogue of over hem?'

'Over hem natuurlijk. Allison wil het natuurlijk graag weten.'

'Sarah!'

'O-o,' zei de generaal. Hij liet zijn bril zakken om naar Allison te gluren.

'Wat nou o-o?' zei Allison lachend.

'Hij mag dan wel geclaimd zijn door de lieve Cynthia, maar ze is er maar één uit een lange rij die denken dat ze goud ontdekt hebben – of moet ik zeggen de laatste archeologische schat?'

Allison beet in de rand van haar glas, haar blik op Bret Holden gericht, maar Sarah draaide haar fijne hoofdje naar haar man. 'Wat zeg je daar, Rex?'

'Mijn lieve, weet je dan helemaal niets?' zei hij op de toon van een douairière. 'De man is een schoft en heeft vele gebroken harten achtergelaten langs het liefdespad terwijl hij welgemoed op nieuwe veroveringen af gaat.'

'Dat had ik niet gehoord,' zei Sarah. 'Maar ik heb gehoord dat hij Arabisch spreekt en ook een beetje Turks, wat van pas kan komen in Engeland. Misschien ook een woordje Duits.'

Allison nam een slokje van haar citroensorbet en probeerde een ander onderwerp aan te snijden. 'Hij speelt ook goed polo.'

'Waar heb je dat gehoord, dat hij andere talen spreekt?' vroeg generaal Blaine.

Sarah stak haar tong tegen hem uit. 'Mijn lieve, weet je dan helemaal niets?'

'Nog niet half genoeg. Moeten we ons zorgen maken over onze Allison?'

'Nee,' zei Allison, haar glas neerzettend. 'Jullie zien allebei het feit over het hoofd dat ik zo goed als verloofd ben met Wade Findlay, die volgend jaar hierheen komt. En het schijnt dat majoor Holden al welgemoed verder is gegaan wat mij betreft. Hij heeft nog niet één keer mijn kant opgekeken sinds Cynthia is aangekomen met lady Walsh.'

'Zie je nou?' zei generaal Blaine. 'Hij is een onmogelijke kandidaat. Allison is veel te gevoelig en te toegewijd aan hogere zaken om haar tijd te verdoen.'

'Dank je, Rex,' zei Allison met een glimlach. 'Ik dacht dat

je het niet had opgemerkt – van die hogere zaken, bedoel ik.'

'Au.'

'Ze heeft gelijk, schat, we zijn in geen maanden naar de kerk geweest.'

'Niet waar. Wat deden we dan laatst anders dan de kathedraal sieren met onze goede smaak van kleding en sieraden – en ik zag dat dominee Radbourne jouw blauwe kraal het "boze oog" gaf,' zei hij met een scherpe blik naar de turkooizen steen die ze om haar hals droeg. 'Ze zijn gewend kruizen te dragen,' zei hij. 'Je bent een heiden, lieve Sarah.'

'Ach man, dat was niet bepaald een kerkdienst, maar een herdenkingsdienst voor die arme Leah Bristow. Ik ril nog als ik denk aan die middag bij de verlaten opgravingen. Het was vreselijk om haar zo te vinden –'

'Nou, nou, je werpt sombere schaduwen over Allisons mooie hoofdje. Laten we niet uitweiden over het ongeluk in Aleppo – alleen heb ik nog wel last van mijn eigen ongeluk. Die zere rug is nog steeds niet over, Allison,' zei hij, haar aankijkend over zijn bril. 'Heb je niet iets anders voor me dan die suikerpillen?'

'Tante Lydia heeft wel iets op de boot.'

'Lieve, lieve Lydia. Ik heb de schat al in geen drie jaar gezien. Hoe gaat het met haar?'

'Kwiek als altijd. Ik zie haar binnenkort. Ze zit op de boot over de Nijl in Thebe.'

'Thebe!'

'Je weet wel, Luxor, zoals het tegenwoordig wordt genoemd. Ik ben gewend de archeologen de oude naam te horen noemen. Ik ben van plan er binnenkort heen te gaan. Ga mee, jij en Sarah. Ze zal het heerlijk vinden jullie te zien.'

'Zodat ze haar nieuwe voodootechnieken op mijn rug kan uitproberen?'

'Rex,' berispte Sarah.

'Ik zal erover denken,' zei generaal Blaine. 'We moeten

haar eerst een briefje sturen om haar te laten weten dat we komen. Ik neem aan dat ze post ontvangt op dat hospitaalschip?'

'Van alle gemakken voorzien,' zei Allison lachend. 'Trouwens, je kent de Britse consuls langs de route – je kunt de Mercy overal vandaan schrijven en de post wordt in de ambtswoningen vastgehouden voor Lydia. Je hebt de laatste vondsten nog niet gezien – het Koningsdal is rijkelijk voorzien van piramiden en graven.'

'Praat me niet van graven,' zei Sarah. Rillend trok ze haar schouders op. 'Twee ongelukken in Aleppo zijn genoeg voor mij. Als ik meega, zal ik de bezienswaardigheden wel bekijken vanaf de Mercy. Een reisje over de Nijl klinkt heel aantrekkelijk.'

'En als jullie meegaan,' zei Allison, 'besparen jullie me een ongewenste reis naar Bombay.'

'Bombay! Waarvoor dat? Je gaat me toch niet vertellen dat Marshall nog niet naar huis komt?' vroeg Sarah fronsend. 'Eleanor zal woedend zijn.'

'Dat is ze ook, ben ik bang,' zei Allison. 'Ze gaat erheen met Beth om hem erover te spreken. Ze wil dat ik ook meega, maar als ik met Rex en jou naar Luxor reis, zal ze eerder geneigd zijn te accepteren dat ik mijn werk niet wil opgeven om naar huis naar Engeland te gaan.'

'De Blaines komen je te hulp,' zei Rex. Hij klopte op zijn ronde buik. 'Ik hoop wel dat Lydia lekker kan koken.'

Sinds Allison uit Arabië was teruggekeerd, waren alle gebeurtenissen tijdens de bijeenkomst van het Archeologisch Genootschap van Caïro onwerkelijk geworden. Zelfs Jeruzalem leek een verre, andere wereld; en hoewel ze zich zorgen maakte om Neal en David, was ze er zeker van dat de Britse regering zich spoedig met hun zaak zou bezighouden om een vrijlating te regelen. Ze vroeg zich af of Bret Holden nieuws had uit Caïro, maar na de aankomst van lady Walsh en haar nichtje Cynthia had Allison weinig zin om een stap in zijn richting te zetten. Ook was ze, moest ze toegeven, een beetje beledigd omdat hij haar leek te ontlopen. Ze was vastbesloten desinteresse te blijven voorwenden, vooral nu ze van generaal Blaine en Sarah had gehoord dat Bret het aanbeden onderwerp was van vele vrouwelijke hinderlagen.

De middag liep ten einde en werd gevolgd door een diner dat de vrouw van de brigadegeneraal gaf in de tuin bij de club, waarna het liefdadigheidsbal van de club zou plaatsvinden.

'Ik hoor dat de barones ook komt,' zei Sarah. 'En professor Jemal.'

'O, nee, niet weer een lezing over de Hittieten,' kreunde generaal Blaine. 'Ik heb mijn buik meer dan vol van die vervelende vent. Hij ziet eruit alsof hij zelf kortgeleden uit zo'n oude graftombe is gerezen, het is net een mummie met zijn vale gezicht en zijn diepliggende ogen.'

'Doe niet zo raar, lieve, je houdt geen lezing over archeologie op een danspartij. We walsen rond op verrukkelijke melodieën, terwijl de Egyptische maan schijnt als een vurige bol.'

'Lijkt me een prettige plek om een dutje te doen onder snarenspel. En met mijn rug heb ik geen zin om over een gewreven vloer te gaan flaneren. Ik zie het al voor me – jij en de Turkse professor die samen de Spaanse tango dansen. Het is genoeg om de oorlog te laten uitbreken.'

'Jemal danst niet, geen tango en geen wals. Dat doet me eraan denken, Allison, ik heb nog steeds die uitnodiging niet gekregen voor het kerstspektakel dat barones Kruger geeft in haar huis in Alexandrië. Eleanor heeft beloofd een goed woordje voor me te doen, maar ik heb nog niets gehoord van Helga. Wil je Eleanor eraan herinneren voordat ze naar Bombay vaart? Misschien ben ik er niet om haar uit te zwaaien. Rex moet volgende week naar Caïro.'

'Maar hopelijk zijn we terug voor de reis naar Luxor,' zei Rex. 'Wanneer ben je van plan te vertrekken?'

'Gauw nadat mam en Beth weg zijn.'

'O, over de professor gesproken... Daar heb je hem,' zei generaal Blaine.

Allison keek op en zag professor Jemal naar hun terrasstoelen kuieren. Zijn magere gezicht werd overschaduwd door zijn grijsblauwe tulband. Voor het overige was hij helemaal in het zwart, met een westerse, knielange geklede jas.

'Vertrouw nooit een man die eind juli een winterjas draagt,' fluisterde generaal Blaine achter zijn hand, zodat Sarah en Allison gesmoord giechelden.

'Hallo, Jemal, speel je ook polo?' vroeg generaal Blaine, terwijl hij zijn forse gestalte met de vooruitstekende buik uit zijn stoel verhief. 'Ik wist niet dat jullie archeologen met je koppen vol verstand ook belangstelling hadden voor andere spelletjes buiten – ik dacht dat jullie alleen speelden met spaden en schoppen en mummiegraven.'

Sarah rolde wanhopig met haar ogen en reikte naar een waaier, maar Allison lachte. 'Zulke ruwe gereedschappen gebruiken ze niet, Rex, zeker professor Jemal niet.'

'Sorry.'

'Geeft niet, generaal Blaine,' zei Jemal met een flauw, vergevingsgezind lachje, terwijl hij zijn getulbande hoofd schudde. 'Ik verwacht niet van een gepensioneerde militair dat hij veel over opgravingen weet.'

'Een vriendelijk vermaan, ik neem het ter harte. Wie heeft de wedstrijd gewonnen, weet je dat?'

'Ik geloof het team van de brigadegeneraal. Ik heb niet gekeken, maar ze schijnen feest te vieren. Al geloof ik wel dat ik de brigadegeneraal een toost hoorde uitbrengen op uw zere rug.'

'Ho!' zei Rex lachend. 'Ik heb je gevoel voor humor onderschat. Ik dacht dat in het paleis van de sultan net zo weinig humor te vinden was als in Berlijn.'

'O, lieve help! Ik heb met mijn citroensorbet gemorst,' zei Sarah.

'Ja, op mij,' zei generaal Blaine. 'Je kunt wel wat subtieler zijn met je berispingen, lieve Sarah. Ik geloof dat ze me zojuist een wenk heeft gegeven om een wandelingetje te gaan maken,' merkte hij joviaal op tegen Jemal, terwijl hij zijn lege glas oppakte. 'Ik loop de club even in om wat te drinken te halen en laat jullie met z'n drieën lekker over ouwe botten praten.'

Allison stond ook op. 'Ik ben bang dat ik ook moet vertrekken. Daar komt Beth.'

'Klaar, Allison?' riep Beth vanaf de rand van het stoffige poloveld.

Het diner werd gehouden in de tuin van de Britse Club terwijl de grote gemeenschappelijke balzaal opzij van het terrein door plaatselijke bewoners werd klaargemaakt voor de danspartij. De lucht achter de veerachtige dadelpalmen aan het uiterste eind van de tuin veranderde van blauw goud naar warme tinten roze en oranje, en in de windstille lucht vermengden zich vreemd de geuren van rozen en eten.

Allison was niet in een feestelijke stemming. Anders dan de dagen en nachten volgend op haar thuiskomst, die haar hadden omgeven met de prettige voldaanheid van het vertrouwde, had ze het gevoel gekregen dat er iets niet in orde was. Ze had geen idee wat het was dat haar onrust verstoorde. Maar terwijl ze in de tuin zat te eten en luisterde naar het aanzwellen en afnemen van stemmen en gelach, bekroop haar een akelig voorgevoel op het eerste briesje dat de bladeren deed ruisen van de hoge oleanderstruik waar ze naast zat. De avond werd donkerder, de lantaarns die in de bomen hingen werden omzwermd door insecten en de lantaarns wierpen zwaaiende schaduwen over de stenen binnenplaats.

Ze liet haar half leeggegeten bord staan zodat de bedienden het later konden afruimen en keek naar de balzaal. Er was nog niemand aangekomen. De zaal lag in de schaduw, afgezien van de lampen die boven de orkestruimte aan het hoge plafond hingen.

Ze besefte dat er in de onverlichte balzaal iemand stond te wachten. Was het Beth?

Ze liep de zaal binnen, aangetrokken als een mot die zijn vleugels tegen een gloeilamp slaat. Ze keek over de gewreven vloer naar het toneel waar het licht neer stroomde, en zag dat de muziekinstrumenten allemaal aanwezig waren. Het gordijn achter het toneel bewoog alsof de wind de vuile zoom beroerde. Was Beth daarachter gegaan?

Allison liep door de schaduwen naar het verlichte toneel en stond stil. 'Beth?' riep ze.

Hadden haar zintuigen haar bedrogen? Beth stapte niet vanachter het gordijn, noch gaf ze antwoord.

Allison was er zo zeker van geweest dat het Beth was dat ze naar het trapje aan de zijkant van het toneel liep en achter het gordijn wilde gaan toen een eigenaardige sensatie haar overviel. In één ogenblik herbeleefde ze de verschrikking van het binnengaan van majoor Karl Reuters hut om Leah te volgen.

Leah was dood. De Britse agent was dood, en –

Een voetstap achter haar deed haar snel omdraaien. Het was maar een Egyptenaar in een lange witte *galabiyya* en een doek om zijn hoofd gewikkeld. Zijn gebruinde gezicht en zijn donkere ogen waren even emotieloos als het dodenmasker van een oude farao.

'O,' fluisterde ze, 'u maakte me aan het schrikken.'

Hij boog zijn hoofd. 'Erg spijten, mevrouw.' Stil liep hij langs haar heen naar de andere kant van de grote zaal waar hij een zee van licht aanknipte. Het bal zou zo beginnen en de muzikanten stroomden binnen via een zijdeur, maar niet vanachter het gordijn. Had ze er iemand achter zien gaan? Als Beth het niet was, wie dan? En waarom?

Ik doe gek, dacht ze. *Het is de tragedie van mam en vader, de onzekerheid over Neal en David, en dat ik niet geniet vandaag. Ik had niet moeten komen. Het was een vergissing.*

Ze voelde zich voor schut staan op het zijtrapje van het toneel in de schijnwerpers en daalde snel het trapje af, zich bewust van het feit dat verschillende hoofden haar kant op draaiden. Ze ging de zijdeur uit die de muzikanten hadden gebruikt en kwam uit aan de andere kant van de tuin waar enkele lage recreatiegebouwtjes in de vorm van bungalows waren gelegen. Ze lagen in het donker en ze nam aan dat ze afgesloten waren. Ze vroeg zich af of ze niet gewoon maar naar huis zou gaan, toen ze bijna tegen een lange, magere gestalte op botste die uit een zijdeur van achter het toneel naar buiten kwam.

Jemal boog groetend zijn hoofd. 'Bent u verdwaald, juffrouw Wescott?'

'Eh – tja, eigenlijk wel. Vreselijk dom van me, ik dacht –' Ze zweeg, want hij stond op haar neer te kijken met grote, kille ogen waarin noch humor, noch vriendelijkheid stond te lezen. Hij leek een heel andere persoon dan de professor in de archeologie die lezingen en rondleidingen hield in Aleppo, of de vriendelijke gast die eerder die middag bij het poloveld bij het tafeltje van de Blaines een praatje was komen maken.

Zijn gezichtsuitdrukking veranderde en om zijn mond verscheen een brede glimlach. 'De deur is die kant op, achter u. De muziek is begonnen. Mag ik de eerste wals?'

Ze slikte, verslikte zich bijna. Wat vervelend! Sarah had het mis gehad dat hij niet danste. Het laatste wat Allison wilde, was teruggaan en walsen, en zeker niet met deze nogal angstaanjagende, sombere man, maar hoe kon ze hem weigeren zonder een Britse snob te lijken?

'Ach, welja.'

Toen ze de balzaal binnenkwamen en naar het midden van de dansvloer liepen, voelde Allison zich in het oog lopen, want er waren maar enkele paren aan het dansen en de stoelen langs de zijkanten van de lichtblauwe muren zaten vol. Er kwamen nog steeds mensen binnen die onderwijl in de deuropening gingen staan praten.

'Dus u gaat naar Thebe?' vroeg hij vriendelijk.

'Ja, hoe weet u dat?'

'Mevrouw Blaine vertelde het. Ik benijd u. Het Koningsdal lokt me erheen zo vaak ik weg kan van de universiteit... Heeft u iets van uw neef gehoord, Neal Bristow? Toen u zo plotseling weggelopen was, dachten we dat u hem ging bezoeken in Carchemish.'

'Ja, we hebben van hem gehoord. Hij moest in Jeruzalem zijn waar hij op wat problemen is gestuit met uw Turkse generaal Pasja. Hij wordt daar nu vastgehouden. U kunt zeker niet op een of andere manier bemiddelen?'

'Mijn generaal, juffrouw Wescott? Hij is mijn generaal niet. Ik heb geen hart voor oorlog. Ik ben professor en bemoei me als zodanig niet met de politiek.'

'Ja, ik bedoelde niet –'

'Het spijt me van uw neef. Ik hoop dat de zaak minder ernstig is dan je zou denken. Maar goed, ik ken de Turkse officials in Jeruzalem niet, dus ik kan weinig doen voor Neal. Niettemin zal ik zeker een beroep doen op Ismet Bey in Caïro,' zei hij over de Turkse official. 'Misschien wil hij zich er eens over buigen.'

'Alles wat u zou kunnen doen, wordt gewaardeerd. Overigens, professor, ik maak me ongerust over de lamp in de expeditiehut in Jerablus. Moet het museum hem niet bewaren tot Neal kan terugkeren naar de opgravingen?'

'Een lamp. Ik heb hem helaas niet gezien. Is hij waardevol?'

'O, maar u moet hem gezien hebben in het huis van Neal en Leah. Je kunt hem niet over het hoofd zien. Hij staat midden in de zitkamer.'

Zijn overschaduwde ogen hadden geen uitdrukking. 'Ik ben nooit bij de Bristows in Jerablus geweest, alleen vorig jaar naar de opgravingen. Dus ik ken het stuk niet waarover u spreekt. Ik zal het melden aan barones Kruger.'

'Maar de brief –' begon ze, en hield toen wijselijk haar mond.

'De brief?'

'O, neem me toch alstublieft niet kwalijk, professor Jemal! Kijk nou toch – ik heb zomaar op uw gepoetste schoen gestaan. Wat onhandig van me.'

'Het is niets,' zei hij stijfjes.

'O, maar het is verschrikkelijk van me.'

'Alstublieft. Het is niets.'

'Ik voel me zo dom –'

Precies op dat moment duwde iemand haar opzij. Ze draaide zich om, dankbaar voor de onderbreking. Het was Bret, met Cynthia Walsh. Hij zei: 'Neem me niet kwalijk, erg onhandig van ons. O, hallo professor, ik zie dat u toch maar besloten hebt te blijven. Ik kan het u niet kwalijk nemen.' Hij keek naar Allison met een ontwapenende glimlach die haar vertelde dat de onderbreking niet per ongeluk was geweest. 'Gezellige avond, hè?'

Ze nam hem kort op, zag hoe goed het Britse uniform hem stond – heel wat anders dan kolonel Holman met het IJzeren Kruis. Het was de eerste keer dat hij er zo Brits uitzag, en het uniform paste even goed bij zijn persoonlijkheid als bij zijn mannelijke bouw.

'Nogal warm, vond ik eigenlijk,' zei Jemal, en zijn droevige ogen zochten Brets militaire rang. 'Ik wist niet dat u bij de inlichtingendienst in Caïro zat, majoor.'

'Helaas. Mijn commandant heeft me met hem laten overplaatsen. Ik spreek wat Arabisch en hij niet. Ik was liever in Constantinopel gebleven.' Bret keerde zich achteloos naar de vrouw met het ravenzwarte haar aan zijn arm, die Allison stond te bekijken.

'Cynthia, heb je de meest briljante Egyptoloog al ontmoet? Dit is professor Jemal. Professor, juffrouw Cynthia Walsh. Ze is hier op bezoek uit Engeland.'

Jemal boog met statige charme, ongetwijfeld verwarmd door Brets overdreven compliment. *Niks voor hem om zich zo vriendelijk en gul uit te drukken*, dacht Allison.

Cynthia glimlachte alleen en negeerde Allison. Ze knipte een kleine kanten waaier open en wuifde ermee terwijl ze rondkeek. 'Het is hierbinnen vreselijk warm, Bret.'

'Omdat u ook klaagde over de hitte, professor, vindt u het misschien niet erg om het mikpunt te zijn van de jaloezie van alle heren hier door een paar minuutjes op juffrouw Walsh te passen?'

Bret keek Allison aan en glimlachte kort. 'Zuster Wescott, ik zou tijdens de volgende dans graag een kwestie met u willen bespreken. Zou u het erg vinden als ik u even losruk van de briljante professor? Ik beloof dat ik u niet lang zal ophouden.'

Zonder op antwoord te wachten, hing Bret de verraste Cynthia vlot aan de arm van professor Jemal en pakte tegelijk die van Allison. Hij trok haar mee de dansvloer op.

Allison glimlachte zoet. 'Gezien uw zakelijke manier van aanspreken, majoor Holden, neem ik aan dat u mijn advies zoekt voor de verlichting van een of andere nieuwe ziekte?'

Hij glimlachte onverstoorbaar. 'Ja, ik vind dat ik vaak ernstig verkeerd word begrepen, zuster Wescott. Denkt u dat u me kunt helpen?'

Ze behield haar tegenstrijdige glimlach. 'Nee.'

'Weer mijn hoop de bodem ingeslagen.'

'Maar ik stel me voor dat Cynthia het maar al te graag zou doen.'

Op dat moment begon de band een lawaaiige quickstep te spelen met veel gekletter van cimbalen en drums. Allison glimlachte triomfantelijk. 'Op een of andere manier kan ik me niet voorstellen dat kolonel Holman een Spaanse fandango doet met een *Fräulein*.' Ze lachte zachtjes. 'Maar natuurlijk, als je het graag wilt proberen...'

Zijn sardonische glimlach verscheen en hij trok haar weg naar de zijdeur, die uitkwam op het achterste deel van de tuin. Allison, die zich plotseling realiseerde dat hij haar naar dezelfde plaats leidde waar ze even daarvoor op professor Jemal was gestuit, aarzelde.

'Maak je geen zorgen. Ons wandelingetje is strikt zakelijk.'

'Waarom zou ik anders denken?'

'Ben je niet teleurgesteld?' vroeg hij met beleefde onschuld.

Ze keek naar hem op, met moeite weerstand biedend aan de donkerblauwe intensiteit van zijn ogen.

'Laten we nu geen ruzie maken,' zei hij. 'Mijn ruiltje met Jemal en juffrouw Walsh liep gesmeerd, hè?'

'Juffrouw Walsh? Wat formeel van je, in aanmerking genomen dat ze een diamant aan haar verlovingsvinger verwacht.'

'Goed dan, "Cynthia". Ik zie dat mijn privé-zaken al snel onderwerp zijn van vrouwelijke roddel.'

'Feitelijk heb ik het van een man gehoord. Generaal Blaine.'

'Charmant. Dat maakt een heel verschil.'

'Het maakt voor mij absoluut geen verschil.'

'Ik sta hier niet om over Cynthia te discussiëren. En als je het niet erg vindt, zou ik dat willen laten wat het is, een persoonlijke aangelegenheid.'

Gegriefd zweeg ze, kwader op zichzelf dan op Bret. Wat was er in haar gevaren? Vroeger had ze zichzelf nooit toegestaan zich zo te gedragen. Wat had ze van hem verwacht? Had ze gedacht dat hij zou proberen haar ervan te overtuigen dat er niets was tussen juffrouw Walsh en hem? Wat had ze voor recht een uitleg van hem te verwachten, of ervan uit te gaan dat hij niet om iemand zou geven?

'Het spijt me. Dat verdiende ik —' begon ze.

'Nee,' viel hij haar zacht in de rede. 'Helemaal niet. Je verdient veel beter dan ik bieden kan, maar dit is niet het moment voor sentimentaliteit.'

'Sentimentaliteit is niet een van je zwakheden.'

'Ook al een persoonlijke kwestie. Nu over professor Jemal. Ik kon zien dat je in de val zat en ik heb je gered, maar om een reden. Ik wil weten wat hij van je wilde. Hij is geen danser.'

'Je bent al de tweede die me dat vertelt. Dan moet ik me zeker gevleid voelen dat hij zijn eigen regel overtrad en me vroeg voor de eerste wals. Waarom dacht je dat ik in de val zat?'

'Nou, was het zo?'

'Ja, maar hoe wist je het?'

'Ik volgde je de balzaal in, toen hij nog leeg was. Ik zag je het trapje beklimmen om achter het gordijn te gaan. Ik wilde je net tegenhouden toen je de zijdeur uitging en Jemal tegenkwam die van het toneel kwam.'

'Maar het was de professor niet die achter het gordijn ging.'

'Hoe weet je dat zo zeker?'

'Omdat...' Ja, waarom *was* ze er eigenlijk zo zeker van? 'Omdat hij uit de tuin kwam toen ik hem tegenkwam.'

'Hij liet het zo lijken en liet je met opzet schrikken door je ten dans te vragen. Zijn handeling leidde je gedachten ervan af dat je hem achter het gordijn had zien gaan. Heb ik gelijk?'

Ze besefte dat het zo was. 'Ik gebruikte dezelfde tactiek bij hem, toen ik hem liet schrikken door op zijn gepoetste schoen te gaan staan en me daarna te gedragen als een imbeciel door me herhaaldelijk te verontschuldigen. Het werkte. Hij vergat mijn vergissing.'

Zijn alerte blik keek onderzoekend in haar ogen. 'Je vergissing? Wat voor vergissing? Wat wilde je hem laten vergeten?'

Ze legde het niet meteen uit. 'Maar waarom zou hij wegglippen achter het toneelgordijn? En waarom deed hij alsof hij er niet was geweest? Hij had toch gewoon een smoesje kunnen verzinnen. Dan had ik gedacht dat het Beth was, mijn zusje. Waarom ging hij daarheen?'

'Dat wilde ik aan jou vragen. Ik dacht dat je het wist en had besloten weer eens detective te spelen en hem te volgen. Een roekeloos besluit.'

'Hem te volgen? Waarom zou ik dat willen? En hoe weet je dat allemaal?'

Hij pakte haar arm en liep met haar over de binnenplaats. 'Omdat ik een oogje op je gehouden heb, of je het gelooft of niet.'

Ze verborg haar genoegen. 'Heb je me echt in de gaten gehouden? Dan was dat het misschien wat ik voelde.'

Hij keek haar nieuwsgierig aan. 'Wat bedoel je?'

Ze herinnerde zich de eigenaardige sensatie die ze in de tuin had gevoeld tijdens het diner. Het leek raar om het uit te leggen. Ze dacht dat Bret het zou toeschrijven aan vrouwelijke instincten. Om niet dwaas te lijken, probeerde ze het onderwerp uit de weg te gaan. 'Ik denk dat ik gewoon een beetje zenuwachtig was.'

'Ik denk dat het meer is,' klonk zijn kalme antwoord. 'Vergeet niet dat de informatie waarom Leah en Reuter vermoord zijn nog steeds vermist wordt en iemand zou kunnen denken dat jij die hebt. Je was het vergeten, hè? Heeft Port Said je gedachten zo veranderd?'

Hij speelde geen spelletje met haar en ze besefte dat ze had moeten weten dat hij dat niet zou doen. Bret speelde geen spelletjes. Zijn gezicht stond ernstig.

'Nee, ik was het niet vergeten. Hoe zou ik dat kunnen?'

Zijn hand op haar arm verstrakte. 'Dit is geen plaats om te praten.' Hij leidde haar verder het achterste deel van de tuin in.

'Denk je dat het gepast is om zuster Wescott te begeleiden de Egyptische nacht in?' vroeg ze met een luchtige poging tot onverschilligheid.

'Ik begrijp door de vernietigende blikken die je mijn kant op gooit, dat je niet graag bij je professionele titel genoemd wordt.' Hij glimlachte licht uitnodigend. 'Hoe anders waag ik het je te noemen?'

'Maakt niet uit. Was het echt waar wat je professor Jemal vertelde over je commandant die jouw overplaatsing naar Caïro had geregeld omdat hij je nodig had?'

'Zoiets,' antwoordde hij ontwijkend.

'Ik neem aan dat het zo simpel niet is. Maar je spreekt wel Arabisch, want dat vertelde Sarah.'

'Wie is Sarah?'

'De vrouw van generaal Blaine. In Jerablus heb ik je over ze verteld.'

'Dus jullie hebben de geheimzinnige majoor Holden besproken. Wat had ze nog meer te zeggen?'

'Dat je een beetje Turks spreekt.'

'Ik heb talen gestudeerd. Dat is essentieel in mijn werk.'

'Spionage bedoel je.'

'Ik wilde dat je dat niet hardop zei. Heeft nog iemand het erover gehad?'

'Iedereen weet onderhand dat je bij de inlichtingendienst in Caïro werkt, zelfs professor Jemal. Hij had het er vanavond over.'

'Ja, hij deed net of hij verbaasd was. Hij wist het altijd al. Je hebt gelijk, iedereen weet het, maar werken bij de inlichtingendienst is niet hetzelfde als buitenlandse agent zijn. Dus denk erom dat je je van de domme houdt als ik onderwerp van gesprek wordt. Wat hebben de Blaines je over mij verteld?' hield hij vol.

Overal het gazon lopend keek ze hem zijdelings aan. 'Ik werd gewaarschuwd,' zei ze onomwonden.

Zijn mond vertrok van wrang plezier. 'Zozo. Ik heb je, dacht ik, verteld dat al die praatjes bij mijn dekmantel horen.'

'Dus je bedoelt dat er geen dozijn blonde schoonheden zoals Cynthia in de rij staan om je in de huwelijkse val te lokken?' vroeg ze onschuldig.

Hij lachte en begeleidde haar over het gazon, maar ze merkte op dat hij geen antwoord gaf op haar vraag.

Hij hielp haar in een rieten terrasstoel en stond even op haar neer te kijken. De glimlach was verdwenen en ook de nonchalante toon. Er verscheen een frons op zijn knappe gezicht.

'Even serieus, Allison. Ik wil weten waarom je denkt dat je op je hoede moest zijn voor Jemal.'

'Ik moet op mijn hoede zijn voor iedereen. Dat heb je me in Jerablus verteld. En dat heb ik gedaan.'

Zijn ogen vernauwden en hij sloeg zijn armen over elkaar, duidelijk niet onder de indruk van haar verklaring. 'Ja, maar wat heeft hij je gevraagd?'

'Niks belangrijks. Even kijken – o ja, hij vroeg of ik al wat van Neal gehoord had.'

'Heb je het hem verteld?' vroeg hij belangstellend.

'Ik zag geen reden het niet te doen. Was dat fout?'

Even overwoog hij haar vraag. 'Het maakt niet uit, denk ik. Het nieuws van zijn gevangenschap in Jeruzalem is bekend.'

'Dat doet me eraan denken, heb je al iets gehoord?'

'Nee, helaas niet. We werken eraan in Caïro. Tot nu toe zijn de Turken niet erg behulpzaam geweest, zoals gewoonlijk.' Hij keek nadenkend, alsof hem iets dwarszat.

'Wat is er?' vroeg ze zacht.

'Ze houden vol dat ze Neal niet hebben.'

'Is dat ongewoon?' vroeg ze gespannen.

'Nee, maar het lijkt me vreemd omdat ze wel toegeven dat ze David vasthouden. Ik vraag me af...' Ze kreeg niet te horen wat hij zich afvroeg, want een Egyptische bediende liep zachtjes over het gazon met een blad koele verfrissingen voor de mensen die ervoor gekozen hadden de balzaal te verlaten om een frisse neus te halen. Bret wenkte hem en de man kwam met het blad naar hen toe. Bret gaf haar een koel glas limonade en pakte zelf een beslagen glas en ging tegenover haar zitten. Toen de man weg was, vroeg hij zacht: 'Wat vroeg Jemal nog meer?'

'Laat eens zien... hij vroeg of ik binnenkort naar Thebe ging.'

Hij keek haar aan over de rand van het glas. 'Naar Luxor? Is dat zo?'

'Ja. Voor mijn werk met tante Lydia.' Ze vroeg zich af wat hij vond van haar missiewerk.

Hij fronste licht, zijn hand gleed langs het beslagen glas. 'Ik wilde dat je nog niet ging. Dat maakt het veel moeilijker voor me een oogje op je te houden. Als je beslist weg moet, waarom ga je dan niet met je moeder en je zusje naar Bombay?'

'Hoe wist je dat van Bombay?' glimlachte ze. 'Maakt dat ook deel uit van je spionagewerk?'

Als dat zo was, gaf hij er de voorkeur aan haar half-slachtige vraag te negeren. 'Je moeder vroeg me de over-tocht te boeken.'

'Vreemd... dat ze dat aan jou vraagt. Ga je mee als begeleider?'

'Geen denken aan! De eerste vijf jaar van mijn dienst was ik in India gestationeerd. Hoe verwacht je je moeder zover te krijgen dat ze jou alleen hier laat blijven? Mijn indruk van haar is dat ze een geweldige dame is met een uitge-sproken mening.'

Allison glimlachte droefgeestig. 'Dat is ze zeker. En ik hoop dat je daarmee niet wilt zeggen dat het me ontbreekt aan fatsoen als ik niet met haar meevaar.'

'Meisje, jij bent een voorbeeld van cultuur en onschuld. Het compliment aan lady Wescott was niet bedoeld om een schaduw op je pad te werpen. Ik hoopte alleen dat ze invloed op je zou uitoefenen waar ik het niet kan. Ik wou dat je of in Port Said bleef, of met je moeder meeging.'

'Bedankt, majoor,' zei ze al te ernstig en nam een slokje van haar citroenlimonade.

Zijn mondhoeken krulden. 'Nergens anders om dan je eigen veiligheid. Je bent beter af als je met je familie naar Engeland teruggaat en alles vergeet wat in Arabië gebeurd is.'

'Denk je echt dat ik dat kan?' vroeg ze ernstig, denkend aan Leah.

'Nee, maar voor je eigen bestwil zou het verstandig zijn als je het probeerde.'

Ze haastte zich te zeggen: 'Ik ben meerderjarig; dus mijn moeder zal me niets opleggen. Ze respecteert mijn wens om met tante Lydia te verplegen. Maar ik vind het akelig om mijn moeder teleur te stellen. Maar goed, ik zal niet alleen zijn. De Blaines komen ook voor een paar weken naar Luxor. Dan zit ik met mijn tante en met vrienden op de boot.'

Hij fronste. 'Kan Luxor niet wachten? Het is een behoorlijk eind van Caïro en ik zit hier een tijdje vast. Ik kan je niet in de gaten houden.'

Het idee dat Bret haar in de gaten hield, was een grotere troost dan ze wilde toegeven, zelfs als de reden een heel andere was dan romantische belangstelling.

'Ik zal volkomen veilig zijn in Luxor. Ik krijg het trouwens druk met een stortvloed van inentingen tegen tyfus. Tante Lydia verwacht dat de medicijnen binnenkort aankomen. Ze zal alles klaar hebben als ik er ben.'

Hij keek haar met onverwachte intensiteit aan, waardoor haar huid begon te tintelen. 'Ik begrijp dat het redden van kinderen de reden is dat je bereid bent de Nijl op en neer te reizen. Ik moet toegeven dat het je siert.'

'Als dat een compliment is, dank je. Ik ben verrast.'

'Dat moet je niet zijn. Dus Jemal vroeg je over Luxor. Wat wilde hij precies weten?'

'Alleen of we gingen. Sarah had het hem verteld. Hij is natuurlijk geïnteresseerd vanwege de piramiden en monumenten.'

Hij leek tevredengesteld. 'Goed. En waarom vond je het noodzakelijk hem iets te laten vergeten door op zijn schoen te gaan staan?'

Allison zette haar glas neer, veegde het druipende vocht af aan de servet. 'Het was een brief die ik in Jerablus in Leahs slaapkamer vond –' Ze zweeg en keek langs Bret heen. Haar gezichtsuitdrukking moest haar schrik hebben getoond, want hij stond op en draaide zich om.

'Majoor Holden,' zei barones Helga Kruger, die uit de schaduw kwam. 'De brigadegeneraal zei dat ik u hier kon vinden. Ha, Allison. Het werd tijd je weer veilig en in prettig gezelschap terug te zien. Ik wil je niet de les lezen, maar je hebt ons allemaal wel een akelig ogenblik bezorgd toen je verdween bij de hutten zo gauw nadat juffrouw Bristow dood gevonden werd. Maar Eleanor heeft me uitgelegd wat er gebeurd is.'

Allison stond op. 'Het spijt me dat ik geen boodschap voor u kon achterlaten, barones.'

'Kon dat niet?'

'David had zo'n haast om naar Jeruzalem te gaan –'

'Hij wist dat Neal Bristow daar was voor archeologische zaken,' mengde Bret zich erin. Hij nam het gesprek over. 'U zult het interessant vinden zijn stukken voor het museum te zien als generaal Pasja hem vrij wil laten. We hoopten dat u een goed woordje voor hem kon doen.'

'Ik ken generaal Pasja niet.'

'Nee. Natuurlijk niet.'

Hij zei het oprecht genoeg, maar op een of andere manier vroeg Allison zich af of hij het meende. Ook de barones aarzelde.

'Ik had uw vrienden van het museum in Constantinopel in gedachten,' zei Bret. 'Soms kunnen burgers op verantwoordelijke plaatsen stilletjes veel invloed uitoefenen op officials van de regering.'

'Ja, ja, dat is een mogelijkheid. Ik zal morgenochtend een telegram sturen. Als ik maar kan helpen.'

Bret boog kort zijn hoofd. 'U bent een vrouw met een zeldzaam inzicht, barones. Dat feit is de Britse officials niet ontgaan. U wilde me spreken over een kwestie?'

'Ja, maar ik zou niet willen onderbreken...' Ze keek nadrukkelijk naar Allison.

Allison herkende de hint. Een blik op Bret toonde dat hij niet blij was met Helga's interruptie, maar zijn neutrale blik vertelde Allison dat ze beter konden meewerken.

'Ik moet weer eens gaan,' zei Allison. 'Het is tijd om Beth op te zoeken om te kijken hoe het gaat. Dit is haar eerste bal.'

Bret trok een stoel naar achteren om plaats voor haar te maken. 'Goedenacht. Ik zal zien wat ik kan doen voor uw neef,' herhaalde hij alsof ze alleen met hem over Neal had gesproken. 'Ik zal vanuit Caïro van me laten horen via een brief of een telegram.'

'Dank u, majoor. Goedenacht.' Ze wendde zich naar Helga die haar gadesloeg met onderdrukte nieuwsgierigheid in haar donkere ogen. 'Zo fijn om u weer te zien, barones.'

'Ja, en ik hoop je te zien op enkele van mijn dinerpartijtjes dit jaar. Je moet komen en Sarah Blaine meebrengen.'

'Sarah zal het verrukkelijk vinden.'

De barones glimlachte alsof de zaak was geregeld en ging in de stoel zitten die Allison had vrijgemaakt.

Allison liep over het fluweelzachte gazon terug naar het clubhuis waar de heldere lichten in de balzaal glinsterden als diamanten in de hete nacht. Had Helga gehoord dat ze de brief noemde die ze in Jerablus in Leahs slaapkamer had gevonden?

Ze was eraan herinnerd dat ze sinds haar aankomst zo druk was geweest dat ze de stapel papieren en brieven uit Leahs ladekast nog niet had doorgenomen.

Vanavond doe ik het, dacht ze. *Bret zal willen weten wat er in die brief stond. Ik neem aan dat hij contact opneemt voordat hij uit Port Said naar Caïro vertrekt.*

Het was duidelijk dat Helga Bret in Aleppo niet had gezien in de vermomming van kolonel Brent Holman, en professor Jemal ook niet. Iemand anders? vroeg ze zich af. Ze dacht van niet. Hoe zou dat kunnen? Iemand zou er iets over gezegd hebben. En Bret zou zich niet zo achteloos als zichzelf laten zien.

Allison wilde graag weten wat Helga van hem wilde en vroeg zich af of hij het zou vertellen.

16

Allison trof haar moeder hevig in gesprek met Sarah in een hoek van de balzaal en verklaarde langs haar neus weg dat ze toch meer uitgeput was van de Arabische reis dan ze had gedacht. Omdat ze niet in de stemming was voor een Egyptische band die cimbalen en drums speelde, ging ze naar huis voor een lange nachtrust. Haar moeder bood aan met haar mee te gaan, maar dan zou Beth enorm teleurgesteld zijn, en omdat ze geen van beiden na de eerste vier dansen al het doek wilden laten zakken over Beths eerste liefdadigheidsbal, hield Allison vol dat ze net zo lief zonder hen ging.

'Ik heb ook geen zin meer in die vreselijke muziek,' zei Sarah, met een lelijk gezicht naar de band. 'Rex kennende zal hij maar al te blij zijn om ertussenuit te glippen. We zullen je een lift naar huis geven. Waar zit ie?' Ze keek om zich heen. 'Hij zal wel zo'n verschrikkelijke sigaar van de brigadegeneraal zitten te roken en de polowedstrijd bespreken. Die majoor Holden was grote klasse vandaag, heb ik gehoord. Hem zie ik trouwens ook nergens. O, gunst, is dat niet Cynthia Walsh? Ze kijkt of iemand een scheut hete azijn in haar citroenlimonade heeft gegooid.'

'Doe geen moeite voor mij; ik neem wel een taxi,' zei Allison vlug omdat ze Cynthia wilde ontlopen. 'Nog veel plezier, moeder. Welterusten.' Allison bukte om haar moeder snel een kus te geven en greep meteen haar zijden stola en haar handtas uit de stoel. 'Goedenacht, Sarah. Ik neem nog contact op over Luxor.'

'Je ziet inderdaad bleek,' zei Eleanor. 'Neem maar een slaapdrankje en sta niet op voor het ontbijt. Ik zal je door Zalika een blad laten brengen.'

'Je verwent me. Tante Lydia verwacht dat ik bij het eerste hanengekraai opsta!'

Allison vertrok door een zijdeur waar enkele *cadishes* stonden te wachten in de hoop wat te verdienen.

Toen ze voor het huis stilstonden, betaalde ze de koetsier en liep langs de Perzische lelies en de bananenbomen naar de voordeur terwijl het geluid van paard en rijtuig wegstierf in de nacht. Met haar sleutel ging ze de verlichte hal binnen, half verwachtend begroet te worden door Zalika, die gewoonlijk opbleef tot zij allemaal naar bed waren.

Maar Zalika moest naar bed zijn gegaan, want het was overal stil, al brandden er diverse gedempte lichten. Toen bedacht ze dat Zalika hen niet voor middernacht thuis verwachtte. Ze had toestemming gevraagd bij haar zus op bezoek te gaan, wiens man in de haven werkte.

Allison sloot de deur achter zich en deed hem op slot. Ze kon wel een kop thee gebruiken maar liet het zitten omdat ze gretig was om Leahs papieren uit te gaan zoeken en de brief van professor Jemal te lezen. Vreemd dat hij had gezegd dat hij nooit in de expeditiehut in Jerablus was geweest.

Ze deed haar lange zijden stola af terwijl ze naar de trap liep, haar schoentjes tikten op het gewreven hout als een indringer. Zalika had boven aan de trap licht laten branden, en Allison wilde juist de trap opgaan toen ze post zag liggen op het haltafeltje. De post moest laat zijn geweest, want Allison had eerder die middag al gekeken. Zalika had het zeker neergelegd voordat ze op bezoek ging bij haar zuster.

Vluchtig bekeek Allison een paar circulaires, wat rekeningen voor haar moeder en een brief voor Beth van een vriendin uit Caïro. Net toen Allison ze opzij wilde leggen en vlug naar haar kamer wilde gaan naar de doos met Leahs papieren, viel haar oog op een brief met het poststempel van Luxor. Het was een brief van tante Lydia. Allison snelde de trap op en door de schemerige gang naar haar kamer, opende de deur en knipte het licht aan terwijl ze naar binnen ging. Ze schopte haar schoentjes uit en deed haar oorringen uit, liep naar de stoel naast de tafel met de kristallen lamp. Ze knipte hem aan en zonk neer om zich te goed te doen aan Lydia's laatste nieuws van de Mercy.

Maar de brief was kort, wat niets voor Lydia was. Allison hield hem onder de lamp om de lichtgekleurde inkt te kunnen zien.

Lieve Allison,

Ik ben in haast om deze brief te posten voordat de boot vertrekt; dus excuses voor de korte brief. De vaccins zijn niet aangekomen en na nog eens navragen bij Arlington, de consul langs de Nijl, houdt hij vol dat ik hem opdracht heb gegeven het spul naar de ambtswoning in Caïro te sturen. Ik kan me daar niks van herinneren. Jij wel? Toen een week geleden de kisten arriveerden, heeft Arlington extra moeite gedaan om ze onmiddellijk naar Neder-Egypte te laten sturen. Hij was zo beledigd dat ik twijfelde aan wat hij had gedaan, dat ik niet het hart had tegen hem in te gaan. Hij heeft last van zenuwen en een zwakke maag waar ik hem voor behandeld heb, en ik wilde geen beroerte veroorzaken. De voorraden wachten in Caïro. Kun je meteen komen en ze meebrengen? De dreiging van een epidemie groeit met de dag. Je moet een feloeka *huren en vertrekken uit Caïro. Kom toch alsjeblieft zo snel als je kunt.*

Zeg tegen mijn zuster Eleanor dat ik het aan haar zal goedmaken dat ik je zo snel na je vakantie in Carchemish alweer weg steel. Je kunt me erover vertellen als je er bent.

We hebben een paar nieuwe archeologen uit Frankrijk, ze hebben werkelijk afgrijselijke manieren. Ze vertelden me dat ik de Mercy verder de Nijl op moest varen, omdat ik te veel fellahin *aantrok, die hun werk onderbraken. Moet je je voorstellen!*

Als je hier bent, ligt er een pakje op je te wachten. Ik had het wel willen doorsturen, maar Arlington die het persoonlijk afgeleverd heeft, zei dat er een boodschap bij was waarin hem gevraagd werd het bij mij op de Mercy te laten.

Ik sluit af met de woorden van Paulus: 'Doe je best om vóór de winter te komen.'
Lydia

Allison fronste. Het zou verschrikkelijk moeilijk zijn om de vaccins in Caïro op te halen en ze dan zelf per boot af te leveren. Hoe kwam meneer Arlington toch op het idee dat tante Lydia hem had verteld dat ze over de rivier verzonden moesten worden? Nu moest ze zo snel mogelijk vertrekken uit Port Said. Maar misschien verschafte dit haar wel een oplossing voor haar probleem hoe ze haar moeder moest overhalen haar in Egypte te laten blijven. Alle dingen werkten inderdaad samen ten goede voor hen die God liefhadden, dacht ze, en ze werd opgewekt in plaats van mistroostig. Haar moeder deelde het medelijden dat Allison en tante Lydia hadden voor arme en zieke mensen, en als er een tyfusepidemie werd verwacht, zou haar moeder willen dat ze Lydia ging helpen met het toedienen van inentingen.

De brief in haar hand bewoog door de tocht en Allison verstrakte. Langzaam keerde ze zich naar het terras met de gietijzeren reling. De deur stond op een kier. Ze herinnerde zich niet dat ze hem had opengezet toen ze die middag om een uur of drie vertrok, maar misschien had Zalika hem opengezet om de kamer te laten afkoelen.

Niet dat het ertoe deed. Ze zou hem toch zelf hebben opengezet toen ze haar kamer binnenkwam, als ze niet zo verlangend was geweest om de brief van tante Lydia te lezen en Leahs papieren en brieven door te nemen.

Allison ging meteen naar de kleine kast waar ze de doos met Leahs papieren bewaarde. Ze nam een sleuteltje van onder een gehaakt kleedje om de kast open te maken. Ze tilde de doos eruit, droeg hem naar het bed en leegde hem op de satijnen sprei.

Ze schrok op van het kraken van de vloer in de gang voor haar deur. Met wijd opengesperde ogen staarde ze naar de deurknop. Ze luisterde; daar was het geluid weer.

Haar hart bonsde. Vlug stopte ze de papieren terug in de doos, haar vingers trilden, en zo zacht mogelijk liet ze de doos onder haar bed glijden. Toen liep ze geruisloos door de kamer, knipte het licht uit en snelde blootsvoets naar het terras, trok de deur open en stapte naar buiten.

De avond omhulde haar met verstikkende stilte, sterren stonden aan de donkere hemel. Ze liep naar de reling en boog zich erover om naar de tuin te kijken. Zalika had de lantaarns laten branden en hun gouden licht viel op de tegels. Ze daalde het trapje naar de tuin af, vlug en voorzichtig om niet op de zoom van haar baljurk te trappen. Ze was klaar om de tuin door te rennen en het hek door de straat op, toen er iemand door het hek kwam, zijn jasje over zijn schouder geslingerd.

Ze verstarde en zei ademloos: 'Bret...'

Hij scheen haar niet te horen, maar toen herinnerde ze zich dat hij erop getraind was niets te verraden door zijn handelingen. Hij liep de tuin in en buiten het licht van de lantaarns. Toen hij verborgen was, zei hij rustig: 'Allison?'

Het volgende ogenblik greep ze hem zo stevig vast dat ze hem wel had kunnen wurgen, maar hij bleef er nogal geduldig onder. Ze verwachtte half en half een luchtige opmerking over haar hartstochtelijke begroeting, maar hij moest gevoeld hebben dat er iets mis was. Zijn stem was zacht en kalm. Ze kon zijn rustige hartslag voelen. 'Iemand in het huis?'

Ze knikte.

'Gezien wie het was?'

Ze schudde haar hoofd, hield hem nog steeds zonder schaamte vastgeklemd.

'Hij – hij kan wel een wapen hebben.'

'Ik ook.'

Ze besefte getroost dat hij gevaarlijk kon zijn. Anders dan zij kon hij het zich permitteren zelfverzekerd te zijn en onbevreesd.

'Waar is hij nu, weet je dat?'

'In de gang voor mijn slaapkamer – er zit geen slot op en daarom ben ik naar buiten gegaan naar het terras. Er is een trapje –'

'Dan is hij er nog. Ik denk niet dat hij me gehoord heeft, want ik ben een straat verderop uit de *cadishe* gestapt.' Zachtjes maakte hij zich van haar los. 'Wacht hier.'

Allison droeg geen horloge en had geen idee hoe lang hij weg was. Ze wachtte vol spanning, ademloos, bij de zijkant van het hek. Als er iemand door de tuin kwam rennen om te ontsnappen, wilde ze niet in de val komen te zitten tussen de indringer en Bret.

Het waren misschien drie minuten, vijf, of tien. Ze stond in de schaduw van de tuin langs het terras naar haar kamer te staren en plotseling ging het licht aan. Ze verwachtte half en half gegooi met tafels en stoelen te horen en dan iemand die over het terras klom. In het hele huis gingen lichten aan alsof Bret vlug de ene kamer na de andere doorzocht.

De indringer moest ontsnapt zijn. Ze liep door de tuin naar het trapje. Onderaan bleef ze staan, bij zichzelf overleggend of ze naar boven zou gaan, toen Bret verscheen. Hij droeg iets in zijn armen.

'Is dit van jou?' vroeg hij.

Allison zuchtte en ging het trapje op. Bret leunde tegen de reling en krauwde kalm het kopje van het kleine zwarte poesje. Ze keek van de lichtgevende groene ogen van het katje in Brets donkerblauwe en zou beschaamd en woedend op zichzelf geweest zijn als er iets van vermaak in te zien was, maar dat was niet zo.

'Thoetmosis III,' zei ze met beheerste waardigheid. 'Van Beth. Vertel me niet dat dat is wat ik hoorde, want ik weet het verschil tussen het mauwen van een kat en een vloer die kraakt onder het gewicht van een man.'

'Ik begrijp dat er ook een Thoetmosis II was?'

'En een Thoetmosis I,' voegde ze er stijfjes aan toe.

'Vader en grootvader kat zijn erg productief geweest. Hier.' Hij legde het warme poesje in haar armen. Allison volgde Bret de kamer in en zette het poesje op de stoel. Ze liep naar de deur en keek de gang in. Het licht was nu aan, en alles zag er hetzelfde uit als altijd. 'Er is niemand,' zei hij. 'Ik heb alle kamers doorzocht.'

'Bret, ik heb echt iemand gehoord!'

Hij kwam achter haar staan, pakte haar arm en draaide haar om. 'Rustig, Allison. Ik twijfel er geen ogenblik aan. Maar hij is er nu niet meer.'

Van zijn vaste blik en lichte frons gingen de kalmerende invloed uit die ze nodig had. 'Vertel me wat er gebeurd is,' zei hij zacht.

'Ik was daarbinnen, toen ik de vloer hoorde kraken alsof iemand zachtjes aan was komen lopen en nu stilstond.' Ze huiverde.

Zijn hand ging naar de zijkant van haar haren. 'Daarvóór. Wat is er gebeurd op de club? Heeft iemand je zien weggaan?'

'Nee, ik denk van niet. Alleen mijn moeder en Sarah Blaine. Die zouden ook gaan, maar —' Ze keek hem aan, plotseling gealarmeerd.

Zijn wenkbrauwen gingen omhoog. 'Ja?'

'Hoe wist je dat ik thuis was? Je was toch met barones Kruger aan het praten,' zei ze half beschuldigend.

'We hebben ons gesprekje gevoerd en toen is ze vertrokken. Ik vermoedde dat je vroeg naar huis was gegaan, en toen ik je niet zag in de balzaal heb ik het aan lady Wescott gevraagd. Ze vertelde me dat je een paar minuten eerder vertrokken was. Ik was van plan onze discussie af te maken die Helga had onderbroken. Tevreden?' vroeg hij met een glimlach.

'Ik wilde je er niet van beschuldigen een tweede inbreker te zijn, als je dat soms dacht.'

'Misschien was ik dat wel. De trap naar jouw terras, "Julia", is verleidelijk.'

'Wees nou even ernstig. Er was vanavond iemand.'

'Ja, en het wordt tijd dat je ermee voor de draad komt en me vertelt wat hij zocht.'

Ze keek hem aan. 'Waarom denk je dat hij iets zocht?'

Hij keek haar ernstig aan. 'Als het hetzelfde was wat Leah had en hij dacht dat jij wist waar het was, zou ik zelf je koffers inpakken en je op de eerste de beste boot naar Engeland zetten.'

Voor het eerst glimlachte ze. 'Waarom denk je dat ik zou gaan?'

'Omdat je doet wat je gezegd wordt,' zei hij streng. 'En anders stap ik direct naar lady Wescott om haar te vertellen dat haar dochter de spion uithangt en waarschijnlijk binnenkort begraven zal worden.'

'Thoetmosis, wat zeg jij allemaal?' zei ze toen het poesje langs haar enkels streek. 'Verwend schepsel. Beth heeft je zeker dat stinkende kattenvoer niet gegeven. Nou, je zult nog even moeten wachten.'

'Ik gok erop,' zei Bret, 'dat degene die hier was, niet wist dat je vroeg was weggegaan en dacht dat hij genoeg tijd had om zijn werk af te maken.'

'Maar wat kan hij gewild hebben? Je denkt toch niet –' Ze dempte ongerust haar stem. 'Vermoeden ze dat ik het boek heb?'

Bret keek peinzend de slaapkamer rond. 'Misschien. Het kan ook iets anders geweest zijn dat hij in gedachten had. Ik wilde dat ik het wist.' Zijn ogen zochten de hare. 'Wat heb je professor Jemal vanavond verteld?'

Ze staarde naar hem op, want nu begon het haar pas te dagen. Ze pakte het poesje op en gaf het hem, snelde naar de rand van haar bed en knielde neer, reikte onder het bed om de doos te pakken. Maar hoever ze haar hand ook uitstak, er was geen doos.

'Nee,' fluisterde ze, 'onmogelijk – niemand wist –'

Bret zette het poesje in de gang en deed de deur dicht. 'Wat?'

Ze keek hem aan. Haar gezicht was bleek en haar ogen wijd opengesperd. 'De doos vol papieren en brieven die ik meegenomen heb uit Leahs slaapkamer in Jerablus.'

Bret kwam op haar toe, pakte haar hand en trok haar overeind. 'Wát? Jij had die papieren en je hebt het me niet verteld?'

'Ik dacht dat het niet belangrijk was. Ik had ze meteen willen lezen, maar er is sindsdien zoveel gebeurd, eerst in Jeruzalem en toen hier.'

'Heb je Jemal over die doos verteld?'

'Nee, zo stom zou ik nooit zijn. Ik heb het aan niemand verteld. Daarom is het onmogelijk dat iemand het wist en er vanavond naar is komen zoeken.'

'Wanneer heb je de doos onder het bed gezet? Dat is natuurlijk de eerste plek waar iemand zoekt.'

Ze verstijfde onder zijn geërgerde blik. 'Toen ik het geluid in de gang hoorde. Voordat ik het terras op ging.'

Hij zuchtte en liet haar arm vallen, zette zijn handen op zijn heupen. 'Dan heeft hij het gevonden en is hij vertrokken voordat ik binnenkwam.'

'Hij kan het niet geweten hebben,' wierp ze zwakjes tegen. Ze voelde zich schuldig.

'Iemand weet heel wat meer dan wij denken,' zei hij. 'Ik denk dat hij met dat doel gekomen is toen jij lekker aan het walsen was in blauwe zijde,' zei hij met een gebaar naar haar baljurk.

'Het is geen zijde,' zei ze dof. 'Het is taf.'

Zijn ogen vernauwden en ze keek weg, liep langs hem heen naar het terras. 'Goed, majoor, ik heb een verschrikkelijke fout gemaakt.'

'Ja,' zei hij. 'Inderdaad.'

'Ik had je eerder moeten vertellen over Leahs papieren en brieven. Ik heb er geen enkel excuus voor, behalve dat ik dacht dat het niet belangrijk was.'

'Heb je ze wel bekeken? Herinner je je iets?'

'Nee, ik heb ze verzameld op die avond dat jij door het

raam het huis binnenkwam, die nacht dat de wind huilde en Leah pas een dag geleden vermoord was.'

'Genoeg gezegd. Ik was een beetje ongeduldig. Mijn nederige verontschuldigingen.'

Ze wierp hem een blik toe die zijn verontschuldiging wegwuifde en hij liep naar haar toe en bleef in deuropening geleund staan. 'Nog even over professor Jemal, over wie we maar moeilijk schijnen te kunnen praten. Als ik niet beter wist, zou ik denken dat je hem probeerde te beschermen.'

'Er was een brief van Jemal aan Leah,' zei ze zacht, in elkaar krimpend toen ze hem naar adem hoorde snakken. 'Ja, ik weet het. Ik had hem moeten lezen. En vanavond, toen ik op zijn schoen had getrapt zoals ik je vertelde om hem iets te laten vergeten – dat was iets over de brief wat ik me had laten ontglippen.' Vlug draaide ze zich om en keek hem smekend aan. 'Het spijt me.'

Hij bleef zwijgen. Toen zei hij: 'Denk je dat hij het geraden heeft?'

'Nee. Want ik heb niets over de brief gezegd. Ik vertelde hem dat ik niet had beseft dat Leah en hij elkaar kenden in Jerablus. Hij zei dat hij haar niet goed kende. Dat was de tweede keer dat hij dat zei.'

'En de eerste keer was bij de hutten in Aleppo?'

'Ja. Maar ik denk dat hij liegt. Omdat Leah vertelde dat hij op bezoek was geweest. En dan was er nog zijn brief. Leah had hem bewaard om een reden.'

'En nu is hij weg. Heb je hem verteld dat je wist dat hij de expeditiehut had bezocht?'

'Nee. Maar ik bedenk me nu dat hij het moet weten. Want ik noemde een bepaalde lamp die daar in huis staat. Nogal een zeldzaam stuk. Dat kon ik zelfs zien.'

'Die lamp met de vrouw die een mand op haar hoofd draagt?'

'Heb je hem gezien?'

'Kun je niet over het hoofd zien. Lijkt waardevol.'

'Dacht ik ook. En ik heb tegen professor Jemal gezegd dat

iemand van het Caïro Museum erheen moet gaan om hem op te halen, of een Koerdische bewaker neerzetten tot Neal wordt vrijgelaten uit Jeruzalem.'

'En wat zei hij toen?'

'Hij deed of hij er niets vanaf wist. Ik vond het vreemd omdat iemand met zijn achtergrond hem onmiddellijk had gezien.'

'En wat heb je je laten ontglippen? Als het niet over de brief ging, wat was het dan?'

'Ik zei tegen hem dat hij hem gezien moest hebben omdat hij Leah daar had opgezocht. Maar hij zei dat hij er nooit geweest was. Ik herinnerde me de brief en wilde er net iets over zeggen toen ik me bedacht.'

'En toen heb je zijn voet geplet?' vroeg hij met een lachje.

'Ja,' zei Allison verdedigend. 'En hij vergat ons hele gesprekje. Toen droeg jij aan het grootse ogenblik bij door er aan te komen met Cynthia die je aan zijn arm hing. Hij is waarschijnlijk nog steeds met haar aan het walsen. Nee, dat neem ik terug. Voordat ik wegging, zag ik juffrouw Walsh alleen en ze was behoorlijk geïrriteerd. Je hebt morgen heel wat uit te leggen, majoor.'

'Hmm, dus hij zei dat hij niet in het huis in Jerablus geweest was.'

'Hij liegt.'

'Kennelijk, maar waarom? De vraag is: wist hij dat jij de brief had en was hij het die er vanavond naar is komen zoeken?'

'Ik denk van niet.'

'Als Jemal het niet was, wie dan?'

Vermoeid liet Allison zich op een roze satijnen krukje zakken.

Bret keek naar het terras, alert op een geluid voordat zij het hoorde.

Allison stond op. 'O nee, je moet niet in mijn slaapkamer worden betrapt. Beth zal het me altijd blijven nadragen. Dat

305

zijn moeder en zij die thuiskomen. Ze hebben zeker toch besloten naar huis te gaan. Alsjeblieft! Ze moeten je niet zien!'

Hij boog ridderlijk als een Engelse cavalier. 'Ik zal ontsnappen via het terras, lady Allison. Alles, geliefde, om uw reputatie en mijn hals te redden.'

Allison deed vlug het licht uit en volgde hem naar het terras. Ze wachtten in het licht van de sterren tot de stemmen van haar moeder en Beth achter de voordeur verdwenen.

'De kust is veilig,' zei ze.

'Denk erom, wees voorzichtig. Zeg niets over de indringer van vanavond. Hoe meer mensen het weten, hoe moeilijker het wordt om het stil te houden. Wie het was, heeft wat hij wilde, dus hij komt niet terug.' Toen pakte hij haar onderarmen vast en keek haar in de ogen. In het licht van de sterren voelde Allison een golf door zich heen slaan en ze wilde zich losmaken.

'Ga met je moeder naar Bombay,' zei hij rustig. 'Laat al deze troep aan mij over, wil je?'

'Nee, majoor, ik kan niet. Ik wil niet weg. Zelfs als ik kon, dan zou ik het niet doen. Niet nu.'

'Wat bedoel je "niet nu"? Heb je na alles wat er gebeurd is, vooral vanavond, niet genoeg geriskeerd?'

'Ik heb vanavond een brief gekregen van tante Lydia.' Ze vertelde hem over de kisten met vaccins. 'Ik moet naar Luxor gaan. Ze heeft die spullen nodig.'

'Als ik beloof dat de spullen afgeleverd worden, ga je dan met je moeder en je zus mee op dat schip?'

Ze glimlachte zacht. 'Nee. Ik vertrek naar Caïro zo gauw ik de zaken aan mijn familie heb uitgelegd.'

Zijn mondhoeken gingen naar beneden en hij liet zijn greep verslappen. 'Zonder enige twijfel ben je de meest frustrerende jonge vrouw die ik ooit ben tegengekomen. Maar ook de meeste interessante.'

Ze aarzelde nog steeds en had haar armen niet weggetrokken. Daar zo met hem op het terras te staan in de warme Egyptische sterrennacht was genoeg om haar bewust te maken van andere gevaren.

'In aanmerking genomen dat ik een harteloze vent ben die niet makkelijk toegeeft aan sentimenten, ben ik ervan onder de indruk dat je charmes niet onopgemerkt zijn gebleven.' Hij boog zich naar haar toe en Allison rook de geur van zijn schone, witte shirt dat bij de hals openstond. 'Zou je niet puur omwille van de romantiek de frustratie van mijn dag willen verlichten en me de vriendelijke edelmoedigheid bieden van een nachtzoen? Heel zedig, natuurlijk. We houden het geheim voor Cynthia en die lieve Wade Findlay.'

Allison worstelde met het verlangen dat een warm web om haar emoties wilde spinnen. Het zou zo makkelijk zijn om ja te zeggen; haar hart had al ja gezegd.

Te makkelijk, dacht ze. *Dan ben ik net als de rest. Weer een jonge vrouw die in zijn armen smelt en verliefd wordt op de koele Engelse agent van de inlichtingendienst die niet van plan is een blijvertje te worden. Hij zegt het eigenlijk zelf. Gewoon een simpele kus — het zou niks betekenen — moet voor altijd een geheim blijven voor Cynthia.*

Toen hij naar haar toe boog, dwong ze zichzelf haar gezicht weg te draaien. Zijn lippen streken langs haar wang. Hij leek zijn evenwicht te verliezen toen ze zich van hem af boog en hij probeerde te volgen. Hij zocht met één hand steun aan de terrasreling terwijl zij zich terugtrok naar de veiligheid van de terrasdeur.

Ze dacht niet dat hij haar achterna zou komen. Zo'n type was hij niet. Daar was hij veel te hoffelijk voor. Ze glimlachte half, tevreden met zichzelf omdat ze hem weerstaan had. Dat zou een duidelijke lijn trekken tussen haar en al die anderen. Hij zou over haar langer blijven denken, zich haar herinneren.

'Goedenacht, majoor,' zei ze zacht maar zelfverzekerd en sloot de deur, schoof de grendel ervoor.

Met knikkende knieën trok ze ook de gordijnen dicht en bleef staan, haar hart bonsde in haar oren. Met haar hand raakte ze haar wang aan. Ook zij zou het zich herinneren.

★

De Tigris hees de zeilen voor de reis naar Bombay op de ochtend van 15 juli, en Allison nam afscheid van haar moeder en Beth met omhelzingen en de hoop op een verzoening tussen haar vader en moeder.

'Hij zal het vast begrijpen, moeder. Ik ben ervan overtuigd. Hij houdt echt van je. Ik kom met kerst naar Engeland om bij jullie drieën te zijn.'

Haar moeder glimlachte, maar haar ogen stonden droevig toen ze Allison gedag kuste. 'Ik heb het gevoel dat ik een fout maak door weg te gaan en jou hier achter te laten, Allison. Ik weet dat je meerderjarig bent, en ik begrijp je toewijding aan je werk met tante Lydia, maar ik heb er geen vrede mee.'

'Je maakt je te veel zorgen, mam. Tante Lydia en ik zijn twee handen op één buik. We steunen elkaar. Misschien kan ik haar zelfs overhalen naar Engeland terug te gaan voor de feestdagen.'

'Dat is net zo waarschijnlijk als dat ik je vader kan overhalen met pensioen te gaan naar een boomgaard met fruitbomen een zoemende bijen. Misschien moet ik –'

'Moeder,' riep Beth geërgerd. De warme mediterrane wind speelde met het groene veertje op haar hoed. 'We missen het schip nog. Allison weet heus wel wat ze doet, hè Allison?'

'Tot ziens,' riep Allison, de tranen terugdringend die door haar wimpers drongen en dapper glimlachend onder het wuiven. 'Tot ziens! Ik hou van jullie, mam, Beth. Tot ziens! Bon voyage!'

Eleanors gezicht stond gespannen terwijl ze samen met Beth ook glimlachte en wuifde. 'Zorg goed voor jezelf, lieverd. Wees voorzichtig op de reis over de Nijl. En put jezelf niet uit met het zorgen voor anderen!'

'Goed.'

'Niet vergeten te schrijven!' riep Beth. 'En zorg goed voor Thoetmosis III.'

'Doe ik. Hij gaat met me mee naar Luxor. Tot ziens!'

De luide stoot op de scheepstoeter overstemde de woorden die haar moeder bleef roepen, en Allison zwaaide en bleef op de kade staan kijken tot ze verdwenen waren.

God, ik heb toch de juiste beslissing genomen door te blijven? Zorg voor ze. Help vader en moeder tot elkaar te komen. Zorg voor een veilige overtocht naar Bombay en naar huis naar Engeland.

De Here zegene jullie en behoede jullie, bad ze uit Numeri 6:24. *De Here verheffe zijn aangezicht over jullie en geve jullie vrede.*

Nu was ze alleen. Ze voelde de wind. De onherroepelijkheid van haar beslissing zonk in haar hart als een anker.

'Tot ziens,' mompelde ze nog eens.

Deel 4

Terug naar Arabië

17

De Nijl

Generaal Blaine en Sarah waren enkele dagen eerder vanuit Port Said vertrokken naar Caïro. Allison, die nog steeds in de ambtswoning van het gezin bezig was haar verblijf bij tante Lydia in Luxor voor te bereiden, ontving met de post een boodschap van Sarah. Alles was geregeld voor hun reis over de Nijl naar Opper-Egypte, wat op de kaart Neder-Egypte leek te zijn.

Sarah schreef dat generaal Blaine de huur had geregeld van een 'mooie, schone' *feloeka* met een vertrouwde kapitein en een bemanning van acht personen, omdat Allison weinig over zulke dingen wist. Hij had de boot gevonden in de haven van Boulak in het noorden van Caïro. Ze zorgden nu voor hun eigen voorzieningen, schreef Sarah. *Je weet hoe Rex geniet van zijn eten, thee en koffie.* Ze hadden ook potten en pannen in overvloed, linnen, beddengoed, een draagbaar bad en enkele geweren met munitie. Rex wilde op 20 juli afvaren.

Zijn vaderlijke zorg is ontbloeid, schreef Sarah vrolijk. *Hij heeft zelfs een regeling getroffen dat Lydia's kisten met vaccins voor je worden ingeladen.* Maar, voegde ze eraan toe, Allison moest eerst naar de handelaar in Oud-Caïro gaan om de bon te tekenen waardoor de medicijnen uit Engeland vrijkwamen voor de Mercy.

'Wees voorzichtig als je daar bent. Rex denkt dat de eigenaar van de Turkse winkel niet betrouwbaar is en dat hij onder de toonbank in opium handelt. Rex en ik vragen ons af hoe Lydia de vaccins toch naar nota bene Oud-Caïro heeft kunnen laten brengen.'

Allison wist er geen antwoord op, want Lydia had het zich ook afgevraagd. De hele episode was een mislukking geworden. Had meneer Arlington de kisten toch maar niet naar Caïro gestuurd. Maar er was geen tijd om daar nu over te tobben. Als de Blaines op 20 juli wilden vertrekken, moest ze geen tijd verspillen in Port Said.

Ze pakte Thoetmosis III op en riep naar beneden naar Zalika om de bediende te sturen om haar koffers naar de wachtende *cadishe* te dragen. Zalika had verrassend genoeg gevraagd of ze met Allison mee mocht naar Luxor. Omdat Allison wel een vriendin kon gebruiken die Arabisch sprak, was ze maar al te blij de oudere vrouw bij zich te hebben, en ze vroeg zich af wat Zalika had bewogen met haar mee te gaan terwijl haar zuster in Port Said woonde. Toen ze ernaar vroeg, gaf de vrouw glimlachend toe dat ze daar dik voor was betaald door de 'aardige majoor Holden'. En zo, na het huis voor een afwezigheid van naar verwachting drie maanden afgesloten te hebben, stapten Allison, Thoetmosis en Zalika in de smerige trein voor de langzame en omslachtige reis naar Caïro. De reis hoorde twee uur te duren, maar vanwege de propvolle passagierslijst en onvermijdelijk oponthoud, arriveerde hij drie uur en twintig minuten te laat.

Een dag na hun aankomst in Caïro bestegen Allison en Zalika twee gehuurde ezels en zaten schrijlings op een type zadel dat *à l'Arabe* genoemd werd. Algauw waren ze het westerse deel van Caïro uit en werden door een jonge Arabische jongen door de nauwe, propvolle straatjes van Oud-Caïro geleid.

Ze trokken door schemerige steegjes vol mannen in *galabiyya's* en moslimvrouwen ingepakt in zwarte gewaden en sluiers. Allison en Zalika gingen onder in het lawaai en de drukte van schreeuwende kooplui in de Khan al-Khalili, een veertiende-eeuwse bazaar in het hart van het district.

Oud-Caïro bruiste van rijke handelaren, arme boeren en bedelaars; van kamelen, geiten en ezels; van bazaars die mooie zijde en goedkope katoen verkochten; en van open-lucht koffiehuizen en straatverkopers die water verkochten vanuit een gemeenschappelijke bronzen beker. Ver achter Caïro strekte de gouden woestijn zich uit naar een eindeloze horizon.

Allison hoorde de hoge, nasale stem van de muezzin echoën met wat zij geloofde dat een verloren uitroep was tot de god van Mohammed, Allah. In haar geest was de kreet weinig anders dan die van de priesters van Baäl die Elia's Jahweh uitdaagden. De echoënde kreet van de muezzin had een soortgelijk effect. De talloze moslims die de zelfuitgeroepen profeet Mohammed aanhingen, legden hun voorhoofden op de grond – die plat waren door jarenlang toegewijd godsdienstig contact met de vloeren van oeroude moskeeën. Niemand kon een moslim ervan beschuldigen dat hij niet toegewijd was. Ze waren het gebed meer toegewijd dan veel christenen, maar was het genoeg? Allison dacht aan wat de apostel Paulus over de joden had gezegd: 'Ze bezitten ijver voor God, maar zonder verstand.'

De godsdienst van de mens is sinds de tijd van Kaïn en Abel onaanvaardbaar geweest voor God, peinsde Allison. Zondige mensen konden nooit gereinigd worden door Hem hun eigen goede werken te geven. We moeten tot God komen op de ene manier die Abels offer voorspelde en ingeleid werd door Johannes de Doper, door het Lam van God dat de zonde van de wereld wegneemt. God Zelf heeft de weg tot reiniging gegeven. Alle andere wegen, hoe oprecht ook, zijn als het werk van dieven en rovers die de kudde over de muren naar binnen proberen te krijgen. 'Voorwaar, voorwaar, Ik zeg u, Ik ben de deur van de schapen,' zei Jezus.

Het was middag tegen de tijd dat ze de kleine winkel bereikten, schemerig en overvol bronzen potten en pannen, rollen stof en Turkse tapijten. Allison ging naar binnen met Zalika aan één kant van haar en de Arabische ezeljongen aan haar andere kant. Ze werd meteen overweldigd door vazen, kommen, lampen en serviesgoed in alle vormen, maten en kleuren, van granaatappelpaars tot Nijlblauw, allemaal beschilderd met vogels.

Allison werd verrast door generaal Blaine, die verscheen van achter een stoffig, zwaar geborduurd gordijn en haar begroette met een vaasje in zijn grote hand. 'Ho, mijn beste Allison! Ik was bang dat je verdwaald was. Zou het je niet kwalijk nemen. Al die beroerde kronkelweggetjes.' Hij hield het vaasje met de gouden blaadjes voor haar omhoog. 'Wat vind je hiervan? Zou Sarah het mooi vinden of niet? Het is onze trouwdag, morgen zijn we vijfentwintig jaar getrouwd.'

'Het is werkelijk schattig, Rex. Sarah kennende zal ze blijer zijn dat je eraan gedacht hebt dan met wat je voor haar koopt.'

'Hmm, dan kan ik het geld misschien beter in mijn zak houden en naar die kitchwinkel aan de overkant gaan.'

Allison lachte. 'Waag het niet.'

'Wie is dat?' vroeg hij met een blik op Zalika.

'Moeders dienstmeisje. Ze gaat met me mee naar Lydia. Je vindt het toch niet erg, nog iemand erbij op de boot?'

'Erg? Lieve kind, ik ben verrukt. Je vergeet – de lieve Sarah is afgrijselijk als het op koken aankomt. Ze is niet alleen onhandig, maar als ze besluit me te verwennen met een gebakken *trifle* is ie zo afschuwelijk dat ik me afvraag of ze er geen arsenicum in gestopt heeft.'

Allison glimlachte. 'Als ze je dat zou horen zeggen –'

'Aha, maar ze hééft het niet gehoord, en jij, mijn ingetogen petekind, gaat ome Rex niet verraden. We kunnen wel een goeie kokkin gebruiken. Wat is dit?' Zijn ruige wenkbrauwen gingen omhoog. 'Allemensen! Wat een invasie! Je zou denken dat deze afgelegen opiumkit het goede Britse Shepheard's Hotel in Ezbekia Gardens was geworden. Hallo, Bret, Helga, Cynthia. Grappig jullie hier te ontmoeten. Komen jullie ook een vaas kopen? Of zoeken jullie een plek om thee te drinken?'

Allison draaide zich om en zag tot haar verrassing barones Helga Kruger binnenkomen, vergezeld door majoor Bret Holden en Cynthia Walsh. Bret, die terloops Allison insloot in zijn begroeting, was niet in het minst onbehaaglijk in de omgeving, noch scheen hij last te hebben van de krappe ruimte of de smorende hitte. Zijn ruige uniform was vlekkeloos en hij zag eruit of hij uitstekend geslapen had – of was het zijn metgezellin die hem verkwikte? Barones Helga, gekleed in verbluffend zwart, wuifde haar elegant gepoederde gezicht koelte toe. Haar wenkbrauwen en wimpers waren zwoel aangezet. Ze keek rond of ze de eigenares van de winkel was, merkte Allison niet eens op en liep recht door een kralengordijn naar de naastgelegen ruimte terwijl ze iets in het Duits riep. Meteen verscheen de winkelier – of was het de eigenaar – in een fladderend gewaad, buigend of ze de aartshertogin was. 'Ach, barones! Barones!'

Cynthia glimlachte vol zelfvertrouwen liefjes naar Allison terwijl ze haar hand op Brets arm liet rusten. Ze vroeg de winkelier of ze een bepaald glazen stuk in de etalage mocht zien.

Allison herinnerde zich dat de barones Bret had opgezocht op het grasveld tijdens het liefdadigheidsbal. Terwijl Allison deed of ze belangstelling had voor een rol rode zijde, berekende Allison het leeftijdsverschil tussen de barones en Bret. Misschien was het niet zo groot als ze eerst had gedacht. De barones was ontzettend aantrekkelijk en heel rijk. Misschien had Cynthia van haar meer te vrezen dan van een jonge, naïeve christelijke verpleegster die ze liever met de nek aankeek.

Generaal Blaine had Allison laten staan om over de vaas te praten met een Egyptische eigenaar in een wit gewaad, en omdat Bret achter hetzelfde kralengordijn was verdwenen als de barones een minuut eerder, was Allison even alleen.

Een beetje verstoord omdat ze Bret in het gezelschap van twee vrouwen had aangetroffen en verlangend om te tekenen voor de kisten van tante Lydia en te vertrekken, zag ze nog een doorgang die een paar treetjes lager uitkwam op een grote opslagruimte. Daar was een handvol arbeiders bezig dozen en kisten uit te laden. Ze ging op zoek naar een winkelier.

Het leek wel of iedereen verdwenen was, zelfs Zalika. De opslagruimte, waar het schemerig en smoorheet was, was leeg. 'Hallo? Is daar iemand?'

Ze liep door. De houten luiken waren dicht zodat er geen frisse lucht of licht binnen kon komen, behalve wat door een paar hoge, smalle ramen viel. Opeens voelde ze zich niet op haar gemak, alsof vijandige ogen haar bekeken vanuit de schaduwen van opgestapelde kisten.

Allison stond stil. Ze hoorde gesmoorde stemmen vanuit de andere ruimtes van de winkel, toen hoorde ze een voetstap achter zich. Ze draaide zich met een ruk om, maar het was Bret. Hij keek over zijn schouder en toen hij zag dat de anderen bezig waren, liep hij snel naar haar toe en pakte haar bij de arm. 'Wat doe je hier alleen?' fluisterde hij geërgerd.

'Ik kom voor de kisten met vaccins van mijn tante, als je het beslist moet weten.' En omdat ze een beetje geïrriteerd was door de twee aantrekkelijke dames die hem vergezelden, voegde ze eraan toe: 'Ik zie niet in waarom jij je daar druk over maakt. Ik ben best in staat voor mezelf te zorgen.'

'Daar zal ik je aan helpen herinneren de volgende keer dat Thoetmosis door het huis sluipt en de vloerplanken laat kraken.'

'Het was de poes niet die ik die nacht hoorde, dat weet je best.'

'Dat is precies wat ik bedoel. Ik zou me een stuk gelukkiger voelen als je niet in Caïro ronddwaalde achter duistere kisten en stoffige gordijnen. Ik neem aan dat lady Wescott en Beth afgevaren zijn en dat je daarom vrij bent?'

'Je bent vanmiddag wel in een zorgelijke stemming, zeg. Trouwens, majoor,' zei ze betekenisvol, 'is het niet genoeg voor één dag om *twee* dames door Caïro te begeleiden?'

Zijn ogen vernauwden ongeduldig en hij keek achterom naar de doorgang. 'Ik wist dat je hier zou komen. Is je tante van lotje getikt dat ze medicijnen naar een plek als deze stuurt?'

'Tante Lydia is zo scherp als een mes, die maakt geen vergissingen.'

'Hoe verklaar je dit dan?'

'Kan ik niet – ik bedoel, ik weet zelf het antwoord niet.'

'Weet je wat voor plek het hier is?'

'Ik heb een idee,' zei ze. Ze werd onrustig en deemoedig. 'Maar ik moest komen om te tekenen voor de vaccins. Generaal Blaine heeft geprobeerd het voor me af te handelen, maar de eigenaar stond het niet toe. En jij? Als je weet wat voor plek dit is, waarom neem je de barones dan mee hiernaartoe? Ze doet of ze de eigenares is.'

'Is ze ook,' zei hij onomwonden.

'Wat!'

'Ssst,' zei Bret. 'Ik zal het je later uitleggen –' Hij zweeg abrupt. Hij legde zijn hand stevig op Allisons arm en leidde haar naar de andere ruimte. 'Zoals ik al zei, juffrouw Wescott, willen de barones en juffrouw Walsh graag een reis over de Nijl maken naar Luxor om het Koningsdal te zien. Dus als u zeker weet dat uw tante het niet erg vindt, komen we over een week of zo.'

'Daar ben je, Allison,' zei generaal Blaine, die in de doorgang stond. 'Niet weg dwalen, lieve kind. Hallo, Bret. Dus je komt naar Luxor?'

'Wat is een reis vanuit Engeland zonder de piramiden te zien? Dit is juffrouw Walsh' eerste bezoek aan Egypte.'

Allison probeerde er kalm uit te zien, alsof Bret inderdaad een reisje naar Luxor met haar had besproken.

'De kisten zijn ingeladen. Je hoeft alleen maar te tekenen,' zei Rex. 'Hoe sneller we kunnen ontsnappen uit dit hol van vieze geuren en verstikking hoe sneller we kunnen lunchen in Ezbekia Gardens voordat we afvaren. Sarah wacht daar op ons.'

'Ja, ik kom, Rex.'

Toen ze het trapje opging om de winkel binnen te gaan, hield Bret haar even tegen. 'Blijf dicht bij Sarah, wil je? Als je in Luxor bent, ga je niet van de boot af tot ik er ben.'

'Dus je komt echt?'

'Ja, maar niet met de vrouwen. Ik verzin wel een smoesje als ik aankom.'

'Ga je soms als vrijwilliger helpen met het inenten van kinderen?' vroeg ze met een lach.

'Misschien. Wees voorzichtig. Ik moet die kisten met vaccins goed doorzoeken voordat je vertrekt.'

'Hier? Nu? Maar waarom?'

'Bedenk maar iets om de eigenaar over te halen ze open te maken – wat dan ook, al beschuldig je iemand van diefstal.'

Ze keek hem verward aan. Maar zijn ernst overtuigde haar.

'Zeg maar wat – dat er een kist ontbreekt of zo.'

'Maar waarom? Wat zoek je dan?'

Hij keek of er niemand meeluisterde. 'Een bepaald boek.'

Ze schrok. Haar ogen keken onderzoekend in de zijne. 'Je bedoelt het boek van Woo –'

Maar Brets hand ging snel naar haar mond. 'Er bestaat te veel plotselinge belangstelling voor Lydia's spullen.' Terwijl Allison hem aanstaarde, verbijsterd dat hij zelfs maar dacht dat het boek van Woolly daar kon zijn, verhief hij zijn stem in een achteloos gesprek: '– en het huis van die Fransman staat daar ook, geloof ik. Hoe heet hij ook alweer? De man van Napoleon die de Steen van Rosetta heeft gevonden en het mysterie van de Egyptische hiëroglyfen ontrafelde?'

'Jean-François Champollion,' zei generaal Blaine. 'Maar die steen is nu in het British Museum. We waren zo verstandig Napoleon niet te laten vertrekken uit Egypte voordat hij hem afgaf. Allison, wat denk je ervan? Ik heb de vaas geruild voor deze Egyptische pop. Denk je dat Sarah die mooi zal vinden?'

'O, hij is snoezig. Maar jij hebt meer verstand van antieke stukken dan ik.'

'Zeg dat maar tegen Sarah.' Hij knipoogde. 'Ze beledigt me door vol te houden dat ik het verschil niet weet tussen een zeldzaam archeologisch stuk en iets uit het East End van Londen.'

'O, lieve help,' zei Allison, ontstemming veinzend.

'Is er iets?' vroeg Bret.

Allison fronste terwijl ze naar de open doorgang liep die op de straat uitkwam. Ze staarde naar buiten waar de kisten op de wagen werden geladen die door twee ezels getrokken werd. 'Ik weet zeker dat er een kist ontbreekt. Tante Lydia zei dat er zes waren. Het zijn er maar vijf.'

'Het lijkt me genoeg vaccin om het hele leger van de farao in te enten. Of zijn die allemaal verdronken in de Rode Zee?' vroeg generaal Blaine.

De winkelier kwam geagiteerd aanlopen. 'Is er iets mis, juffrouw Wescott?'

'Ik mis een kist,' vertelde Allison hem, zich schuldig voelend om de overlast.

'Onmogelijk!' riep hij. Hij maakte zich druk, wond zich op en hield vol dat het niet zo was. Allison vond het pijnlijk, maar hield vol tot barones Kruger uit de andere ruimte kwam en hem aansprak in het Duits.

'Hij zegt dat ze er allemaal zijn,' zei Helga.

'Misschien kunnen we beter de inhoud controleren voor de zekerheid,' stelde Bret voor.

'Ja, kan dat?' vroeg Allison. 'Misschien waren er geen zes kisten nodig.'

'Waar is je lijst?' vroeg Bret.

Allison zocht in haar tas en gaf hem de lijst van de inhoud. Bret bestudeerde hem.

'Terwijl jullie de kisten controleren, ga ik naar de overkant van de straat voor een kop koffie en een waterpijp,' zei generaal Blaine. 'Iemand zin om mee te gaan?'

'Ja, ik,' zei Helga. 'Maar niet voor de pijp. Wat zeg jij ervan, Cynthia? Allison?'

'Ja, gaan jullie maar,' zei Bret. 'Ik heb je lijst. Het duurt niet lang.'

Gevieren liepen ze naar de overkant van de stampvolle straat. Een Arabier zette stoelen buiten en liet hen rond de tafel zitten. Er werd Turkse koffie geserveerd met kleine donkere chocolaatjes die heel sterk en bitter waren. Terwijl ze over archeologie en Luxor spraken, keek Allison naar de overkant van de drukke straat waar de eigenaar zijn arbeiders opdracht gaf tante Lydia's kisten van de wagen te laden. Ze zag Bret naar buiten komen om de lading te controleren, en toen oversteken naar hun tafeltje, onderweg kamelen ontwijkend.

'Alles is in orde,' zei hij terwijl hij Allison de lijst overhandigde. Hun ogen ontmoetten elkaar. 'Je tante heeft wat getallen door elkaar gehaald, denk ik.'

'Typisch iets voor die oude lieverd,' zei Rex. 'Ze zou met pensioen moeten gaan en zich terugtrekken op het platteland van Londen. Misschien gebeurt dat nog als Eleanor Marshall overhaalt.' Kreunend stond hij op. 'Ik hoop dat het aan de rivier koeler is. Mijn rug wordt erger in die hitte. Blij dat ik die kisten niet op en af hoef te laden. Ga je mee, Allison?'

'Ja, ik ben klaar. Dank u voor de koffie, barones. Dank u, majoor. Dag, juffrouw Walsh. Tot ziens allemaal in Luxor.'

Allisons blik gleed naar Bret. Ze zag aan zijn vlakke, verveelde blik dat hij niet had gevonden wat hij zocht. Hij pakte Cynthia's onaangeroerde koffiekopje en dronk het leeg. Allison voelde een steek van ergernis.

Later die middag toen ze met Zalika en de Blaines aan boord ging van de *feloeka*, keek Allison naar de ondergaande zon als een poel van vurig oranje en rood die in de wolkeloze blauwe lucht boven de Witte Nijl stroomde. De oude rivier was niet veel veranderd in duizenden jaren, dacht ze terwijl de *feloeka* zijn kronkelige reis maakte naar het zuiden

Opper-Egypte in, of *Said* zoals de Egyptenaren het noemden. De oevers van de grote rivier waar de dochter van farao baby Mozes had gevonden waren nog steeds begroeid met papyrus en hoog riet. Achter de oevers van de rivier, in de grote, vruchtbare velden, lieten de *fellahin* hun katoen, bonen, koren en tarwe groeien. Allison zag de boeren achter handploegen lopen die getrokken werden door bruine ossen. Waterbuffels sjokten rond en rond, en lieten de wielen draaien die het water van de Nijl naar de velden brachten. Vrouwen liepen naar de rivier met enorme lemen waterkruiken balancerend op hun hoofd, terwijl statige witte zilverreigers over het stille water scheerden om sierlijk tussen het waterriet te gaan staan.

De Nijl was door de oude Egyptenaren aanbeden als gever van leven, en toen Allison in de boot onder de schaduw van een rieten afdak zat, kwam als vanzelf het boek Exodus in haar gedachten. Ze overdacht hoe God de rivier sloeg en hem in bloed veranderde, om de farao te tonen 'hierdoor zult u weten dat Ik de Here ben', de enige gever van leven. Ze stelde zich de miljoenen kikkers voor die uit de Nijl waren gekomen om het land Egypte te overdekken en het paleis van de farao binnen te gaan. Toen ze dood waren, werden ze opgestapeld langs de oevers. De Egyptenaren, die de godin Heka met een kikkerkop aanbaden, moesten wel ziek geworden zijn van een god die gestorven was en het land had vervuild.

Elke dag ging de *feloeka* voor anker aan de oever bij een dorpje, en Allison en Sarah liepen, met een parasol om zich te beschermen tegen de brandende zon, naar de winkels voor boter, eieren, dadels, fruit en groenten. De huizen waren bouwwerken van modder met een geheel eigen charme. Ze werden omringd door groepen hoge dadelpalmen en wierpen paarse schaduwen op de duiventillen. Bijna altijd, zo leek het Allison, maakte het graf van een of andere grote man, overdekt met een koepel, deel uit van het dorpje.

De kilometers over de Nijl dreven langzaam voorbij. Het duurde bijna een week voordat Allison en de Blaines in Luxor aankwamen. De diepblauwe Nijl weerspiegelde de koraalrode tint van de Thebaanse heuvels erachter, en de onheilspellende schaduw van het immense tempelcomplex van Karnak. De massieve beelden, zuilen en muren van alle tempels, ingekerfd met hiëroglyfische verhalen, oorlogstonelen en heidendom uit de oudheid, keken neer op hun boot met dezelfde sprakeloze stilte als de oude beelden van de farao's.

De aanblik van de wit geschilderde Mercy bracht een glimlach van puur plezier op Allisons gezicht. Tante Lydia, een vrouw die allesbehalve zacht, grijs en delicaat was, stond op het dek. Ze was lang, haar middel was even breed als haar schouders en ze droeg een verschoten bruine canvas broek, laarzen, een knielange witte tuniek in Egyptische stijl en een rieten hoed met brede rand. Haar gerimpelde, zongebruinde gezicht plooide zich in een glimlach toen ze Allison zag. Haar lange, grijze haar hing in een vlecht in een lus gebonden achter in haar nek en ze leunde op een stok vanwege een val die ze jaren geleden had gemaakt toen ze de piramiden bestudeerde. Haar verdraaide knie was nooit helemaal hersteld. Maar wat Allison aan het schrikken maakte, was een wit verband aan de zijkant van haar tantes hoofd, bij haar slaap.

'Wat ben ik blij dat je gekomen bent, Allison. Wat? Ben jij dat, Sarah, generaal Rex? Heerlijk! Hassan! Hassan!' schreeuwde ze naar haar kok en kameraad. 'Zet eens water op voor thee. We hebben gasten.'

In de schaduw van de omgeving van de dreigende tempel van Karnak, geheimzinnig door het oude verleden van de grote farao's, Ramses II en koningin Nefertiti inbegrepen, koesterde Allison zich in het gezelschap van de vrouw die ze meer liefhad dan enig andere, tante Lydia Bristow, al veertig jaar lang missiezuster. Ze sprak over God als 'mijn hoop, mijn goede Herder, Hij die me al die harde en moeilijke jaren nooit in de steek heeft gelaten, maar die me heeft gesteund in hitte en koude, in de eenzame nacht in mijn kooi, en tussen argwanende dorpelingen, krokodillen en waterslangen.'

Allison omhelsde haar tante. 'Je bent weer gevallen, tantetje, hoe vaak heb ik je nou al gesmeekt voorzichtiger te zijn als je 's nachts opstaat? Altijd eerst de lantaarn aansteken. Dat had je me toch beloofd.'

'En dat heb ik gedaan, mijn lieve Allison. Kan ik het helpen dat er een inbreker aan boord was?'

Allison staarde haar aan, ze verstijfde van ontzetting. Nee... ze zouden het niet wagen haar tante kwaad te doen...

'Ik hoorde een geluid in jouw hut en ging een kijkje nemen. Ik dacht dat ik het raam open had laten staan en dat een van de katten binnen was gekomen. Het was een verschrikkelijk hete dag geweest en ik was vergeten het dicht te doen. Ik stak de lamp aan en trof jouw spullen als één grote bende aan, je boeken lagen allemaal uitgespreid over het bed. Ik besefte dat het geen kat kon zijn geweest, maar ik kreeg geen kans om te zien wie het was omdat ik juist op dat moment een klap op mijn kop kreeg.'

'Wat afgrijselijk,' riep Sarah verontwaardigd uit toen Allison zich niet verroerde.

'Heb je het aan de Britse consul laten weten?' vroeg generaal Blaine. 'Arlington heet hij toch?'

'Hassan heeft alles voor me geregeld. Ik moet toegeven dat op mijn leeftijd de klap me toch wel een paar dagen buiten gevecht heeft gesteld. Ik heb mezelf goed verpleegd.'

'Weet je zeker dat je die Hassan kunt vertrouwen?' vroeg Rex boos met twijfel in zijn stem.

'Hassan? Absoluut! We zijn het erover eens dat het een plaatselijke inwoner geweest moet zijn die dacht dat ik met Hassan naar Luxor was om boodschappen te doen en de avond door te brengen. Het schip is kwetsbaar. Dat was nooit zo belangrijk, maar misschien moet ik een bewaker inhuren.'

'Wat zochten ze, medicijnen?' vroeg hij.

'Dat kan niet, want die hebben ze niet aangeraakt. Geld en spullen om te verkopen aan antiekhandelaars zal er wel meer op lijken. Maar ze zijn teleurgesteld.'

'Waarom zeg je dat?' vroeg Allison, die eindelijk haar stem weer vond.

'Omdat ze niks meegenomen hebben.'

Niemand scheen te merken dat Allison volkomen stilgevallen was. Er was niets meegenomen en toch was haar kamer doorzocht, vooral haar boeken. Waarom de boeken? Ze was er zeker van dat de indringer geen plaatselijke dief was geweest, maar iemand die het boek hoopte te vinden dat Leah niet had meegenomen toen ze vertrok naar haar ontmoeting met Neal.

Maar hoe kwamen ze op de gedachte dat het boek op de Mercy kon zijn? Leah was nooit op het schip geweest, noch was Allison aan boord geweest voordat het archeologisch genootschap bij elkaar kwam in Aleppo.

Ze was ernstig bezorgd. Haar eigen leven in gevaar brengen was één ding, maar iemand als tante Lydia erin te betrekken was een heel ander verhaal. *Die harde klap had een vrouw van haar leeftijd wel kunnen doden*, dacht ze boos. Ze huiverde. Als ze haar twijfels had gehad over het soort mensen waar ze het tegen op moesten nemen, had ze nu haar antwoord en het was inderdaad angstaanjagend. De vijand had de Britse agent gedood die zich had voorgedaan als majoor Reuter en hoewel ze een vrouw was, had Leah voor de Britse zaak gewerkt en kende de risico's. Tante Lydia was een andere kwestie. De vijand, vastbesloten de informatie te vinden waarvan Leah hen niet had kunnen voorzien, deinsde er niet voor terug Allisons tante te elimineren als ze in de weg stond.

Wat betekende dat Bret gelijk had. Allisons eigen leven was in gevaar.

Kennelijk namen ze aan dat ze wist waar het boek was verstopt of hen onbewust naar de ontdekking ervan kon leiden. *Iets wat ik niet moet doen*, besloot ze. *Wat het voor mezelf ook kosten mag.*

In haar spullen hadden ze niet gevonden wat ze zochten, maar kon ze er zeker van zijn dat ze niet terugkwamen? Of bracht haar aankomst nog meer gevaar mee voor tante Lydia?

Misschien had ze toch niet moeten komen. Ze kon onmiddellijk terugkeren naar Caïro, maar hoe kon ze die vreemde daad verklaren aan haar tante en de Blaines?

Ze dacht aan Bret en verlangde meer dan ooit naar zijn komst, maar het zou nog minstens een week duren voordat hij in Luxor was. Ze kon naar de consul gaan en Bret een telegram sturen via de inlichtingendienst in Caïro, om hem te vertellen over de verdachte aanval op haar tante en het doorzoeken van haar hut. Bret was verstandig genoeg om meteen te raden waar het om ging, maar het risico zijn identiteit aan de vijand te onthullen, was te groot. Het was algemeen bekend dat er weinig geheim bleef van de telegrammen in dit deel van het land, nu Europa op de rand van oorlog was en Arabië een broeinest van spionnen en intrige. Haar vader had gezegd dat telegrammen die van India naar Egypte werden verstuurd, net zo goed in de krant konden worden afgedrukt omdat de telegrammen door vele ogen gelezen konden worden. Ontvangen boodschappen werden van hand tot hand doorgegeven en konden gemakkelijk gelezen worden door iemand met vijandige bedoelingen.

Nee, dacht Allison, *ik kan nu niets doen.* Bret informeren over wat er gebeurd was, kon de andere kant er attent op maken dat hij de agent was die naar Aleppo was gestuurd als reactie op Neals hulpsignaal.

Het zou de vijand genoegen doen te horen wie de superieur was van Reuter en Neal. Iemand hoger in rang zou een veel grotere prestatie geacht worden dan Leah uitschakelen. Allison moest wachten.

Later die warme avond dineerden ze op het dek van de

Mercy. Generaal Blaine was niet teleurgesteld door het diner onder de sterren met de immense stenen koningen op de achtergrond. Tante Lydia's bediende, Hassan, had een feestmaaltijd aangericht die Ramses waardig zou zijn geweest: geroosterde lamsbout gevuld met groene pistache-nootjes en dadels, lekkernijen kleverig van de honing, vers warm brood, kommen vol zwarte olijven, brokken fetakaas, komkommers, plakken geschilde meloen, en dadels met gehakte amandelen. Dit werd gevolgd door koffie, thee en geitenmelk, waarvan generaal Blaine griezelde om het warm te drinken. Later kwam hij van de *feloeka* met een fles wijn. De anderen weigerden, maar hij liet zich in zijn rie-ten dekstoel zakken en kreunde van tevredenheid. 'Het gaat nu al beter met mijn rug, Lydia. Ik zie wel dat Sarah en ik het hier meer dan verrukkelijk zullen hebben tot majoor Holden arriveert met dat misselijke Duitse wijf, die Helga.'

'Rex!' hijgde Sarah in verlegenheid gebracht. 'En nog wel waar Lydia bij is.'

'Nonsens,' zei hij. 'Die beste Lydia heeft de barones al ontmoet en ze weet wat een vreselijke vrouw het is. Geef me nog eens een stukje van die cake, Allison. Braaf meisje. Spookt het 's nachts, mijn beste Lydia? Ramses of Thoetmosis IV of V?'

'Niet zo stompzinnig, Rex, mijn jongen,' zei Lydia. 'De enige spoken die rondsluipen in de tempel van Karnak, zijn een paar wilde beesten en vogels. Ze krijsen inderdaad wel afschuwelijk soms. Vraag maar aan Allison. Het is genoeg om zelfs mij bang te maken.'

'Ik had gehoopt vannacht lekker te slapen,' zei Sarah. 'Laten we het er maar niet over hebben. Waar ben jij van plan te slapen, Allison?'

'Aan boord van de Mercy. Ik ben eindelijk thuis. Ik heb mijn eigen kleine hokje weer, hè tante Lydia?'

'Zeker. En ik heb het helemaal voor je in orde gemaakt. Ik zal Zalika ook aan boord laten slapen.'

'En zorg dat je die mauwende kat van je meeneemt,' zei

generaal Blaine tegen Allison. 'Hij sprong vannacht op mijn gezicht en ik werd wakker met de angst dat ik ten slotte toch de Egyptische vloek had.'

'Ja, natuurlijk doe ik dat. Ik zal hem nu gaan halen. En mijn tassen. Wanneer wil je de medicijnkisten uitladen, Lydia?'

'Morgenochtend, lieverd. We zijn nu allemaal moe. En Hassan gaat altijd 's avonds naar het dorp Luxor en komt 's morgens vroeg terug met zijn eigen kleine boot. We zullen zijn hulp nodig hebben. Hij kookt op zijn boot en heeft alles klaar als hij aankomt. Hoor je dat, Rex?' plaagde ze. 'We zullen om zeven uur het ontbijt naar jouw boot laten sturen.' Ze ging naar de reling en riep Allison na: 'We zijn zondag in het dorp begonnen met de inentingen. Fijn dat je op tijd gekomen bent. Tot nu toe geen uitbraak zo ver naar het zuiden, maar verder in de richting van Aswan zijn al gevallen gemeld.'

De volgende ochtend wierp de Egyptische zon een baan van vuur over de Nijl. Allison rekte zich uit. Thoetmosis III die opgerold naast haar kussen lag, stak een pootje uit en raakte haar gezicht aan. Ze stond op en kleedde zich aan. Ze keek uit het raam naar de dadelpalmen die langs de oever groeiden en naar de voedsel zoekende zilverreigers. Haar geheime angsten wierpen een schaduw over het tevreden gevoel dat ze terug was op de Mercy.

Op dat moment dook tante Lydia naar binnen met een blad met ontbijt. Ze zette het op het kleine bureau met laden. 'Goeiemorgen. Lekker geslapen?'

'Als een blok. Dat ontbijt ziet er heerlijk uit, maar je moet me niet bedienen.'

'Je eerste ochtend thuis. O, heb je je pakje gevonden?'

Gespannen keek Allison haar aan.

'Ik vergeet van alles,' zei Lydia met zelfspot. 'Die klap op mijn hoofd heeft meer schade aangericht dan ik dacht.'

'Pakje?' herhaalde Allison zacht.

'Ik dacht dat ik erover geschreven had in mijn brief.'

Allison stond stil en herinnerde het zich. *Als je hier bent,*
ligt er een pakje op je te wachten. Ik had het wel willen doorstu-
ren, maar Arlington die het persoonlijk afgeleverd heeft, zei dat er
een boodschap bij was waarin hem gevraagd werd het bij mij op de
Mercy te laten.
Allison stond doodstil, haar hart bonsde.
Lydia liep naar het bureau en opende de lade. 'Het moet
hier zijn... meneer Arlington is de oorzaak van de blunder
met die kisten vaccin. Ik vraag me wat hem bezield heeft
om ze naar Oud-Caïro te sturen! Het slaat helemaal nergens
op en dat wilde ik hem ook vertellen. Helaas was hij al voor
een maand naar Suez vertrokken, iets over de kwetsbaarheid
van het kanaal. Als de oorlog uitbreekt is het Suezkanaal
natuurlijk van strategisch belang. Ik moet zeggen dat het me
geen verdriet deed dat die man vertrok. Maar nu zitten we
wel zonder Britse consul. Alleen een Turkse kerel, nogal
ruw, dacht ik. Hij probeert nu al wekenlang de Mercy uit
zijn regio te werken; al vanaf voordat meneer Arlington vertrok. Ik denk eigenlijk dat de Turkse consul iets meer was
dan Arlington aan kon, en dat dat de reden is dat hij wegging. Vreemd. Ik wist toch zeker dat ik het pakje hier had
gelegd.'
Allison kwam snel naast haar. 'Wanneer heb je het voor
het laatst gezien?'
'Weken geleden. Nadat ik jouw brief naar Port Said had
verstuurd. Je denkt toch niet dat de inbreker het heeft meegenomen? Wat was het, denk je?'
Allison hart stond bijna stil.
'Er stond geen afzender op,' zei Lydia. 'En Arlington heeft
niet gezegd wie de boodschap had gestuurd waarin hem
gevraagd werd het op de boot te laten tot jij arriveerde.' Ze
keek naar Allison en fronste verontschuldigend toen ze haar
radeloze gezicht zag. 'Ik hoop dat het niet waardevol was.'
Haar ogen lichtten op. 'O, ik heb het niet in het bureau
gelegd. Nu weet ik het weer. Ik wilde het doen, maar
Hassan onderbrak me. Hij verscheen onder het raam in een

boot. Zijn kleine jongen was gevallen en had zich lelijk bezeerd. Ik weet nog dat ik het pakje in mijn hutkoffer met medische spullen stopte en –'

Allison rende door de kleine woonkamer en de eetkamer naar de voorraadkamer die Lydia had veranderd in een huisapotheek. Vlug trok Allison de rieten jaloezieën omhoog. De ochtendzon weerkaatste op het water van de Nijl en stroomde de kamer binnen. Ze ging naar de hutkoffer met Lydia's voorraad. De stemmen van Sarah en Rex Blaine op de *feloeka* die vlak bij de Mercy lag aangemeerd, zweefden door het open raam naar binnen. Sarahs stem klonk gealarmeerd. 'Weet je het zeker? Het zal zo'n teleurstelling zijn voor Allison.'

Allison besteedde er geen aandacht aan maar riep naar tante Lydia om de sleutel van de hutkoffer. Lydia droeg de sleutel aan een ketting om haar middel en ontsloot de hutkoffer. Allisons verlangende blik ging over de verbanden, flessen en dozen tot haar tante er een klein ingepakt pakje uithaalde en triomfantelijk aan haar overhandigde.

'Zo. We hebben de inbreker toch gedwarsboomd. Het lijkt me het formaat van een sieraad. Misschien komt het van Wade Findlay.' Haar ogen twinkelden. 'Een ring misschien?'

Allisons hoop werd de bodem in geslagen. Ze hoorde de voetstappen niet in de eetkamer en stond naar het pakje in haar hand te staren.

Sarahs stem klonk: 'Allison? Lydia?'

Allison en Lydia liepen de eetkamer binnen waar Sarah bij de tafel stond met een vel papier in haar hand. 'Het schijnt dat de moeilijkheden zich niet beperken tot de inbreker. Het is voor jou, Allison. Je hebt een telegram gekregen uit Caïro – slecht nieuws.'

'Wat is het?' vroeg Allison ongerust.

Sarah gaf haar het papier. 'Majoor Bret Holden heeft een vreselijk ongeluk gehad in Caïro.'

18

Bret gewond en in het militaire hospitaal? Het nieuws benam Allison de adem en ze liet zich in een stoel aan de tafel zakken. *Nee, niet Bret. Alstublieft, God, niet Bret.* Haar hand beefde terwijl ze naar het telegram uit Caïro staarde.

'Wie is Bret Holden?' vroeg Lydia, die Allisons ongerustheid opmerkte.

Allison kon geen antwoord geven maar zat met het telegram in haar hand geklemd.

'Een Britse majoor,' zei Sarah zacht. 'Hij was nogal goed bevriend geraakt met Allison, al scheen lady Walsh het een vanzelfsprekende zaak te vinden dat haar nichtje Cynthia met hem ging trouwen.'

'Wat is er gebeurd?' vroeg Lydia. Ze fronste en raakte haar bont en blauwe hoofd aan, alsof haar ongeluk op een of andere manier in verband stond met dat van de majoor.

Allison las het telegram eerst voor zichzelf en toen hardop voor Lydia: 'Allison, ik kan toch niet naar Luxor komen. Ik heb een ongelukje gehad. Niks ernstigs, maar ik ben er wel een paar weken zoet mee. Maj. B. Holden, kantoor Caïro.'

Sarah zuchtte. 'Wat erg. De majoor is een interessante man. Ik kan het je niet kwalijk nemen als je je tot hem aangetrokken voelt, Allison. Maar pas op je tellen. Je weet het van Cynthia, en een vastberadener jonge vrouw moet ik nog ontmoeten. Nou,' zei ze terwijl haar gedachten hun gang gingen, 'daar gaat onze vakantietrip naar de tempel van Karnak en het Koningsdal. We zullen ons dus tevreden moeten stellen met professor Jemal en de barones als gezelschap. Ik betwijfel het of Cynthia en lady Walsh nu naar Luxor zullen komen. Ze zullen bij Bret in het ziekenhuis willen zijn. Niets doet een lijdende man zo goed als aardig gezelschap, weet je.'

'Wat is er?' vroeg generaal Blaine van achter hen in de deuropening van de woonkamer. Hij was gekleed in expeditiecanvas en leek nogal met zichzelf ingenomen. 'Heb je zin om me een rugmassage te geven, Sarah?' Hij kreunde overdreven.

'Goedemorgen, Rex,' zei Lydia joviaal. 'Heb je genoeg ontbijt gehad? Er is nog meer in de keuken en ik zal nog een pot thee zetten.'

Allison hield nog steeds het telegram vast en zat in gedachten verzonken aan tafel. 'Zei je dat professor Jemal kwam?' vroeg ze. Ze liet haar stem neutraal klinken, al zonk de moed haar in de schoenen bij het vooruitzicht... En nu zou Bret er niet zijn om haar te beschermen.

'Rex, dat zei je toch?' vroeg Sarah.

'Hij is al hier,' zei generaal Blaine stug. 'Die mummiegraver met zijn uilenogen moet ons binnen een dag na ons vertrek gevolgd zijn. Zegt dat hij op bezoek gaat bij een of andere archeologische expeditie in de buurt van Karnak. Als het niet zo'n chagrijn was, zou ik denken dat hij stapelverliefd op Allison was. Maar de man is zo morbide dat ik me niet kan voorstellen dat hij zelfs voor haar zou vallen.'

Allison was niet in staat te lachen. Jemal was hier en Bret lag gewond in het ziekenhuis. Hij moest ernstig gewond zijn, want ze kon zich niet voorstellen dat majoor Holden zwichtte voor een ziekenhuisbed voor minder dan een ernstige verwonding.

Wat was er gebeurd? Waarom had hij het niet uitgelegd in het telegram? Misschien kon hij het niet uitleggen.

'O, wat is dit?' vroeg Sarah. Ze tilde het pakje van de tafel. 'Het is heel licht. Een cadeautje, Allison? Van wie?'

Allison verstarde, ze wilde het niet uit haar handen grissen. Tante Lydia's plagende stem redde haar. 'Een verlovingsring van Wade Findlay. Je weet toch van de jongeman met wie ze gaat trouwen, hè Sarah?'

'Een verlovingsring? Wat ontzettend opwindend. Maar wel vreemd. Waarom brengt hij hem niet zelf?"

'Hij komt pas als hij afgestudeerd is aan de School voor Bijbeltraining,' zei Allison met kalme stem.

'Moet je haar horen,' plaagde Rex. 'Je zou denken dat ze het over een zak aardappelen had. De man stuurt een ring nadat hij zijn bankrekening geplunderd heeft, en Allison weigert het pakje open te maken.'

Allison lachte met moeite en nam het pakje aan van Sarah. 'Terwijl jullie allemaal toekijken? Ik voel me net een circusartiest. Ik zal het op mijn gemak doen. Zeg, ik vraag me af hoe majoor Holden een ongeluk heeft kunnen krijgen?'

'Hij zal wel weggerend zijn van Cynthia,' zei generaal Blaine kwaadaardig. 'Zijn verdiende loon. Nu is hij in het ziekenhuis aan haar genade overgeleverd. O, hallo, als je het over de doden hebt – daar komt onze mummiegraver aan.'

Allison stond vlug op, griste het telegram van tafel en stopte het pakje in de zak van haar rok. 'Als jullie het niet erg vinden, maak ik van dit moment gebruik om van het toneel te verdwijnen. Ik heb vanmorgen geen zin in jouw "mummiegraver".'

'Vlug maar, lieverd,' zei Sarah. 'Je gaat toch vandaag met ons naar de tempel van Luxor, hè? We gaan de hele dag.'

'Eh – ik denk van niet, Sarah,' riep ze over haar schouder, haastig ontsnappend. 'Ik ben net thuis en er is zoveel te doen om me te installeren. Die beroerde inbreker heeft mijn hele kamer overhoop gehaald. Ik wil mijn spullen opruimen en dan Lydia helpen die kisten met vaccin uitladen en opbergen in de huisapotheek.'

Er verscheen een rimpel tussen Sarahs wenkbrauwen. 'Dat is waar ook, ik vergeet helemaal dat je hier bent gekomen om te werken en niet voor de pret. Dan gaan we maar met Jemal.'

'We hoeven Allison niet in de steek te laten,' zei Rex. 'We blijven thuis om te helpen; daarna gaan we met z'n allen. Hoe klinkt dat, Allison?'

'Een geweldig idee,' zei tante Lydia. 'Die kisten zijn behoorlijk zwaar.'

'Dat is dan geregeld,' zei Rex beminnelijk. 'Nou, waar blijft de thee, Lydia? Daar komt Jemal. Tja, als we de man niet kunnen ontlopen, moeten we hem maar aan het werk zetten.'

Later die dag bezocht de groep volgens plan de tempel van Karnak. Toen ze van boord ging, merkte Sarah op: 'De Nijl is zo glad en rimpelloos als grijsblauw glas.'

'Vreemde beschrijving,' zei Rex. 'Het lijkt helemaal niet op glas.'

'Je denkt te logisch, Rex. Wees eens lief, wil je, en haal de picknickmand. Ik heb hem op de boot laten staan.'

Allison was weg gedwaald in de tempelruïnes, als altijd hevig onder de indruk bij de aanblik van dingen die oud waren, geheimzinnig en een rijke historie hadden. Het tempelcomplex van Karnak was op overweldigend grote schaal gebouwd, met reusachtige stenen afgoden, en bestreek een groot deel van noordelijk Thebe. Haar ogen gleden over de massieve pylonen en zuilen van de tempel van Amon. In de Grote Hypostylehal bestudeerde ze de strijdreliëfs die gekerfd waren in de buitenkant van de noordelijke deur. Hier had Seti de kronieken gegraveerd van zijn grote veldslagen om Palestina te veroveren tot de oevers van de Orintes. De doorgangen werden geflankeerd door afbeeldingen van het ritualistische bloedbad voor de afgod Amon; Seti die de koning van de Hittieten versloeg en Jenoam en Bethshael; en Seti die terugkwam met de Hittieten en ze aan Amon offerde als slaven voor zijn tempel.

Buiten de muur had ook Ramses II gestreden tegen de Hittieten en zijn strijdwagens tegen hen aangevoerd. Hij had hen verjaagd naar een plaats die in de Bijbel genoemd wordt: Kades-Barnea.

De Hittieten, dacht Allison. *Nog meer verwijzingen naar het codewoord dat de Britse agent voor Leah had achtergelaten.* Allisons hand streek over het kleine pakje in haar zak, en ze keek onrustig rond in de ruïnes. Ze zou het nu kunnen openmaken, maar durfde ze het? Bret zou woest op haar zijn. Ze zag hem voor zich, haar onderhoudend over de manier waarop ze alleen was afgedwaald, terwijl ze in haar zak misschien wel het geheim had waar Leah het boek verstopt had.

De zon stond laag aan de hemel en wierp lange, goudviolette schaduwen over de reusachtige zuilen en muren. De wind, die opstak als de zon onderging, danste en jammerde door de stenen bogen en langs de verlaten paleisgang. Het kreunen van de wind overstemde het geluid van voetstappen, maar niet helemaal. Geschrokken draaide Allison zich met een ruk om, een kreet bestierf in haar keel toen ze een ontzagwekkende gestalte achter een zuil zag glippen.

Ze rende in zijn richting, vastbesloten om te zien of het Jemal was, maar toen ze bij de zuil kwam, was hij verdwenen. Ze liep naar de stenen zuilenhal waar de enorme standbeelden van de farao's stom voor zich uit staarden. De wind floot en striemde om haar heen. Ze zag hem weer; hij was achter Ramses geglipt. Ze aarzelde.

Plotseling knalde anderhalve meter van haar af een steen tegen de grond. Ze stond stil en nam de waarschuwing ernstig. Misschien was het Jemal niet. Ze deinsde achteruit, draaide zich om en vluchtte.

*

Die avond, terug aan boord van de Mercy, sloot Allison zich op in haar hut. Tot nu toe had ze nooit reden gehad de deur op slot te doen, maar nu wenste ze dat er een grendel op zat om indringers buiten te sluiten. Alles was rustig toen Rex' joviale stem die Jemal riep, wegstierf op de provisorische loopplank. Het schip wiegde zacht heen en weer en kraakte in de stilte.

Allison scheurde het pakje open. Ze had niet verwacht

dat het van Wade was, maar toen er een verzegelde opgevouwen envelop op het bed viel staarde ze er verwachtingsvol naar. De envelop was geadresseerd aan zuster Allison Wescott. Het handschrift was van Leah.

Allison hield de envelop in haar hand, die vochtig werd van opwinding. Ze gluurde naar de deur, toen naar het open raampje achter haar schouder dat uitkeek op de griezelige torenhoog oprijzende zuilen van de tempel van Karnak. Terwijl ze de envelop vasthield, voelde ze de hete adem van de Arabische woestijn en de geheimzinnige schaduwen van de archeologische hutten in Aleppo het kleine schip dicht naderen. Allison kon bijna nicht Leah voor zich zien, zoals ze eruit had gezien die avond dat ze vertrok om de moordenaar te ontmoeten die zich voordeed als Neal.

Het lijm onder het zegel scheurde toen haar koude vingers de envelop openden. Dit moest de inbreker gezocht hebben in deze zelfde hut toen tante Lydia hem overviel – of was het 'haar'? Leah was hem een tweede keer te slim af geweest; ze had het boek niet verstuurd, maar een klein pakje, een boodschap slechts.

Allison haalde het velletje papier eruit en las gretig het briefje.

Allison,

Tegen de tijd dat je dit ontvangt, ben ik of bij je en dan is deze boodschap niet nodig, of ik ben gedwarsboomd hier in Aleppo. Vernietig deze brief als je hem gelezen hebt. Vertel niemand de informatie die ik je nu geef. Als Neal daar is, ga dan naar hem toe, of naar de agent die gereageerd heeft op Neals noodsignaal, als je te weten bent gekomen wie het is.

Voor de rest moet je niemand vertrouwen. Ik ben bang dat de veiligheid van het boek in jouw handen ligt. Ik heb het onder de veranda van de hut van majoor Reuter gestopt. Dat is dezelfde plek waar ik me die andere nacht had verstopt. Toen is die plek mijn redding geweest, en ik reken erop dat het nu ook een veilige plaats is om het boek te verbergen. Ga daar zo gauw moge-

lijk heen om het te zoeken, als mij iets overkomen is. Vertrouw
niemand anders dan God. Moge Hij met je zijn.

De boodschap was niet ondertekend. Allison las hem verschillende keren. Toen legde ze het in de wastafel, stak met verbazend vaste hand een lucifer af en hield het vlammetje bij het papier. Ze zag het verschrompelen en zwart worden tot poederige as. Ze nam de waterkan en spoelde de as door de afvoer waar het in de Nijl zou belanden. Ze had zojuist een eind gemaakt aan elke mogelijkheid dat de vijand te weten kwam waar Woolly's boek verborgen was, maar opeens begon ze te bibberen toen ze besefte dat de wetenschap nu alleen bij haar berustte. Ze kon Bret niet eens een telegram sturen om het hem te vertellen. En hij zou pas over een paar weken arriveren, als hij al kwam.

Als haar iets overkwam, als haar een of ander onverklaarbaar 'ongeluk' overkwam hier in Luxor voordat Bret er was, was de vijand geslaagd. Leah was gestorven om die informatie te beschermen. Ook de Britse agent. En neef Neal verbleef in een gevangenis in Jeruzalem, niet in staat zijn missie te voltooien. Misschien werden David en hij op dit moment wel gemarteld om hen te laten vertellen wat ze wisten. Hoe kon ze hen in de steek laten? Hoe kon ze Bret laten zakken?

Het schip kraakte en Allison werd zich bewust van de stilte om haar heen. Bret had geen ongeluk gehad; daar was ze zeker van. Er moest een aanslag op zijn leven gepleegd zijn, toen iemand te weten was gekomen wie hij was. Of was het een succesvolle list geweest om te voorkomen dat hij naar Luxor ging?

Er verscheen een schaduw voor het raam en geschrokken draaide ze zich met een ruk om. Maar het was Thoetmosis maar die op de vensterbank was gesprongen.

Zonder Bret was ze alleen en kwetsbaar. Het gevaar staarde haar recht in de ogen. Professor Jemal was hier. En de barones zou binnenkort komen. Meneer Arlington, de

Britse consul, was weg. Wie was de Turkse official die volgens tante Lydia zo vijandig was geweest? Kon hij er iets mee te maken hebben? Wie was de man die ze bij de ruïnes van Karnak had gezien?

Allison worstelde met haar angsten tot ze wist dat ze zich niet eenvoudigweg kon verstoppen en doen alsof het allemaal niet gebeurd was. Als ze op de Mercy bleef, bracht ze tante Lydia in gevaar, en misschien ook Sarah en generaal Blaine. Als ze een telegram stuurde aan Bret, zou het hem dan zelfs maar bereiken?

Als ze niets deed en haar kop in het zand stak, zou de vijand uiteindelijk op haar af komen. Ze moest het initiatief nemen voordat ze verwachtten dat ze zou handelen en misschien kon ze hen overrompelen. Ze moest meteen terug naar Aleppo, naar de hutten, naar de veranda van majoor Reuter om het boek te zoeken dat Leah zo voorzichtig had verstopt. Als ze dat niet deed, zou haar eigen 'ongeluk' zorgvuldig gearrangeerd worden en dan was het te laat.

Maar hoe kon ze zo snel vertrekken zonder ieders aandacht te trekken? Ze zou niet de fout maken een *feloeka* te huren. De spoorlijn kon haar van Luxor naar de Rode Zee brengen. Ze zou de oversteek maken per stoomschip, dan de Hidjaz-spoorweg nemen in de buurt van Medina. De Hidjaz zou haar naar Damascus en Aleppo brengen.

Vanavond moest ze op die trein zitten. En ze moest behalve tante Lydia niemand laten weten dat ze wegging.

Het boek lag te wachten onder de veranda. Ze kon de mislukte plannen redden – misschien hingen er duizenden mensenlevens vanaf of het boek de Britse regering bereikte en uit handen van de Duitse agenten werd gehouden. Als zij haar leven niet waagde om dat boek aan Bret te geven, wie zou het dan doen?

Ze dacht aan Leahs eenvoudige graf in Aleppo, waar de Arabische wind met een eenzame, desolate zucht tegenaan blies. Het leek of de herinnering aan een jonge vrouw met blond haar en een revolver haar wenkte te komen.

'Wil je me helpen?' had ze die nacht in de hut gevraagd. Allison had het beloofd. 'Waar ben je anders familie voor?'

En waar is vaderlandsliefde voor, als het hier niet voor is? dacht ze. Sommige dingen waren het waard om voor te vechten, zelfs om voor te sterven, had David haar verteld. Hetzelfde had Rose Lyman gezegd die voor de Engelsen zou spioneren als er oorlog mocht uitbreken. Ook het gezicht van de jonge Benjamin leek haar vanuit de schaduwen van haar geest gade te slaan. Neal werd vastgehouden in Jeruzalem. David had met de Turken te maken die David Ben-Goerion 'voorgoed' uit Palestina hadden verbannen. Majoor Reuter had de informatie belangrijk genoeg gevonden om voor te sterven, en Bret had bij meerdere gelegenheden zijn leven op het spel gezet.

Nu is het mijn beurt, dacht ze.

Ze had precies genoeg tijd om de reis te regelen. Daar zat ze dan, terug bij het begin, op weg naar de archeologische opgravingen bij Carchemish. Alleen was ze deze keer alleen. Nee, niet alleen. God was bij haar. Misschien was ze net als Esther geroepen voor een tijd als deze.

'Ik begrijp het niet,' zei tante Lydia toen Allison verklaarde dat ze een reis moest maken. 'Maar ik ken je goed genoeg. Waar je dit voor doet, zal wel een heel belangrijke zaak zijn. Als je beslist moet gaan, kun je Hassan toevertrouwen om je rivieropwaarts naar het dichtstbijzijnde station te brengen. Je kunt makkelijk een overtocht boeken op een stoomschip naar de Golf van Akaba. Ik neem aan dat je vandaar de Hidjaz-spoorweg neemt?'

'Ja. En Lydia, het is van essentieel belang dat je aan niemand vertelt waar ik heen ben, behalve aan majoor Bret Holden. En omdat het onwaarschijnlijk is dat hij komt...' Haar stem brak af.

Lydia fronste. 'Heeft dit alles iets te maken met de inbreker en dat pakje?'

'Ik zou vrienden verraden als ik meer zei, en hoe minder

je weet, hoe beter. Je moet je geen zorgen over me maken.'

'Na wat er met Leah gebeurd is, zou ik wel gek zijn als ik dat niet deed. Maar ik zie dat je vastbesloten bent om te vertrekken. Heel goed, Allison, je geheim is bij mij veilig; je kunt rekenen op mijn volkomen stilzwijgen. Wanneer vertrek je?'

'Zo gauw mogelijk.'

'En Zalika?'

Allison aarzelde, want ze had nog geen besluit genomen. Ze vertrouwde de vrouw die de afgelopen tien dagen haar trouw had bewezen, maar ze durfde haar niet mee te nemen. Was er nog een andere manier om Bret te bereiken dan door een telegram te sturen? Als iemand onopgemerkt terug kon gaan naar Caïro met een korte boodschap voor Bret, dan was het Zalika.

'Ik stuur haar naar Caïro,' zei ze eenvoudig.

'Dan zal ik Hassan roepen om zijn boot klaar te maken. Laat me zo gauw mogelijk weten of je in veiligheid bent. Stuur me een telegram.'

Allison omhelsde haar tante stevig, bijna alsof ze Lydia nooit meer zou zien. 'Doe ik. Als ik kan, kom ik terug om te dienen op de Mercy.'

19

Iemand hield Allison in de gaten, iemand met kwade bedoelingen. Het gevoel kroop met zekerheid langs haar ruggengraat omhoog tijdens de overstap in Damascus, terwijl ze wachtten tot er nieuwe passagiers aan boord kwamen. Maar niemand kon haar gevolgd hebben. Daarvoor was ze te voorzichtig geweest.

De Hidjaz-spoorweg liep van het zuiden van Mekka en Medina Arabië in naar Bagdad in het noordoosten. Allison was vier dagen geleden ingestapt in Tell Sjam. Nu reisde de trein door de Hidjaz, die grotendeels bestond uit onbekende Arabische dorpjes, onder jurisdictie van de *sjarif* van Syrië. Deze bijzondere *sjarif* was een belangrijke godsdienstige moslimleider van een familie die beweerde dat ze nakomelingen van Mohammed waren. De Turkse sultan in Constantinopel heerste over de Hidjaz, maar behandelde de *sjarif* behoedzaam, bang dat de massa's moslims waar hij overwicht over had in opstand zouden komen. De sultan wist niet dat de *sjarif* al geheime ontmoetingen had met de Britten, en onderhandelde over onafhankelijkheid als de oorlog uitbrak.

De hele Hidjaz was gevoelig gebied om in te reizen, en Allison was zich bewust van haar precaire toestand. Ze waren al langs dorpjes gekomen waar ze niets van wist, plaatsen met exotische en mysterieuze namen: Ghadir al Haj, Faraifra, Sultani, Ammon en Derra. Toen kwam het bekender klinkende Oud-Damascus, waar de apostel Paulus zijn gezichtsvermogen terugkreeg nadat hij op de weg naar Damascus met Jezus had gesproken. Ze voelde zich een beetje getroost toen ze bedacht dat deze echte geografische locaties al Bijbels land waren lang voordat de islamitische godsdienst de Arabieren in zijn greep had gekregen en hen met getrokken zwaard had bekeerd, ongeveer zoals tijdens de Kruistochten geprobeerd werd. Waar geloof, wist ze, moest gebaseerd zijn op waarheid, niet op dwang.

Maar terwijl de trein slingerde en schudde op het ratelen van de ijzeren wielen onder een warme woestijnhemel met schitterende sterren, begon Allisons gevoel van veiligheid weg te ebben. De trein was voor het middaguur Damascus uit gereden en floot laat in de avond door de lege Hidjaz naar Aleppo, Carchemish en Bagdad. Het ritmische kletteren van de wielen echode door de eenzame Arabische nacht.

Slaap was als een versuffende verdoving neergedaald over de passagiers in hun compartimenten of gezeten in de lagere klas coupés, maar Allison bleef rusteloos. Voor de tweede keer sinds middernacht stond ze op van de onderste couchette en richtte haar zaklantaarn naar de deur die haar kleine, vieze compartiment verbond met het aangrenzende compartiment, dat leeg was. Ze richtte de lichtstraal op de grendel en zag dat hij veilig op zijn plaats zat.

De trein rommelde over het spoor en de wind kermde rond haar raampje. Vreemd, dacht ze, hoe sterk ze het gevoel had dat er in Damascus iemand was ingestapt die kwade bedoelingen had, iemand die ze moest ontwijken, die erop uit was om haar tegen te houden. Of verwachtte die persoon dat zij hem naar de plaats leidde waar Leah het boek had verstopt? Hij zou zich onopgemerkt in de schaduw houden tot ze het tevoorschijn haalde, en haar dan het zwijgen opleggen zoals ze met haar niet hadden gedaan. Misschien zou haar lichaam gevonden worden in het rondwaaiende zand.

Hou op! Je hebt geen geheime vijand nodig; je maakt jezelf wel bang!

Maar haar angst was niet ongegrond. Er waren drie mensen vermoord sinds dit alles was begonnen, en tante Lydia was aangevallen. Zelfs Bret had haar gewaarschuwd hoe gevaarlijk het was dat ze zich erin mengde.

Bret. Was hij maar hier, dacht ze met een plotseling hevig verlangen, denkend aan zijn kracht en zijn vastberadenheid. Hij had de zaken in de expeditiehut in Jerablus efficiënt en ferm afgehandeld toen ze allemaal ontsnapt waren. Met een steek in haar hart stelde ze zich hem gewond voor in het militaire hospitaal van Caïro. Iemand moest geprobeerd hebben hem te vermoorden. Ze moesten geweten hebben dat hij een agent was.

Allison had zo sterk het gevoel dat ze gadegeslagen werd, dat ze sinds de lunch in Damascus haar compartiment niet verlaten had. Ze had aan de Turkse conducteur met het ernstige gezicht gevraagd haar diner naar haar compartiment te laten sturen in plaats van te gaan eten tussen de andere passagiers in de overvolle restauratiewagen in de trein. Het blad met koud geworden eten stond onaangeroerd op de tafel, het servies ratelde.

Maar ik kan niet gevolgd zijn, hield ze zich weer vastberaden voor. Om haar beslistheid te versterken, nam ze de feiten nog eens door zoals zij ze kende. Om te beginnen had niemand haar van de Mercy zien vertrekken. Ze was weggegaan voordat professor Jemal terugkwam met Sarah en Rex van een tweede tochtje naar de tempel van Luxor, en niemand wist dat ze die brief van Leah had gekregen. Ze dachten dat er een verlovingsring in het pakje zat.

Nu zouden ze onderhand wel weten dat ze weg was natuurlijk, en Helga zou gearriveerd zijn, misschien met Cynthia en lady Walsh. Maar Allison had een week voorsprong op iemand die mocht besluiten haar te volgen. Tenzij iemand had vermoed dat ze zou vertrekken en haar onopgemerkt op de hielen gezeten had.

Ze huiverde. Nu begon ze te denken dat iemand anders dan meneer Arlington, de Britse consul, met opzet de kisten met vaccin naar Caïro had gestuurd. Omdat iemand, net als Bret, dacht dat het boek erin verstopt zat. Toen het daar niet werd gevonden, had die persoon besloten de boot van tante Lydia te doorzoeken, maar haar tante had onwetend het pakje in de hutkoffer met medicijnen gestopt.

Dus, dacht Allison, *als ze inderdaad vermoedden dat ik een boodschap zou ontvangen als ik op de Mercy was, heeft er iemand op me gewacht. Wie anders dan Lydia heeft het geweten?* Alleen Bret. Kon het zijn...? Nee, ze vertrouwde Bret.

Wie had haar zien vertrekken van de Mercy? Tante Lydia, Hassan en Zalika. Haar tante was er absoluut zeker van dat ze kon rekenen op haar bediende, ze had benadrukt dat Hassan in het geheim christen was en uiterst betrouwbaar. Allison moest dat van haar tante aannemen. En Allison was even zeker van de trouw van haar moeders Egyptische bediende, Zalika. Terwijl Hassan Allison over de Nijl had gevaren om aan boord te gaan van het stoomschip op de Rode Zee naar Akaba, was Zalika veilig op een Nijlboot gezet terug naar Caïro. Zelfs tante Lydia wist niet precies waar Allison heen was gegaan.

Maar hoe had iemand haar dan kunnen volgen? Iemand kon haar hebben gadegeslagen, haar hebben opgewacht, klaar om haar tot Damascus op afstand te volgen. Bij Damascus vernauwde het spoor omdat daar het laatste deel van haar reis naar de hutten begon. Hij of zij kon het zich veroorloven wat brutaler te worden, maar zich toch in de schaduwen van de trein te houden. Ze moest hem niet naar het boek leiden.

Ze had het merendeel van de andere passagiers al gezien en het waren vreemden voor haar. Er was geen bekend gezicht onder de Turken, Arabieren, enkele Duitsers en een of twee Engelsen.

Een harde wind beukte tegen de zijkant van de trein en ze stelde zich de uitgestrektheid voor van hete, droge woestijn die buiten langs het kleine, smerige raampje voorbijschoot. Sinds ze vertrokken waren uit Damascus waren ze langs Ras Baalbeck gereisd, het oude Hohms, en Kalaat al Hosn – het oude Franse kruisvaarderskasteel, Crac des Chevaliers. Daarna kwam Hama en in de loop van morgen zou ze in Aleppo uit de trein stappen.

Als ze geen auto kon huren, zou ze een Arabier betalen om haar naar de hutten te brengen. Opeens dacht ze ergens aan – de Arabier waarvan Bret haar had verteld dat David en zij hem in de steeg achter de *soek* zouden zien. Hij was een vriend geweest en had gereageerd op de naam van Bret Holden. Kon ze hem weer vinden? Zou hij met zijn wagen ergens in de buurt zijn van dat stampvolle straatje? Ze geloofde niet dat er veel kans op was.

Ze dacht aan Hamid, Brets assistent. Wist ze maar waar ze hem kon vinden in Aleppo. Zijn schotwond zou nu wel genezen zijn. Ze moest zelf naar de hutten zien te komen, maar ze zou alleen gaan als ze ervan overtuigd was dat ze niet werd gevolgd.

Het compartiment was krap en bedompt, en ze stond op in haar peignoir en liep heen en weer. Toen ging ze op de rand van de onderste couchette het dichte donker in zitten staren.

Ze dacht een zwak geluid te horen in het aangrenzende compartiment, maar ze dacht niet dat er iemand sliep. Toen hoorde ze een klik in dat compartiment dat leeg hoorde te zijn, gevolgd door een flauwe lichtstreep onder de verbindende deur. Ze hield haar adem in. De trein rommelde en kreunde. De wind rukte aan het buitenste raampje. Haar hart bonsde in haar oren. Misschien wilde iemand haar tot zwijgen brengen voordat ze in Aleppo arriveerde.

In de hete duisternis probeerde iemand aan de andere kant snel de klink om te zien of de deur vergrendeld was. Het koude zweet brak Allison uit, haar vingers sloten zich om de revolver in de zak van haar peignoir, maar ze wist dat het uiteindelijk alleen God was die haar beschermde. En toch – en toch – mensen die in God geloofden en op Hem vertrouwden, stierven soms een gewelddadige en onrechtvaardige dood.

Mijn leven is in Uw handen, bad ze. *Niets kan mij overkomen behalve als U het toestaat met een bedoeling die ik niet begrijp. Alstublieft, God, help mij, bescherm mij! Als het onbezonnen van*

me was hierheen te gaan, vergeef me dan en kom mij te hulp.
Ze wachtte, luisterde, maar hoorde niets anders dan de bewegingen van de trein. Minuten kropen voorbij en toen hoorde ze in de buitenste gang iemand langslopen – liep hij wel langs? Stond hij nu voor haar deur?

Allison wachtte, durfde zich niet te verroeren. Terwijl de tijd verstreek zonder dat er verder iets gebeurde, sloop ze op haar tenen naar de deur en legde haar oor ertegen. Ze hoorde niets anders dan de trillingen van de trein op het spoor.

Wie het ook was, was even snel gegaan als hij gekomen was. Allison strompelde naar haar couchette en zonk bevend neer op de rand. *Moet je mij nou zien! Ik ben één bonk zenuwen – en ik dacht nog wel dat ik alleen naar de hutten kon gaan om onder die donkere veranda van de hut van majoor Reuter te kruipen om het boek te vinden. Bij de eerste voetstap die ik hoor, loop ik gillend weg!*

Boos op zichzelf stond ze op en begon te ijsberen. Ze stond stil – het licht flikkerde opnieuw onder de deur van het aangrenzende compartiment en ze hoorde het geluid van metaal dat tegen metaal schraapt. Iemand probeerde de grendel door te vijlen.

Ze sloeg haar hand voor haar mond. Ze deed een stap naar achteren. Toen klonk er een klein klopje op de deur naar de buitenste gang. Op hetzelfde ogenblik hield het vijlen op en het licht ging uit in het aangrenzende compartiment. Wie het ook was, kon niet op twee plaatsen tegelijk zijn.

Er kwam een dodelijk kalmte over haar en ze haalde de revolver uit haar zak terwijl ze haar hand uitstak om de buitendeur van het slot te halen. Ze hield het wapen gericht en deed een stap achteruit terwijl ze de deur op een kiertje opende... en toen langzaam verder. Bret Holden stond in het licht van de zwaaiende lamp, helemaal in het zwart gekleed. Haar kracht trok uit haar weg.

Er had geen knapper en ontzagwekkender beeld van mannelijke veiligheid kunnen verschijnen als ze hem als een geest uit de fles had kunnen toveren. Hij was hier – niet zwak en gewond. Maar hoe kon dat?

Opgelucht gooide ze zich in zijn armen, klemde zich aan hem vast en fluisterde: 'O, Bret –'

Maar hij klemde een hand over haar mond en duwde haar achteruit terug het compartiment in. Zacht schoof hij de grendel voor de deur. Hij wenkte met zijn hoofd naar het aangrenzende compartiment, waar het nu donker was, en ze wist dat hij het begreep. Hij liet haar los en ging naar de deur.

'Maak open,' fluisterde hij, zijn stem nauwelijks hoorbaar. Ze keek hem aan of hij gek geworden was, maar ze deed wat hij zei. Ze schoof de grendel terug. Bret gaf haar een wenk dat ze iets moest zeggen.

'Wie is daar?' vroeg ze met bevende stem.

Een zwak geluid klonk in het andere compartiment, toen klonk het gedempt: 'Allison?'

'Ja – wie ben je?'

Bret had zijn positie ingenomen naast de deur tegen de muur, zijn revolver getrokken. Hij stak zijn hand uit en trok Allison opzij en opende de deur. Hij zwaaide open en Allison staarde naar de sterke gestalte die verscheen.

Ze snakte naar adem. 'Neal!'

'Ja, ik ben het. Hallo, nicht.'

Ze staarde hem aan, ze kon zijn gezicht niet zien, haar hart bonsde. *Nee... alsjeblieft, nee...* dacht ze aldoor, verward en gekweld door haar gedachten. Toen knipte Bret de lantaarns aan en ze werden verlicht door slingerend gouden licht terwijl de trein over het spoor ratelde.

Neal keek Allison uitdrukkingsloos aan. Toen zei hij: 'Wat doe jij hier? Het moest Jemal zijn.' Hij keek Bret aan. 'Jou verwachtte ik hier ook niet. Nou, het ziet er niet best voor me uit, hè?'

Bret keek hem aan en glimlachte niet.

De koude, harde blik waarmee hij Neal aankeek, deed Allison rillen. Ze keek van de een naar de ander en hield haar adem in. Ze wachtte op een aanwijzing van wat ze moest geloven, wat ze moest verwachten op dit verstarde moment.

'Zeg, je denkt toch zeker niet dat ik erop uit was mijn nicht –' begon Neal, terwijl hij Bret vragend aankeek.

Het was stil, niemand verroerde zich. Bret gebaarde naar het andere compartiment. 'Naar binnen, Neal. Langzaam naar achteren.'

Neal maakte geen tegenwerpingen, maar zijn gezicht verstrakte. Hij scheen te weten dat het verkeerd zou aflopen als hij zich nu verzette.

'Ik kan het uitleggen, majoor,' zei hij met zachte, ferme stem.

'Dat zul je ook. Jij en ik alleen. Lopen.'

Neal hief beide handen en liep achteruit naar binnen.

'Eerst de lantaarns aan,' klonk Brets rustige commentaar.

Even later werd het compartiment overstroomd met flakkerend geel licht.

Allison kon niet naar binnen kijken, maar Bret wel. Tevredengesteld liep hij naar binnen. 'Vergrendel hem achter me, Allison,' zei hij tegen haar en deed de deur dicht.

Verdoofd schoof ze de grendel op zijn plaats.

Nee, het kan niet Neal zijn. Hij niet. Alsjeblieft, iedereen, maar hij niet... De woorden bleven zich voortdurend herhalen in haar hart.

Koud en bibberend, pijnlijk teleurgesteld en emotioneel gekweld, zonk ze neer op de onderste couchette en omklemde haar knieën, niet in staat te denken, zelfs te willen denken. Ze begroef haar gezicht in haar schoot.

Toen de zon heet begon te klimmen in het oosten, zat Allison daar nog steeds. Ze werd wakker met een verkrampte nek. De trein was gestopt en zonlicht filterde rond de randen van het raampje naar binnen.

Op het ogenblik tussen slapen en waken dacht ze dat ze in haar hut aan boord van de Mercy was en vroeg zich af waarom ze zich zo verdrietig voelde. Toen herinnerde ze zich met een schok het vreselijke voorval. Het was als wakker worden op de ochtend nadat iemand van wie je veel houdt, is gestorven en eenzame wanhoop op je neerdaalt. *Maar, God!* Ja, Hij bleef de ene bron van standvastige kracht en hoop, hoe donker de nacht ook was geweest. Ondanks het zware, verstikkende gevoel van verdriet, verlichtte de gedachte aan Jezus haar ziel met een warm licht van hoop. *Niet alles is verloren. Hoop blijft leven omdat Hij leeft en altijd bij me is.*

Ze wist het weer – aan de andere kant van de dunne muur werd Neal onder arrest gehouden door majoor Holden. Allison wilde niet verder denken. Ze wilde het niet van Neal geloven.

Wat was er vannacht gebeurd in dat compartiment, zo stilletjes, zo geheimzinnig? Een tijdlang had ze hun stemmen gehoord, Bret had korte vragen gesteld zonder enige emotie in zijn stem en Neal had lange rustige verklaringen afgelegd. Het leek wel uren te duren.

Ze snelde naar de deur van het compartiment en klopte aan. Niemand reageerde op haar dringende verzoek. Ze aarzelde, toen schoof ze de grendel van de deur en probeerde hem open te maken. Hij was niet afgesloten. Ze deed de deur open en keek naar binnen.

Leeg. Bret en Neal waren verdwenen. Ze keek het compartiment rond en zag dat de couchettes onbeslapen waren, de raambedekking was omhoog en er was niet de geringste aanwijzing dat er iemand was geweest. Meteen draaide ze zich om naar de klink en onderzocht hem. De sporen van de vijl bewezen dat ze zich het hele geval niet had ingebeeld.

Ze stond na te denken. Bret kon Neal niet gearresteerd hebben. Ze werkten samen. Maar waarom had haar neef dan het slot naar haar compartiment door willen vijlen? Ze huiverde als ze weer aan dat onheilspellende geluid dacht. Had hij gedacht dat professor Jemal haar compartiment had, zoals hij had gezegd?

Hoe was Neal ontsnapt uit Jeruzalem? Betekende zijn vrijlating dat ook David in veiligheid was? En Bret – hoe kon het dat hij in de trein zat? Hoe had hij geweten dat zij er was? Had hij het telegram uit Caïro verzonden waarin stond dat hij gewond was? En zo niet, wie dan? Waarom? Neal kon de vijand niet zijn. Hij zou Leah nooit kwaad doen. Er moest een of andere verklaring voor dit alles zijn, maar wat stond haar nu te doen?

Ze moest haar plannen doorzetten en Bret zou wel contact met haar zoeken, besloot ze. Hij moest nu onderhand weten dat haar reis hierheen betekende dat ze de informatie had waarnaar hij op zoek was. Hij moest haar gevolgd zijn, samen met Neal. Maar, bedacht ze in verwarring, het had er gisteravond niet op geleken dat Bret geloofde dat Neal een geldige reden had om te proberen haar compartiment binnen te gaan. Ze dacht aan de manier waarop hij die revolver had vastgehouden, alsof hij hem onmiddellijk zou gebruiken als het noodzakelijk was.

Verbijsterd dacht ze weer: *Neal zou me geen kwaad doen, dat weet ik zeker.*

Maar Bret dacht dat ze echt in gevaar was toen hij gisteravond haar compartiment binnenkwam. Als hij dat niet had gedacht, had hij zijn aanwezigheid in de trein niet verraden. Voor wie anders behalve voor haar had hij zich verborgen? Voor Neal?

Maar Bret had net zo verbaasd geleken als zij om Neal achter die deur te vinden. *Nee,* dacht ze met een misselijk gevoel in haar buik, *er moet iemand anders zijn.*

Waar zaten ze? Waarom hadden ze haar zonder uitleg achtergelaten? Was de Duitse politie Bret op het spoor? Misschien had hij moeten ontsnappen. Terugkeren naar Aleppo en Jerablus zou hem in gevaar brengen nadat hij zich had voorgedaan als kolonel Holman. En dan had je nog kapitein Mustafa. Hij moest het voorval met David op de weg gerapporteerd hebben. En het Duitse voertuig dat Bret had aangevallen?

Ze trok het gordijntje opzij. De trein stond stil op een station in Aleppo. Enkele mannen stonden op het perron die kennelijk Turkse en Duitse soldaten waren. Een, die met zijn rug naar haar raampje toe stond, droeg een Duitse militaire pet. Als ze eens wisten dat Bret in de trein zat? Als ze eens gekomen waren om hem te arresteren? Hoe kon hij ontsnappen?

Even bleef ze met een rimpel tussen haar ogen staan, toen liet ze het gordijntje weer op zijn plaats vallen en draaide zich om om zich vlug aan te kleden, haar nachtpon stopte ze in de tas. Bret en Neal stonden vast buiten te wachten, stelde ze vast. Maar ze konden niet blijven rondhangen, met Duitse soldaten en Turkse officials op het station. Waarom had Bret geen boodschap in haar compartiment achtergelaten?

Allison keerde zich naar de gebarsten spiegel om haar gezicht te wassen en haar haren te kammen. Haar hand beefde en haar gezicht zag in het morgenlicht onnatuurlijk bleek. De zeegroene ogen met de schuine, zwarte wimpers keken haar aan met ingehouden angst. Ze trok haar kastanjebruine haar naar achteren en bond het vast met een lint. Haar trillende vingers worstelden om de talloze kleine parelmoeren knoopjes dicht te maken van het lijfje van haar koele, witte jurk. Afwezig maakte ze het smalle riempje om haar middel vast, de uitwaaierende rok kwam tot vlak boven haar enkels. Haar leren schoenen waren geschikt voor de woestijn, een bescherming tegen slangen en schorpioenen.

De steward roffelde op haar deur en riep in het Arabisch en in het Engels: 'Aleppo!'

Allison opende de deur om in de gang te kijken. De blinden zaten niet langer voor de ramen en de heldere ochtendzon brandde op de spoorweg en de Turkse gebouwen.

Ze durfde niet de steward te roepen om Bret en Neal te beschrijven. Als ze stilletjes ontsnapt waren, had niemand ze gezien.

'Wacht, alstublieft,' riep ze. 'Is er een boodschap voor juffrouw Wescott?'

'Geen boodschap, juffrouw.'

Allison sloot de deur en bleef staan. Wat nu? Moest ze haar plannen om naar de hut te gaan, doorzetten? De mannen konden toch niet simpelweg verdwijnen en Bret zou niet weggaan zonder een boodschap voor haar achter te laten.

Haar blik dwaalde naar de deuropening van het andere compartiment. Daar stond Bret. Toen ze in zijn knappe, zongebruinde gezicht keek, merkte ze het kleine litteken op zijn kin op, dat herinnerde aan een of ander gevaar in het verleden, misschien even ernstig als waar ze zich nu voor gesteld zagen.

Ze deed een stap in zijn richting. 'Je hebt er een onuitstaanbaar handje van om te verdwijnen.'

Hij deed de deur dicht en schoof de grendel ervoor.

'Waar is Neal?' fluisterde ze. 'Je hebt hem toch niet overgeleverd aan de officials?'

Zijn blik was neutraal, zijn gezicht vertoonde geen enkele uitdrukking. 'Iemand van ons? Niet bepaald. Hij is bij Hamid.'

Onderzoekend keek ze hem diep in zijn blauwe ogen, maar ze lieten zich niet ontleden. 'Hij moet je alles uitgelegd hebben,' zei ze hoopvol, kijkend naar zijn reactie. 'Ik weet zeker dat hij hier niet bij betrokken is.'

'O ja?'

'Wat bedoel je, weet jij het niet zeker?' vroeg ze ongemakkelijk. 'Neal zou Leah of mij nooit kwaad doen.'

'Hij hield vol dat hij ontsnapt is uit Jeruzalem en via Hamid probeerde weer met mij in contact te komen.'

'En geloof je hem niet?'

Hij liep naar het raam, trok het gordijntje omhoog en keek nadenkend naar buiten. 'Ik weet niet wat ik moet denken. Er zijn te veel losse eindjes. Te veel variabelen. Het bevalt me niet wat er gebeurd is. Er zijn dingen misgelopen die niet hadden moeten mislopen. Er is een verrader onder de agenten.'

Ze huiverde. Een verrader onder de mensen die met hem werkten?

'Niet Neal,' fluisterde ze wanhopig. 'Dat zou hij niet doen. Net zomin als Leah ons zou verraden.'

'Misschien heeft Neal er niets mee te maken. Maar ik ben nu niet in een positie om hem te vertrouwen. Nu niet. Dat maakt het gruwelijk moeilijk voor me. Ik kom twee mannen tekort omdat Hamid hem in het huis zal moeten bewaken. En jij bent hier. Zo had het niet gemoeten.'

Het was een chaos in haar hoofd, haar gedachten vlogen van de ene onbeantwoorde vraag naar de andere. Maar ze wist zeker dat alle antwoorden uiteindelijk zouden komen.

'Ik vind dat je Neal moet geloven. Hij is onschuldig.'

'Natuurlijk vind jij dat. Hij is je neef.'

'En Leah was zijn zus. Hij kán haar gewoon niet vermoord hebben!'

'Misschien niet Leah, maar Karl Reuter,' peinsde hij.

'Geloof je dat?' vroeg ze. Ze hing aan zijn lippen.

'Misschien,' zei hij vlot, tegen de muur leunend.

Ze keek hem geërgerd aan. 'Ik kan me niet voorstellen dat je geen mening hebt.'

'Ik heb er een heleboel. Ik zou het erop kunnen wagen en hem vrijlaten.'

'Zei hij dat hij in Damascus in de trein was gestapt?'

'Nee, in Amman.' Hij bespeurde de spanning in haar stem. 'Waarom?'

Ze kon haar gevoelens niet verklaren, maar ze was opgelucht.

'Wat is er met Damascus?' drong hij aan. 'Je bent opgelucht dat hij niet daar is ingestapt. Waarom?'

Ze haalde haar schouders op, besloot dat de hele kwestie achteraf nogal dwaas was. 'Nergens om, denk ik.'

Zijn ogen vernauwden met kalme vastberadenheid. 'Vertel het me toch maar.'

'Ik had gewoon het gevoel van iets gevaarlijk onaangenaams toen we in Damascus stilstonden en er nieuwe passagiers instapten.' Ze keek hem aan. 'Het zullen mijn zenuwen wel geweest zijn.'

'Het spijt me dat ik je heb laten komen –' Plotseling brak hij af en fronste.

Meteen merkte ze dat hij zich versproken had. 'Me *laten* komen? Hoezo dat?' vroeg ze verwonderd. 'Ik ben op mijn eigen initiatief gegaan.'

'Ja, omdat je dacht dat ik lag weg te kwijnen in een ziekenhuis. De nobele en opofferende jonge christenzuster vindt het natuurlijk haar vaderlandse plicht om door te gaan waar Leah en ik waren opgehouden,' zei hij met een spoor van zelfbeschuldiging in zijn stem.

Opeens vroeg Allison beschuldigend: 'Dat telegram – waarin stond dat je gewond was; dat heb jij me dus inderdaad gestuurd?'

Hij fronste. 'Het departement. Het was een voorzorgsmaatregel. We wilden dat bepaalde personen dachten dat ik buitenspel stond.' Hij keek afwachtend naar haar reactie.

'Dus ik werd in een hachelijke situatie geplaatst,' stelde ze al te rustig vast.

Hun ogen hielden elkaar vast. 'Dat was de bedoeling, ja. Maar je liep niet zoveel risico als nu. Ik wist dat ik je zou volgen in de trein naar Aleppo. Hamid was er ook. En ik verwachtte dat iemand een stap zou zetten.'

'Maar de zaken zijn veranderd,' zei ze vlak. 'Zit het zo?'

'Ja,' zei hij hard, maar ze wist dat hij ongerust was.

'Dus,' zei ze aarzelend, 'je wist dat ik naar Aleppo ging? Je wilde zelfs dat ik ging?'

Bret bekeek haar met dezelfde geïrriteerde humeurigheid die ze eerder had gezien. 'Ja,' gaf hij rustig toe. Maar ze wist dat hij zijn bedenkingen had toen hij eraan toevoegde: 'Ik heb geblunderd.'

'Ik begrijp het niet,' zei ze onvast. 'Vanwege Neal vannacht? Je bedoelt dat je iemand verwachtte in dat compartiment,' en ze draaide zich om naar de deur met de grendel ervoor, 'maar niet Neal. Is het zo?'

'Ja. Hamid hield de boel in de gaten en hij verzekerde me –' Plotseling zweeg hij.

Haar ogen zochten de zijne en ze verwonderde zich over de uitdrukking op zijn gezicht. 'Ja,' fluisterde ze, 'wat is er met Hamid?'

Hij antwoordde niet, maar liep weer naar het raam. Hij wreef over zijn kin; zijn gedachten waren elders. 'Hamid,' herhaalde hij bij zichzelf. 'Het kan niet – het kan niet...'

Ze volgde hem. 'Hoe bedoel je dat je me in de gaten hebt gehouden sinds ik uit Caïro ben vertrokken? Dat is onmogelijk. Ik zou je gezien hebben.'

Hij draaide zich om en nam haar op. 'Dat wilde ik beslist niet. Ik kon je niet alleen uit Caïro laten vertrekken. Het was niet veilig.'

Ze zuchtte beverig en haar knieën knikten. 'Bedoel je dat je verwacht had dat Leah me een boodschap zou sturen?'

'Toen ik de informatie niet vond en het duidelijk werd dat de vijand het ook niet gevonden had, was ik er bijna zeker van dat ze dat had gedaan. Eerst dacht ik dat het in de kisten met vaccin zou zitten.'

'Dus jij was degene die geregeld had dat ze naar Caïro gestuurd moesten worden?'

'Nee. Ik weet niet wie dat heeft gedaan. Maar in Port Said, toen je me erover vertelde, begon ik de kisten te verdenken. Iemand anders ook, en die heeft ze naar Helga's winkel laten sturen.'

'Misschien Helga zelf wel,' zei ze half beschuldigend.

'Nee.' Hij was onwankelbaar zeker van zijn zaak.

'Hoe weet je dat zo zeker?'

'Dat zul je op dit moment van me aan moeten nemen. Ik ben je gevolgd naar Luxor. Je bent een waardevol artikel, weet je, dat we niet door onze vingers kunnen laten glippen.'

Ze nam nota van zijn woordkeuze. 'We,' had hij gezegd, niet hijzelf. Hij bedoelde de Britse regering.

'Ik heb je in de gaten gehouden sinds je vertrok met het vaccin voor je tante. Ik verwachtte dat je wel wat riskante dingen tegen zou komen, maar dat geval met Neal vannacht overviel me. Ik had hem nooit verdacht. En ik weet niet zeker of ik dat nu wel doe.' Ze zette haar gevoelens opzij en keek hem aan. 'Was je in Luxor?'

'Weet je nog, bij de tempel van Karnak?' Ze trok haar ogen tot spleetjes en keek hem aan. Ze huiverde een beetje. 'Was *jij* dat?' fluisterde ze.

Hij keek haar nieuwsgierig aandachtig aan, en toen hij zag dat ze het zich herinnerde, zei hij vriendelijk: 'Ik kon mezelf niet verraden, maar het spijt me dat ik je aan het schrikken heb gemaakt. Je kwam te dichtbij en ik mocht niet worden ontdekt.'

Dus hij was haar naar Luxor gevolgd en had haar in de gaten gehouden zonder het haar te laten weten. Hij had haar met opzet onwetend gelaten van zijn bedoelingen en zijn motieven. Ze was er niet van overtuigd dat hij haar alleen maar in de gaten had gehouden om haar te beschermen, maar om zijn eigen redenen. Ze dacht dat ze nu begon te begrijpen waarom, en waarom hij in het geheim in de trein had gezeten.

Bret zag haar reactie en fronste. 'Het was noodzakelijk dat je het niet wist. Helaas is het niet helemaal zo gelopen als we verwacht hadden.'

'Als je het over "wij" hebt, bedoel je de Britse inlichtingendienst, begrijp ik. Wil je zeggen,' begon ze, 'dat je wist dat ik naar Aleppo ging om de informatie te zoeken?'

Hij hield haar blik vast zonder zich te verontschuldigen. 'Ja,' gaf hij ernstig toe.

'En je hebt het me niet verteld. Je hebt me onwetend gelaten.' Ze stond op en keek hem aan. Ze voelde zich onterecht verraden. 'Ik begrijp het,' zei ze koel.

'Ik betwijfel of je het echt begrijpt,' zei hij scherp.

'O, heus wel – nu,' zei ze half beschuldigend. 'Je wist dat

ik de boodschap van Leah zou vinden.'

'Ja.'

'En nadat het telegram kwam waarin stond dat jij een ongeluk had gehad, nam je aan dat ik in mijn eentje op reis zou gaan hierheen.'

Hij glimlachte vaag. 'Zoiets.'

'Dus,' zei Allison, 'je liet met opzet de val zetten – in deze trein. Je verwachtte dat de vijand hier zijn zet zou doen – vannacht.'

Bret zei niets. Hij schoof zijn handen in zijn zakken.

'Dus ik was het aas dat de moordenaar moest lokken. En op het moment van ontdekking zou je hem hebben, zoals je vannacht dacht dat je hem had.'

'Je hoeft het niet zo koud en methodisch te laten klinken.'

Allison voelde zich onredelijk verstoord. Ze keek hem beschuldigend aan en herinnerde zich hoe bang ze was geweest toen Neal aan het slot had gevijld. Toegegeven, Bret was er geweest op het moment dat ze hem nodig had, en als het de echte moordenaar was geweest zou de zaak tot een bevredigend einde zijn gekomen. Maar als de vijand niet Neal was – en ze geloofde dat het hem niet was – was de val nog leeg en volgde de moordenaar haar nog steeds.

'Ik vertrouwde erop dat ik hier zou zijn als je me nodig had,' zei hij. 'Anders had ik je niet laten gaan. Maar na vannacht…' Hij viel stil.

'Na vannacht,' stelde ze vast, 'heb je beseft dat er iets mis had kunnen gaan?'

'Ik heb mensen vertrouwd die ik niet had moeten vertrouwen; ik neem niemand anders iets kwalijk dan mezelf.' Bret liep rusteloos door het compartiment, trok het gordijntje omhoog om naar buiten te kijken en liet het weer vallen. Hij kwam naar Allison toe en stond met een frons nadenkend op haar neer te kijken.

'Ik kan het me niet veroorloven fouten te maken. Daarom ga je regelrecht naar de Britse consul. Ik ben van gedachten veranderd over jouw betrokkenheid. Je blijft bij de consul tot de zaken hier geregeld zijn. Als er iets misgaat en ik kom niet terug, stuur je een telegram naar je vader in Bagdad.'

'Bagdad? Maar hij zit in Bombay.'

'Nee,' zei hij vlak. 'Hij zit al een maand in Bagdad. Zo kreeg ik de brief om aan je moeder af te leveren. Ik krijg mijn orders van hem.'

Ze kon hem alleen maar aanstaren. Haar vader zat bij de inlichtingendienst? En hoe moest het met haar moeder en Beth? Ze zouden nu onderhand aangemeerd zijn in India, alleen om te horen te krijgen dat sir Wescott daar niet was.

'Wat ga je doen?' vroeg ze ongerust.

'Je gaat me vertellen waar Leah dat boek heeft gestopt. Ik ga er alleen heen.'

'En als Hamid Neal moet bewaken, betekent dat dat je alleen bent, zonder iemand die op de uitkijk kan staan,' zei ze zenuwachtig.

'Dat kan ik wel aan,' zei hij toonloos. 'Het is mijn werk. Iets waar ik voor gekozen heb, koste wat het kost. Maar met jou is het een andere zaak.'

'Zonder Neal en Hamid als bewaker heb je mij nodig.'

'Nee,' hield hij vol.

'Ik neem het de dienst niet kwalijk dat ze mij willen gebruiken om de vijand hierheen te lokken. Het is logisch. En het is noodzakelijk. Nu meer dan ooit. Ik heb Leah beloofd dat ik haar zou helpen en ik ben van plan die belofte te houden. In plaats van hem aan te houden in de trein, houd je hem aan bij de archeologiehutten. Ik – ik lok wie het ook is erheen. En als hij opduikt om de informatie te pakken te krijgen, ben jij er.'

Zijn ogen vernauwden. 'Nee. Bij de hutten is het gevaarlijker dan in de trein. Misschien zit er nu al wel iemand je op te wachten. Je zou eerder moeten aankomen dan ik, alsof je alleen bent. Dat risico ga ik niet lopen met je. In dat plan zitten zoveel gaten, het is zo lek als een zeef! Er kan van alles misgaan. Ik vertrouwde erop dat ik je hier in de trein kon beschermen; daarom ging ik ermee akkoord jou te gebruiken, maar zelfs toen keurde ik het niet goed. En nu staan de zaken er slechter voor.'

Hij liep naar haar toe, pakte haar armen en keerde haar naar zich toe. 'Nou, ter zake. Waar heeft Leah het gestopt?'

'Als ik je dat vertel –'

Zijn greep verstevigde en zijn mondhoeken gingen naar beneden. '*Als* je me dat vertelt?'

'Ik ben te ver gegaan om me nu bij de consul thuis te laten opsluiten, terwijl jij alles alleen opknapt,' zei ze snel.

'Ik heb kennisgenomen van je zorgen,' zei hij zacht, 'maar ik kan voor mezelf zorgen. Ik heb het vaak genoeg gedaan. De situatie is nu ernstig riskant geworden en ik moet het regelen.'

Allisons ogen hielden de zijne vast. 'Het is misschien niet zo gelopen als je verwachtte, maar er is geen reden waarom we niet kunnen doorgaan.'

'Jawel,' zei hij kort. 'Redenen in overvloed zelfs.'

'Je hebt de vijand vannacht niet te pakken gekregen. Daar zijn we althans niet zeker van. In ieder geval niet de hoofdrolspelers, en we zijn het erover eens dat de vijand nog in de buurt is.' Ze probeerde niet te huiveren. 'Als ze niet weten dat Neal vastgehouden wordt, dan weten ze misschien ook niet dat jij hier bent. Ze denken dat ik nog steeds alleen ben. Ze zullen me willen volgen naar de plaats waar Leah de informatie heeft verstopt.'

'Dat is nou juist precies het punt! Het was mijn bedoeling ze hier te stoppen. Het had nooit verder mogen gaan. Je gaat niet naar buiten.'

'Het is logischer als ik wel ga. En – en jij bent toch vlak achter me?'

'Allison,' zei hij zacht, 'ik bewonder je bereidwilligheid enorm en ik vind het dapper van je dat je het wilt doen, maar –'

'Het enige wat is veranderd in je plannen is dat je iemand

bij de hutten moet vinden in plaats van hier in dit compartiment. Waarom niet?'

Hij fronste, zijn ogen keken onderzoekend in de hare. Zijn handen waren tot vuisten geklemd. 'Jij bent geen getrainde agent. Het is niet eerlijk zoveel van je te vragen.'

'Nee, het is niet te veel gevraagd. Eerst zat het me dwars dat je me wilde gebruiken zonder mijn medeweten. Maar het was alleen – ik denk dat ik wilde dat het je te veel kon schelen wat me overkwam –' Ze zweeg; ze had te veel verraden.

'Wilde je dat het me wat kon schelen?' vroeg hij zacht.

'Dan kun je je zorgen vergeten, want dat kan het zeker – meer dan je denkt. Ik zou er alles voor over hebben als je veilig in Caïro zat in plaats van hier.'

'Maar ik zit er nu helemaal niet meer over in en ik wil het netjes afmaken. Ik wil bij je zijn als je de informatie boven water haalt. En Hamid kan niet bij je zijn. Je kunt me vertrouwen. En ik heb een revolver. Ik kan hem ook gebruiken. Als het oorlog wordt, neem ik dienst.'

'Geen sprake van. Dat sta ik niet toe.'

'Neem me niet kwalijk, majoor Holden, maar als ik nu eens niet luister?'

'Je doet wat je gezegd wordt,' zei hij ruw.

Ze glimlachte. 'Mijn vader is altijd vaderlandslievend geweest en het leger toegewijd. Mijn grootvader en zijn vader ook. En ik ook.'

'Ik zal eraan denken als we hier uitkomen. Ik vind je vader, je grootvader en je overgrootvader erg lofwaardig, maar hier eindigt de plicht.'

'Nee, ik ga mijn plicht doen als verpleegster aan de frontlinies, als het zover komt.'

'Ik geloof dat je het meent,' zei hij geërgerd.

'Ik méén het ook. En ik heb wel wat oefening gehad met een wapen. Wat wil zeggen dat je me nu kunt gebruiken.'

'Nee,' zei hij ferm met een handgebaar. 'Ik ben niet van gedachten veranderd. Je gaat naar de consul om te wachten. Ik wil je graag heelhuids in Caïro hebben.'

'Bret, luister. Alles wat er gebeurd is – majoor Reuter, de Koerdische bewaker, Leah – de informatie waar je op uit bent, is belangrijk, hè?'

'Dat weet je wel. Heel belangrijk. Maar ik kan het op mijn eigen houtje binnenhalen.'

'En ten dode opgeschreven worden? Ze zullen je opwachten. Als ik ga, is het anders. Zo gauw ik het in handen heb, komen ze tevoorschijn. En dan –' Ze slikte.

Hij fronste.

'– dan ben jij er.'

'Als het zover komt, ja, dat beloof ik. Maar kun je het? Dit gaat niet makkelijk worden.'

'Als Leah die eenzame reis kon maken om iemand te ontmoeten waarvan ze dacht dat het Neal was, dan kan ik dit wel. En ik heb iets wat zij niet had – jou.'

Hij keek haar lang aan. Hij liep naar het raam en keek weer naar buiten. Hij draaide zijn hoofd om en keek haar ernstig aan. 'Goed. Maar je moet beloven dat je alles precies zult doen zoals ik het zeg. We kunnen ons niet permitteren dat er iets misgaat. Niet met de loop van een wapen op jou gericht.'

Ze wendde onverschrokken moed voor en zei opgewekt: 'Wat u maar wilt, majoor.'

'Goed, nu moet ik weten wat je van Leah te weten bent gekomen.' Hij liep naar haar terug en Allison fluisterde: 'Het ligt onder de veranda van majoor Reuters hut. Dezelfde plek waar ze zich verstopt had die nacht dat ze voor jou wegglipte. Ze verstopte zich daar toen de moordenaar naar buiten rende. Ze hoorde zijn voetstappen boven haar hoofd op de veranda.' Ze huiverde.

'Aha. De enige plaats waar niemand aan heeft gedacht. Leah was een slimme vrouw.' Hij keek haar oplettend aan. 'Wat heb je gedaan met de boodschap?'

'Ik heb hem meteen verbrand, zo gauw ik hem een paar keer gelezen had.'

'Mooi. En je hebt tegen niemand iets gezegd?'

'Tegen niemand – alleen tegen jou.'

Hun ogen ontmoetten elkaar. *En als hij nu eigenlijk een Duitse agent is?* Een warme huivering liep langs haar ruggengraat.

Bret zag het en zijn mond krulde wrang om. 'Je zult me onvoorwaardelijk moeten vertrouwen.'

'O, dat doe ik ook,' haastte ze. 'Zoveel als ik een man maar zou kunnen vertrouwen.'

Hij trok zijn wenkbrauwen op. 'Die opmerking zou Wade Findlay tot mijn vijand maken.'

Ze hield zich druk bezig met het bij elkaar rapen van haar tas en hoed. 'Zo bedoel ik het niet. Hoe dan ook, Wade ziet anderen niet als vijanden. Je hebt nog nooit zo'n warme en genereuze man ontmoet. Hij gaat onze strijdmacht in Zeitoun dienen als aalmoezenier.'

'Ik weet zeker dat hij een geduchte concurrent zal zijn. Maar als ik iets in mijn hoofd heb, ben ik niet makkelijk af te schudden.'

Ze keek hem verbaasd aan.

Hij hield haar blik vast. 'In Jeruzalem heb ik je verteld dat ik je zou waarschuwen als de tijd gekomen was om de uitdaging aan te gaan. Ik ben van plan je van Wade af te nemen.'

Allisons hart sloeg een slag over. Een warme blos steeg naar haar wangen en ze was woedend op zichzelf. Ze bond met trillende vingers haar hoed vast. De woorden om hem op afstand te houden wilden niet komen.

'We zullen plannen moeten maken,' zei hij.

Ze draaide zich om, verbijsterd om zijn doortastendheid, en besefte op dat moment dat hij het ergens anders over had.

Hij trok een wenkbrauw op en glimlachte. 'Plannen om naar de hutten te gaan. Onze persoonlijke zaken moeten wachten. Tenzij,' en zijn ogen glinsterden vermaakt, 'je al besloten hebt.'

'Nou moet je toch – ik bedoel, nee! Nee, majoor. Je kunt er zeker van zijn dat ik niet –'

'Ik zie dat je het me moeilijk gaat maken. De eerste keer dat ik een vrouw vind die ik echt wil, en nou aarzelt ze.' Meende hij het in ernst? 'Waren de anderen te gewillig?' vroeg ze.

Hij glimlachte wrang, maar ontkende het niet. 'We moeten onze tocht naar de hutten zorgvuldig plannen. Ik wil zorgen dat je precies weet wat je moet doen – er mag je niets overkomen.'

Ze keek naar hem terwijl hij een stoel bij het kleine tafeltje trok en een vel papier en potlood tevoorschijn haalde.

Ze vroeg zich af hoe zijn christelijk geloof ervoor stond. Hij scheen wel iets te geloven, maar ze moest het absoluut zeker weten voordat ze haar gevoelens verder liet gaan. Hiermee kon ze niet schipperen, hield Allison zichzelf opnieuw voor. God, niet de mens, was de schepper van het huwelijk, en Hij was ook het fundament ervan – het fundament van elke oprechte, groeiende en duurzame relatie tussen een man en een vrouw. Ze wilde Bret vragen naar zijn relatie met God. Ze zou bidden en God vragen voor het juiste ogenblik te zorgen.

Nu de plannen gemaakt en zorgvuldig ingeprent waren, pakte Allison haar tas op en wilde de trein alleen verlaten. Bret leunde tegen de deur, licht fronsend.

'Het komt goed,' fluisterde ze.

Hij keek naar haar, maar liet haar niet passeren. Zijn blauwe ogen werden warm en meeslepend. Toen trok hij haar bij verrassing in zijn armen.

Allison klemde haar tas tegen zich aan en dacht er niet aan hem te laten vallen. 'Majoor,' fluisterde ze beverig, 'je weet niet wat je doet.'

Hij lachte. 'O jawel, hoor. Ik heb hier vaak genoeg over gedacht. En jij ook, vermoed ik.'

'Laat me los,' zei ze ademloos. Haar gevoelens waren één chaotische janboel.

'Ik moet helaas weigeren. Gevaar en onzekerheid prikkelen me tot stoutmoedige pogingen.'

'Nee –'

'Je vergeeft het me wel als ik geen nee accepteer? Ik ben van plan je gedag te kussen. Ik heb besloten dat me van alles kan overkomen en misschien krijg ik er geen gelegenheid meer voor.'

'Zeg dat niet! Je moet niet –'

'Het leven is hachelijk. En er zijn te veel soldaten begraven met veelbelovende beelden voor ogen van wat had kunnen zijn als morgen niet te snel geëindigd was.'

Hij boog zijn hoofd naar haar toe en kuste haar, warm en rustig alsof hij alle tijd van de wereld had. Allisons verstand stond stil terwijl ze opgesloten in zijn omhelzing bleef staan. Toen liet ze haar tas vallen en klemde zich tegen zijn borst, haar gedachten en hart tolden onbeheersbaar.

Bret nam zijn mond weg, maar hij bleef haar stevig vasthouden.

De trein floot luid, en de waarschuwing klonk dat de laatste passagiers instapten. Hij liet haar los, en Allison, hevig blozend, deed boos een stap achteruit omdat haar hart als een razende tekeer ging.

Een donkere blik kwam op haar gezicht en hij glimlachte flauw. 'Goed, ik verontschuldig me.'

'Je bent niet erg overtuigend,' beschuldigde ze hem ademloos.

'Ik heb me afschuwelijk gedragen,' zei hij al te ernstig, zijn ogen waren warm en glansden.

Hij pakte haar tas op en gaf hem aan haar. 'Als het helpt, weet dan dat ik ons ogenblik koester, gestolen van Wade Findlay.'

'O!' Allison griste de tas uit zijn hand. Ze rukte haar ogen los van de zijne en snelde langs hem heen de deur uit. Haar hart bonsde nog steeds en ze wist niet precies wat ze vond van het feit dat ze haar allereerste kus had gekregen van de o-zo-arrogante majoor Bret Holden.

20

Alleen stapte Allison uit de trein. Terloops keek ze rond op het station en zorgde ervoor er niet verontrust uit te zien. Spanning overviel haar, samen met een plotseling voorgevoel van gevaar. Bret was in de buurt, maar hield zich verborgen terwijl hij haar bewaakte. Hij was overtuigd van haar kunnen en vertrouwde op haar koelbloedigheid.

Ze liep langs de treinwagons, beide kanten opkijkend, en zorgde dat ze de officials ontweek die over het station patrouilleerden. Hield de vijand haar ook in de gaten?

Achter haar klonken rennende voeten en ze stond stil en draaide zich met een ruk om. Een Arabische jongen grijnsde. 'Allo, juffrouw! Goedemorgen, juffrouw! Ik draag tas, juffrouw! Deze kant op, ja?'

Zijn bruine ogen twinkelden van ingehouden pret. Had Bret hem gestuurd? Hij had er niets over gezegd.

De jongen draafde vooruit en sloeg een nauw stenen straatje in met indigo schaduwen. Ze aarzelde. Zijn kleine blote voeten kletsten over de stenen die door de eeuwen heen glad gesleten waren door andere voeten en hoeven van kamelen, paarden en ezels. Hij stond stil en wenkte haar dringend hem te volgen.

Allison bleef staan en toen de jongen een smalle poort bereikte, stapte Neal vanuit de schaduwen naar voren. Ze keek achterom door de smalle straat naar de trein, half en half verwachtend Bret te zien staan. In plaats daarvan zag ze een Arabier die zich terugtrok in de schaduw.

Neal gaf de jongen een fooitje en wenkte haar. Ze liep op hem af met haar tas in haar hand. Neal glimlachte haar tegemoet. Hij pakte haar arm en probeerde haar in de schaduw te trekken van oude stenen muren en kleine vierkante ramen. Allison trok zich los en staarde hem aan.

'Je dacht toch niet echt dat ik door Hamid onder arrest werd gehouden?'

'Bret gaf me absoluut reden om dat te denken.'

'Je denkt toch niet dat ik een verrader ben van Engeland, hè?'

'Nee, dat kan ik niet van je denken.'

'Mooi. Want dat ben ik niet. Ik weet niet wat majoor Holden je heeft verteld, maar Hamid hield vol dat ik alleen voor de schijn werd vastgehouden.'

'Heeft Hamid je dat verteld? Dat is namelijk niet wat Bret tegen mij zei.'

'Hamid heeft me laten gaan.'

'O ja?' zei ze verrast.

'Ja, hij zei dat het hele geval een list was. Bret wilde dat Jemal en de barones dachten dat ik weggehaald was. Ze zijn hier. Ze zaten in de trein. Jij en ik moeten naar de hutten gaan, al laat ik je liever hier. Bret stond erop. Heel vreemd.'

'Neal, er is iets mis met wat Hamid je verteld heeft. Ik kom net bij Bret vandaan en hij gelooft dat Hamid je vasthoudt in zijn appartement. Hij is er niet zeker van dat hij je kan vertrouwen.'

Zijn gezicht stond strak. 'Heeft hij Hamid geen opdracht gegeven me vrij te laten?'

'Nee. Dat moet Hamid op eigen initiatief hebben gedaan.'

Neal keek haar nadenkend aan, zijn blauwe ogen stonden alert en de wind maakte zijn blonde haar in de war. Even moest ze aan Leah denken terwijl ze naar hem keek.

'Neal, je denkt toch niet,' fluisterde ze, 'dat Hamid het is?'

Zijn blonde wenkbrauwen rimpelden terwijl hij zich omdraaide om de steeg in de kijken. Er was niemand te zien. 'Onmogelijk.'

'O ja? Waarom? Bret vertrouwt hem volkomen, maar dat zou Hamid dan toch ook juist willen?'

'Ja. Maar we hebben samen te veel meegemaakt. Hij zou Bret niet verraden.'

Ze dacht aan de nacht op de weg toen ze de Duitse auto hadden aangevallen. Ze voelde een steek van schuld. Nee, ze was het wel met hem eens, Hamid leek te trouw.

'Waar is Bret nu?' vroeg hij.

'Onderweg naar de archeologische hutten.'

'Allison, ik denk dat je gelijk hebt. Er is iets helemaal mis. En Hamid weet misschien wat het is. Hij is twintig minuten geleden naar de hutten vertrokken.'

Haar hart stond stil. Hij zou eerder arriveren dan Bret. Hij kon zich verstoppen. En Bret verwachtte niet dat Hamid er zou zijn. Hamid was in het voordeel.

Neal greep haar arm. 'Allison, stap in de auto. Ik weet niet wat er aan de gang is, maar we moeten naar de hutten toe. Misschien zijn er anderen bij hem.'

'Hoe weet ik dat ik je kan vertrouwen?'

'Allison! Leah vertrouwde me toch?'

'Ja, en iemand heeft haar vermoord.'

'Allemensen, denk je dat ik het heb gedaan? Ik was niet eens in de buurt van de opgravingen toen het gebeurde. Ik zat in Jeruzalem! Dat moet je antwoord zijn.'

Op dat moment daagde het haar. Ja, hij was in Jeruzalem geweest. Mevrouw Rose Lyman had het haar verteld. Ze glimlachte opgelucht. Hij grijnsde en gooide haar tas in de kofferbak van de auto.

Ze reden weg, uit de schaduwen van de smalle straten, en algauw waren ze op de weg naar de wildernis van Jerablus.

Ze keek naar Neal, de hete wind in haar haren, haar ogen zorgelijk onderzoekend in de zijne. 'Hoe ben je uit Jeruzalem ontsnapt? Hoe is het met David?'

'David zit nog steeds vast. Zware pech. Maar ik ben nooit gearresteerd. Weet je nog dat ik de zionistische leiders ging waarschuwen?'

'Ja, maar ze waren al gearresteerd.'

'Precies. De Turken namen ze mee naar Jaffa en verbanden ze uit Palestina. Maar we nemen contact op met David Ben-Goerion als hij in Engeland is. We hebben een joods squadron in de maak. Net iets wat David geweldig zou vinden. We moeten hem uit handen van de Turken krijgen!'

'En jij dan; hoe ben je ontsnapt?'

'Ik ging naar Rose's huis terug, maar het krioelde er van de Turken. Ik wachtte, ik dacht dat Bret zou komen. Hij moest gewaarschuwd worden, maar hij kwam niet. De Turken vertrokken met een paar gevangenen, waaronder David. Ik zag Rose of Benny niet en ik was er zeker van dat ze jou niks zouden doen met oom Marshall zo hoog in de Britse regering. Daarom ben ik op mijn eigen houtje op pad gegaan.'

'Hoe ben je weggekomen?'

'Per trein van Haifa naar Damascus. Toen ging ik terug naar Aleppo op zoek naar Brets assistent, Hamid. We praatten en ik bleef een paar weken bij hem. Toen gingen we terug naar de expeditiehut, het huis dat Leah en ik deelden.' Hij keek terneergeslagen. 'Daar ontdekte ik dat er een bewaker was gedood en dat mijn spullen en die van Leah waren doorzocht. Hamid vertrok en kwam een paar dagen later terug. Hij vertelde dat Bret hem een telegram had gestuurd dat Jemal in de trein zat. De informatie die we zochten was bij Jemal, die onderweg was naar de Duitsers in Bagdad. Ik had orders van Bret – dat dacht ik althans – dat compartiment binnen te gaan en de papieren te zoeken.'

'Is dat wat Hamid je verteld heeft?'

Hij keek haar aan. Zijn blauwe ogen stonden ernstig. 'Ja. Of hij werkt samen met de vijand, of hij is net zo misleid als ik. We zullen het gauw weten.'

★

Toen ze de archeologische hutten bereikten, tussen Aleppo en Bagdad, trok de vuurgloed van de ondergaande zon zich terug uit de donker wordende lucht. Neal stopte de auto waar de hutten in zicht waren en stapte achter het stuur vandaan. Hij gaf haar de sleutels.

'Ik loop een rondje en nader vanaf de andere kant,' zei hij tegen haar. 'Jij wordt alleen verwacht.' Zijn blauwe ogen beschouwden haar ernstig. 'Wees voorzichtig, Allison.'

Ze zag hem wegglippen in de schemering van de woestijn, toen reed ze het laatste stukje alleen terwijl ze het bonzen van haar hart probeerde te bedaren. Ze besefte dat Bret niet wist van Neals aanwezigheid tenzij Hamid het hem verteld had – maar was Hamid loyaal?

Volgens plan deed ze geen poging haar aankomst te verbergen. Ze moest uitstralen dat ze in haar eentje vol vertrouwen was, omdat de hutten laat in de zomer leeg en gesloten waren. Met een angstaanjagend gevoel van naderend onheil naderde ze de bekende hutten en bekeek ze als levende wezens gehuld in geheimzinnige beslotenheid.

Natuurlijk zag ze geen spoor van Brets auto. Ook Hamid was kennelijk te voet gekomen – omdat hij feitelijk Brets vijand was? Of was hij gewoon op zijn hoede en wachtte hij af? Tenzij Bret op een of andere manier te weten was gekomen dat Hamid ook was gekomen, zou hij niet weten dat zijn assistent ook over het terrein rondsloop. Kon ze Bret maar waarschuwen. Maar ze moest nu niets doen om de argwaan te wekken van de persoon die op haar wachtte. Wie wachtte er in het toenemende duister tot zij het boek tevoorschijn haalde dat Leah in een andere winderige Arabische nacht zo zorgvuldig had verstopt?

Allisons tanden klapperden en ze zette haar kiezen op elkaar. 'Bret is hier ook,' hield ze zichzelf voor en ze vond troost in de wetenschap dat zijn sterke gestalte zich ergens in de buurt verborgen hield en haar op ditzelfde ogenblik gadesloeg. Tenzij – tenzij er onderweg iets gebeurd was dat hem gedwarsboomd had. Als Hamid eens een hinderlaag voor Bret had gelegd?

Ze moest er niet aan denken. Als ze zich door haar angsten liet bespringen als door duikende roofvogels, zou ze omdraaien, uitzinnig schreeuwen en naar de auto terug rennen. Ze moest dapper zijn, ze moest kijken naar de bron van haar bescherming en kracht, haar hoge toren, haar schild en haar zwaard.

De Arabische wind trok aan nu de avond kwam en beroerde het tapijt van zand onder haar knerpende laarzen. Het zand bleef wervelen en vormde bergjes die haar deden denken aan reusachtige mierenhopen die griezelig voort schoven in een onafgebroken beweging.

Verdacht Bret Hamid? Sloegen ze haar allebei gade? Wat moest ze er kwetsbaar uitzien voor wat haar wachtte.

Op het kermen van de wind kwam een gevoel van aandrang en onrust mee. Ze liep door de getinte schemering, haar plunjezak tegen zich aangeklemd, de revolver in haar jaszak. Haar keel was droog.

Toen ze het terrein bereikte, stonden de hutten in een halve cirkel met de voorkant naar haar toe. Aan de andere kant van het komvormige terrein gleden schaduwen van de haag lommerrijke dadelpalmen over het zand en de rots die de laatste rozige gloed van de zonsondergang weerkaatsten. Achter de bomen viel de avond over de geulachtige droge waterloop, waar reptielen van de rotsen de koelere avond in kropen.

Hier was het avontuur allemaal begonnen en misschien zou het hier vanavond eindigen. Een huivering overviel haar terwijl haar ogen over de hutten gleden en bleven hangen op de oude kamer van nicht Leah en toen bang naar de hut van de Britse agent, majoor Karl Reuter dwaalden.

Achter haar zwaaiden de dadelpalmen met een ruisend geluid dat aanzwol en wegstierf, links van haar was de eetzaal waar het nu donker was en ernaast stonden de grotere hutten die als collegezaal werden gebruikt. Alles was in stilte gehuld.

Waar was Bret? Neal? Hamid?

De laatste kleuren stierven weg. De avond viel, diep en zwart.

Overal waren herinneringen aan Leah en Allisons verbeelding groeide bij ieder woestijngeluid. Het leek of de dringende woorden die haar nicht had geschreven in de brief die naar de Mercy was gestuurd Allison opwekten – prikkelden – verder te lopen naar de donkere omheining onder Karl Reuters achterveranda om het boek te redden. 'Kom,' leek het boek te wenken, 'vlug, vlug.'

Allison bereidde zich emotioneel voor op het ergste. Het was nu donker genoeg. De vijand zou net zo op zijn hoede zijn voor haar als zij voor hem. Ze slikte en drukte op het knopje van haar zaklantaarn. Ze had zojuist haar aanwezigheid aangekondigd. Zag Bret het licht? Hij had haar beloofd dat hij er zou zijn. Hij zou haar niet in de steek laten.

Ze liep naar de hut. Ze dacht aan de nacht dat ze Leah naar binnen was gevolgd, herinnerde zich hoe Leah was gevlucht met Bret achter zich aan, en zij, Allison, alleen achter was gebleven in die donkere kamer. De echte vijand was ook daarbinnen geweest. 'De derde man,' waren Leah en zij hem gaan noemen. Was het wel een man?

Leah had zich onder de veranda verstopt. Ze had de voetstappen van de moordenaar gehoord, van de trap horen komen en verdwijnen over het zachte zand. Ze was er later weer heen gegaan om Woolly's boek te verstoppen.

Allison naderde de hut waarvan het niet door luiken bedekte raam haar aanstaarde. Met zwetende handen liet ze de lichtstraal het trapje opgaan om hem op de deur te richten. Hij was dicht, maar was er iemand binnen? Bret? Een van de anderen? Niet Neal; zo vlug had hij haar niet voor kunnen zijn. Hij moest verder achter haar zijn, misschien was hij nu in de buurt van de eetzaal. Ook hij zou haar zaklantaarn helder zien stralen, haar aanwezigheid uitschreeuwend tegen iedereen die haar vanuit het donker gadesloeg.

Ze haalde diep adem en ging het trapje op. Een windvlaag blies over het erf en door de dadelpalmen, schudde de onbuigzame, loodzware trossen dadels en fluisterde rond de ruwhouten muren van de lege hut.

Allison probeerde de achterdeur, schepte moed toen hij niet afgesloten bleek en duwde hem open. Opeens ontmoedigd door het donkere hol stond ze stil. Haar hart sprong en fladderde als een bang vogeltje. Ze zou zich omgedraaid hebben en weggerend zijn, als het beeld van Bret haar niet voor ogen had gestaan. Ze mocht hem niet in de steek laten. Als ze hier niet mee doorging, bleef hij hier achter met de vijand, die zich nu niet wilde laten zien. Zonder het verleidelijke lokaas van het boek in haar makkelijk te overwinnen handen zou de moordenaar zich verborgen houden als een kakkerlak in het houtwerk. Ze dacht ook aan nicht Leah. Haar blonde haren hadden geglansd in het maanlicht toen ze moedig wegglipte om een plichtsgebonden afspraak na te komen bij de verlaten opgravingen.

Allison stapte over de drempel van majoor Reuters hut en pakte het doosje lucifers dat op het kleine tafeltje bij de deur lag. Ze streek er een af, een vlammetje flakkerde en haar gezicht was onnatuurlijk bleek in de gloed. De olielamp wierp zijn licht op de muren van de badkamer. De tinnen tobbe en de oude wastafel kwamen tot leven. De atmosfeer in de niet geluchte ruimte voelde heet aan.

Allison verstarde. Wat rook ze nog meer, behalve mufheid, oud hout en meubels? De flauwe geur van tabaksrook hing in de gordijnen. Het werd sterker toen ze door de deur de kamer binnenging waar het dode lichaam van de Britse agent op het bed had gelegen. Ze tastte langs de muur naar het lichtknopje en drukte het in.

Bij het harde gele licht van de gloeilamp aan het lage plafond keek ze de spaarzaam gemeubileerde kamer rond. Het bed in de hoek was leeg. Eén afgrijselijk ogenblik had ze zich voorgesteld dat het lichaam van de majoor er nog lag, zoals ze weken geleden had gezien, overdekt met een deken.

Allisons blik zwierf naar de stoel waarin ze had gezeten die nacht dat 'kolonel Holman' haar had ondervraagd. Iemand anders had er ook gezeten, misschien nog maar een paar uur geleden, want op de eenvoudige, kale houten vloer ernaast lag een bergje as.

Ze bukte en legde er voorzichtig een vinger tegen. Een deel van het grijze poeder bleef aan haar vinger zitten en ze bracht het naar haar neus. Een flauwe geur – als je het zo kon noemen – was vaag bekend. Ze probeerde zich te herinneren waar ze het eerder had geroken. Toen kwam het terug. In de winkel van Helga Kruger in Oud-Caïro, op de ochtend dat ze met Zalika daarheen was gegaan om te tekenen voor de kisten vaccin.

Ze bleef staan, zich bewust van het feit dat de gloeiende lichten in de kleine ruimte op het hele donkere terrein gezien konden worden en dat het nu duidelijk was dat zij er was. Misschien kwam er op ditzelfde moment iemand naar de hut toe, iemand die dacht dat de informatie daar was en dat zij die aan het licht had gebracht. Ze luisterde aandachtig, maar hoorde niets boven een scherpe windvlaag uit die de hut deed schudden.

Ze sperde haar ogen open toen ze op de houten vloer een uitspreidende vlek zag. Ze herinnerde zich die niet van de nacht dat ze hier met Bret was geweest, maar misschien was ze te in beslag genomen geweest om hem op te merken. Ze bukte en kon er niet omheen: de donkere vlek was nog nat en kleverig. Haar hart stond haast stil en haar ogen volgden de vlekken naar een gesloten deur. De kast. Ze staarde ernaar. *Nee. Alsjeblieft, nee.*

Elke denkbare angst sprong op als kolkende lava uit een vulkaan. Bret had hier op haar zitten wachten. Wachten om haar te beschermen, maar hij was neergeschoten voordat ze kwam, waarschijnlijk door Hamid. Ze stelde zich voor hoe Hamid de hut binnenkwam en zich voordeed als de trouwe assistent. Wat had Bret gezegd over Hamid? Dat hij zich volkomen aan zijn trouwe vriend kon toevertrouwen?

Dat het bloed nog nat was, bewees dat het pas een paar minuten eerder gebeurd was. In deze hete omgeving zouden de vlekken snel opdrogen.

Wanhopig zonk ze neer op de stoel, alle moed en hoop verdwenen. Wat had het nu nog voor nut om alles op het spel te zetten voor het boek? Waarom zou ze rennen voor haar leven? Ze wist dat het te laat was, dat ze werd gadegeslagen door vijandige ogen en dat ze het nooit zou halen naar de auto zonder te worden tegengehouden en gedwongen de plek te onthullen waar Leah het boek had verstopt. Daarna zou ze tot zwijgen worden gebracht.

Er bestond een kleine kans – Neal was hier ook en ze zou alles riskeren dat hij geen verrader was, maar even trouw aan de zaak van Engeland als Leah was geweest. Hij wist dat ze in deze hut was; hij was vlakbij om haar te beschermen nu Bret dat niet kon. En hij wist dat de vijand uit zijn schuilplaats werd gelokt als het boek tevoorschijn kwam. Voor Leah, voor Engeland, en nu voor Bret.

Er liep een prikkelende rilling over haar rug en ze moest zich ertoe zetten terug te gaan naar de achterveranda. Er was niemand, maar het gevoel dat ze werd bekeken, hield aan en werd sterker.

Ze rende door de smoorhete kamer, langs de badkamer, de achterdeur uit naar de donkere veranda. Toen ze de houten treetjes afging, richtte ze haar zaklantaarn in de donkere holte daaronder. Hier had Leah zich die nacht verstopt. Snel bukte Allison en kroop onder de veranda. Ze voelde het zand in haar handpalmen en knieën drukken. Ze richtte de lichtstraal op een ruwhouten balk waar Leah Woolly's boek over de Hittieten had gelegd en tastte voorzichtig langs de richel tot haar vingers langs de gladde boekband streken. Ze klemde het tegen haar borst. Ze hijgde, haar hart bonsde pijnlijk en ze kroop uit de holte.

Iemand was vlakbij. Het was niet langer slechts een onheilspellend voorgevoel, maar een zekerheid. Ze bleef op haar knieën liggen en luisterde naar het vreselijke geluid dat boven de wind uit klonk, het geluid dat Leah die nacht moest hebben gehoord toen ze zich hier had verstopt.

In het donker boven haar kraakten de vloerplanken

onder het zware gewicht van iemand. De veranda leek te buigen onder de langzame, maar vastbesloten voetstappen – eerst één, toen nog een, en toen nog een. Hoewel ze dit had verwacht, was ze er emotioneel niet klaar voor. Er stond iemand in het donker te wachten. Het trapje kraakte onder elke zware stap naar beneden, en haar geest volgde elk geluid tot het zand knerpte onder een paar schoenen. Ze hurkte, het boek tegen zich aangeklemd, tot een zaklantaarn aanflitste, door de schuilplaats streek en op haar gezicht gericht werd. Ze deed haar ogen dicht voor de scherpe lichtstraal en toen ging de zaklantaarn uit. Ze opende haar ogen. Er werd een lucifer afgestreken, een vlammetje lichtte op en werd gevolgd door een wolk tabaksrook.

Ze knipte haar zaklantaarn aan en zag zijn schoenen, de omslagen van zijn broek die fladderden in de wind.

'Hallo, beste Allison. Ik heb op je gewacht.'

21

Met een snik van opluchting kroop Allison onder de veranda uit. 'Jij bent het! Je weet zeker wel dat je me dodelijk aan het schrikken hebt gemaakt. Je zit midden in een spionagezaak en ik hoop dat je een flinke revolver bij de hand hebt, want die zullen we nodig hebben voordat deze avond voorbij is.'

Ze keek naar de rode glans van zijn pijp die oplichtte in het donker toen hij eraan trok. De pijp... tabak...

'Wat doen jij en Sarah hier in vredesnaam? Jullie zijn me zeker gevolgd, uit angst dat me iets verschrikkelijks zou overkomen? Wat heb je tegen tante Lydia gezegd?' vroeg ze.

Maar generaal Rex Blaine zei niets. Hij glimlachte niet en maakte geen vrolijke, joviale opmerkingen zoals anders. Hij stond naar haar te kijken, een heel andere man dan de welgedane, gepensioneerde majoor-generaal van het Britse leger in India. Ze had hem nog nooit zo zien kijken en besefte nogal plotseling, dat als generaal Blaine niet glimlachte, knipoogde en zure opmerkingen maakte, zijn gezicht niet vriendelijk en onschadelijk was. Ze merkte voor het eerst de bittere trek op om zijn mond die ze ten onrechte voor een glimlach had aangezien. En de kleine, heldere ogen onder de zware wenkbrauwen waren niet die van een oom, maar waren even koud, diep en bloedeloos als de cobra's die hem zo fascineerden.

De angst die was verdwenen toen ze hem zag, werd nu sterker. Er was iets heel anders aan generaal Blaine.

'Is er iets, Allison?' vroeg hij zonder te glimlachen. 'Kan ik je niet meer aan het lachen maken? Je kijkt of je me nu pas voor het eerst ziet.'

De schok was zo verschrikkelijk dat haar emoties het niet wilden accepteren, en ze klampte zich vast aan de mogelijkheid dat ze het mis had. 'Waar is Sarah?' vroeg ze ademloos. 'Heb je haar meegebracht? Is ze in de hut?'

'Laat Sarah erbuiten. Kom binnen, Allison.'

Toen zag ze het, de donkere omtrek van een wapen in zijn hand. Ze kon niet antwoorden. Ze staarde hem aan, verdoofd, ongelovig. Ze moest het geloven, want dit was niet simpelweg een afgrijselijke nachtmerrie. Het was werkelijkheid, en veel angstiger nu het geen vreemde was, maar generaal Blaine, een man die ze zo zeker gedacht had te kennen. Generaal Blaine was de derde man.

'De trap op. Snel.'

Ze deed wat haar bevolen werd. Haar knieën knikten en binnen een paar tellen was ze in Reuters hut. 'Ga zitten, Allison.'

Ze deed het, haar geest werkte versuft. Waar was Neal? Waar was Hamid? Bret was dood.

Generaal Blaine trok een stoel bij en ging er schrijlings op zitten. Hij steunde de hand met het wapen met de arm die op de rugleuning rustte. Hij vroeg heel zacht: 'Wat heb je daar in je armen, Allison? Dus het was een boek. Ja, dat is logisch. *De Hittieten.* Ik ben er pas achter gekomen. Slim van de agent die zich voordeed als Reuter. Maakt me razend als ik bedenk dat het vlak onder mijn neus lag die nacht dat ik hier zocht. Ja, ik was het. En ik zou Leah geëlimineerd hebben als jij niet zo stom binnen was gekomen. Je bent een verschrikkelijke lastpost. Ik had je dit niet willen aandoen. Ik hoopte dat je bij Lydia zou blijven. Maar je kon het niet laten rusten, hè?' zei hij kwaad. 'Majoor Holden! O ja, ik heb het net ontdekt van hem. Jammer dat ik het niet wist op het liefdadigheidsbal. Toen had ik hem kunnen doden. Maar hij is nu dood. En Hamid erbij.'

Nee, die gedachte deed te veel pijn.

'Hamid! Ik dacht –' Ze zweeg. Hij raadde wat ze had willen zeggen.

'Je dacht dat hij een verrader was? Nee, het was Jemal. Hij is erbij betrokken, maar hij is geen vechter. Hij is beter geschikt voor doodgraver, spion in Caïro. Hij heeft een gruwelijke hekel aan de barones omdat het stomme mens voor de Britse inlichtingendienst werkt.'

Ze snakte naar adem. 'Helga?'

Hij glimlachte minachtend. 'Ze walgt van de superieure ideeën van de keizer, van de oorlogsmachine. Ze heeft de Engelsen in Constantinopel geholpen. Ze heeft haar winkel in Caïro en deze hutten als dekmantel gebruikt. Jemal heeft haar in de gaten gehouden, maar hij was traag van begrip. Hij weet pas sinds kort van haar connectie met Bret. Bret! Als ik toch maar had geweten –'

Allison probeerde haar stem vast te laten klinken, om de paniek niet te tonen. Ze moest tijd zien te winnen. Er moest iemand komen; dat moest! Neal!

'Maar waarom jij, Rex? Je bent Brit! Je haat de Duitsers.'

Hij glimlachte vermoeid. 'Slimme dekmantel, hè? Hoe meer ik de keizer hoonde en de barones beschimpte, hoe meer iedereen overtuigd raakte. Het zal wel een schok voor je zijn om te horen dat mijn ouders Duitsers waren; ik ben geboren in Berlijn. Ik ben pas naar Engeland gekomen toen ik zeventien was. Ik ontmoette Sarah in India, nadat ik de identiteit van Rex Blaine had aangenomen. Mijn echte naam is Willis Brandt.'

'Weet Sarah het?'

'Nee. En ze komt het ook niet te weten. Ze heeft er niets mee te maken. Als we naar Berlijn teruggaan, verzin ik wel een smoesje.'

'Maar waarom – waarom ben je erbij betrokken? Zelfs als je Duitser bent van geboorte –'

Hij glimlachte. 'Waarom zou ik lief Engeland opgeven nadat ik eenmaal de kans had gehad haar te omarmen? Omdat ik walg van Engeland! Ik walg van alles waar het voor staat – haar trots op de zee, haar arrogantie! Haar rijk. Ze heeft het niet verdiend – het is Duitslands tijd om de wereld te regeren. Engeland heeft haar tijd gehad, Frankrijk en Napoleon ook – Spanje, Rome – het is tijd voor het Arische ras! Wat heb ik de Britten uitgelachen om hun verwaande stomheid. Tijdens al mijn jaren in India heb ik voor Berlijn gewerkt, en ze hebben het zelfs nooit vermoed.'

'En majoor Reuter? Heb jij…?'

'Hem gedood? Ja. Ik wist dat hij een Britse agent was. We wisten dat hij uit Constantinopel was vertrokken met de documenten. We wisten dat Neal en Leah Bristow in Carchemish deden of ze voor het British Museum werkten. Daarom is het zo geregeld dat ik hierheen ging met het archeologisch genootschap. Het kwam bijzonder goed uit dat Sarah zich met archeologie bezighield. Ze heeft nooit geweten dat ik haar daarin aanmoedigde voor mijn eigen voordeel. Ik deed het zo subtiel dat ze er niks van merkte, noch iemand anders, zelfs Bret niet. Ik heb hem tot het einde toe voor de gek gehouden, en jou ook.' Hij zuchtte. 'Het spijt me voor jou, Allison, maar zo zit het.'

'Je wist dat Reuter een agent was, maar wist je ook voor wie hij hier kwam?'

'We wisten dat hij de papieren uit Constantinopel aan iemand moest overhandigen. Maar het duurde even voordat we erachter waren dat het Neal was. Neal kwam niet opdagen – hij was gealarmeerd door iemand toen Reuter gedood was. Waarschijnlijk door zijn superieur. We weten nu dat het Bret was. Het was mijn eigen fout – ik had Reuter gedood voordat Neal arriveerde. Ik had ze allebei tegelijk moeten pakken en op Bret moeten wachten. Ach, het doet er nu niet meer toe. Voordat de avond voorbij is, hebben we ze allemaal. O ja, Allison, lieve kind, we weten dat Neal hier is. Jemal zal onderhand wel met hem afgerekend hebben. Kijk niet zo zielig. Je had moeten weten dat je niet kon winnen. Je bent erg dom geweest.'

'En Leah? Heb je haar ook vermoord?'

'Het moest gebeuren. Dacht je soms dat ik het leuk vond?'

'Dus jij was het die ik hoorde toen ze vertrok voor de afspraak?'

'Ik wist dat ze in jouw hut was. Ik besloot jullie allebei te laten zoeken naar wat het ook was dat Reuter had verstopt. Jullie waren allebei slim. Ik moet toegeven dat het een beetje vermoeiend is jou in de gaten te houden – eerst op het liefdadigheidsbal, later in Luxor.'

'Was jij het die in Port Said het huis binnenkwam?'

'Jemal. Hij moest de brief vernietigen die hij aan Leah had gestuurd. Die was bezwarend voor hem, al scheen ze het over het hoofd te hebben gezien. In de brief noemde hij zijn dienstverlening aan het museum van Constantinopel. Als iemand de moeite had genomen dat te controleren, hadden ze ontdekt dat Jemal bij de sultan was toen keizer Wilhelm vorig jaar de stad in triomf bezocht. Ik zei tegen hem dat hij de brief moest vergeten, hij bewees niets, maar hij was bang en wilde hem vernietigen.'

'Hoe heb je het gedaan – met Leah –'

'Simpel. Ik volgde haar naar de auto. Ze was niet bang toen ze de innemende Engelse grappenmaker generaal Blaine zag. Ik heb haar gedumpt bij de oude verlaten opgravingen, ik had geen idee dat Helga dat uitstapje daarheen zou regelen. Toen ze dat deed, vond ik het in mijn voordeel om erbij aanwezig te zijn. Ik wist dat ze het lichaam zouden vinden. Maar ik was woest toen Leah me beetgenomen had. Ze bracht de informatie niet mee naar de afspraak met Neal – ze bracht Sarahs oude aantekeningen van de lezing van Jemal mee die ze jou had gegeven, en jouw Bijbel. Toen wist ik dat jij erbij betrokken was. Ze zou jou verteld hebben waar ze de echte informatie had verstopt. Dus ik moest jou in de gaten houden tot je me erheen bracht – zoals je uiteindelijk hebt gedaan.'

'Nu weet ik het weer – die dag toen Leah hier kwam om het boek – jij was laat, maar ik verdacht je niet dus het heeft geen indruk op me gemaakt. Ik hield Helga in de gaten.'

'Onschuld loont niet, lieve kind. En ik heb jouw kamer doorzocht toen ik deed of ik rust nodig had voor mijn rug. Jij bleef met Sarah bij de lezing van Jemal.'

'En – en de Koerdische bewaker bij de expeditiehut? Was jij dat ook?'

'Nee, ik ben hier gebleven. Maar Jemal liet David en jou volgen door iemand van onze kant. Hij zou je toen gepakt hebben als er niet iemand was gekomen die hem afschrikte.'

'Dat was Bret.'

Hij haalde zijn schouders op. 'Het doet er nu niet meer toe. Binnenkort wordt het oorlog en Duitsland zal Servië verslaan, Rusland, Frankrijk – en Engeland!'

'Je hebt trouw gezworen aan de troon van Engeland –'

'Nou, nou, lieve Allison, het heeft geen zin de Union Jack voor mijn neus heen en weer te zwaaien. Die betekent niets voor me. Dus genoeg hierover. Ik heb al te veel tijd aan je besteed. Dus daar had Leah het boek gelegd, onder de veranda. Slim van haar, hè? Ik was er niet op gekomen. Jij bent ook slim. Ik probeerde je bang te maken – het vergiftigde water en andere dingen. Je had je erbuiten moeten houden, op Lydia's schip moeten blijven en de boeren verzorgen waar je zoveel om geeft. Ik gaf je een kans – meer dan een – om je terug te trekken, maar dat deed je niet. Spionage is een dodelijk spel en mensen worden vermoord, zelfs kleine meisjes met engelachtige gezichtjes. Het spijt me, Allison, maar zo moet het zijn.' Hij stond op. 'Het boek, Allison. Geef het aan mij.'

'Vertel me wat erin staat, Rex. Waarom is het zo belangrijk?'

'Dat is het niet. Het is niets anders dan een stom boek over archeologie. Maar het zou Neal of Bret vertellen waar de papieren uit Constantinopel verstopt zijn.'

'Wat zijn de papieren uit Constantinopel?'

'Geheime oorlogsdocumenten die tussen Berlijn en het Ottomaanse rijk opgemaakt zijn tegen Engeland. Ze moeten niet in handen vallen van de Britse minister van Oorlog. Nog niet. Niet voordat Duitsland klaar is in Arabië.'

'Klaar? Klaar voor wat?'

'Daar is nu geen tijd voor.' Hij stond op, het boek in zijn hand. 'Sta op, we moeten gaan.'

'Waar breng je me naartoe?'

'Allison, je maakt het erg lastig – naar waar het boek me vertelt dat de agent die papieren heeft verborgen. Sta op. Ik begin mijn geduld te verliezen.'

Allison vocht tegen de aanstormende paniek en slaagde erin haar stem vast te laten klinken. 'Je kunt dit niet ongestraft doen, Rex. Britse agenten houden deze hut in de gaten. Het was de bedoeling dat ik hier zou komen – omdat ze wisten dat jij naar buiten zou komen zo gauw ik het boek tevoorschijn had gehaald. Het was een val.'

Zijn ogen vernauwden. 'Denk je dat ik gek ben?'

'Wist je het?'

'Bret is dood. Hamid ook. En Jemal zal Neal onderhand wel weggelokt en ook geëlimineerd hebben.'

'Dat kan niet,' zei ze wanhopig, tranen prikten in haar ogen. 'O, Rex! Alsjeblieft!'

Een stem onderbrak haar. 'Niet smeken, Allison. Dat is niet nodig.'

'Bret!'

Generaal Blaine draaide zich met een ruk om. Bret stond in de deuropening. Blaine wilde Allison vastgrijpen als schild, maar Bret schoot en de kogel deed de lamp aan scherven slaan. In het donker gooide Allison zichzelf op de grond en kroop naar het bed. Een vreselijke klap volgde het geluid van een kort gekerm van generaal Blaine, toen werd er van korte afstand nog een kogel afgeschoten.

Allison verroerde zich niet. Even was het stil, toen: 'Het is goed, Allison.'

Het licht in de badkamer ging aan en Bret liep snel op haar toe. Hij nam haar in zijn armen en hield haar dicht tegen zich aan.

'Ik dacht dat je dood was – dat bloed – de kast –'

'Ik weet het.'

'Wie is het?'

Zijn stem was hees van emotie. 'Hamid – ze hebben hem te pakken. Goede, trouwe Hamid. En ik heb nog aan hem getwijfeld. Als ik nog maar de kans had gehad om het hem te vertellen – wat een ontzettend goeie soldaat hij was!'

'O, het spijt me, Bret. Het spijt me zo!'

Ze klampte zich aan hem vast, haar gezicht klaarde op door de mannelijke troost van zijn sterke omhelzing. 'Het boek,' fluisterde ze.

'Weet ik. Ik heb het.'

'Neal?' vroeg ze, haar ogen hoopvol in die van Bret.

'Trouw,' klonk zijn rustige stem waarin tevredenheid en opluchting te horen waren. 'Hij zit nu achter Jemal aan. Maak je geen zorgen,' voegde hij eraan toe toen hij haar voelde schrikken. 'Neal is goed; Hamid vertrouwde hem de hele tijd.'

Ondanks alles kwam er een lichte glimlach om haar lippen. 'Ik – ik ook,' fluisterde ze.

'Ja. Moed en toewijding zitten in de familie.'

'Ja, net als Leah…'

Zijn hand klemde om haar arm terwijl hij op haar neerkeek en ze zag een glans van bewondering in zijn ogen. 'En jij. Je had het niet beter kunnen doen, Allison.' Zijn greep verstevigde enigszins. 'Laten we maken dat we wegkomen.'

Hij leidde haar naar de deur, probeerde haar langs het lichaam van generaal Blaine te loodsen, maar Allison wilde kijken. Op zijn gezicht lag een verstard zelfgenoegzaam lachje en Allison vroeg zacht: 'Heb jij –?'

'Nee,' zei Bret. 'Hij richtte zijn wapen op zichzelf. Ik wilde hem in leven laten om hem te ondervragen. Er kunnen nog anderen zijn. Laten we gaan. Ik moet de boodschap vinden die Reuter in dit boek heeft achtergelaten.'

Rennende voetstappen onderbraken hem en Allison staarde aan de grond genageld naar de deur. Bret trok haar aan haar arm achter zich en hief zijn revolver.

Neal riep met zachte stem, toen kwam hij voorzichtig binnen, hijgend en nat van het zweet. Zijn ogen namen het toneel op en ontmoetten die van Bret in woordeloos begrip.

'Jemal is ontsnapt,' zei Neal.

'We sporen hem later wel op. Er is geen tijd om nu over hem in te zitten. We hebben het boek. En we moeten die documenten opsporen.'

'Misschien hier bij de hutten?'

'Niet waarschijnlijk, maar alles is mogelijk.'

'En als er nou nog anderen in de buurt rondlopen behalve professor Jemal?' fluisterde Allison met een blik naar de deur.

Bret en Neal wisselden een blik, alsof ze meer wisten, maar ze gaven geen van beiden antwoord. 'Vergrendel de deuren en ramen en fouilleer Blaine,' zei Bret tegen hem. 'Misschien heeft hij iets bij zich dat de moeite waard is om naar Caïro mee te nemen. Ik zal het boek nakijken.'

Toen Neal terugkwam, had Bret de olielamp aangestoken.

'Hoe is het met Hamid?' vroeg Neal. 'Heeft hij je gevonden?'

Allison keek gespannen van haar neef naar Bret, verwachtend zijn verdriet te zien om de dood van Hamid. Maar Bret was weer helemaal professioneel. 'Ja, hij heeft me gevonden. We hebben de zaken tussen ons opgehelderd. Hij herinnerde me aan iets dat ik vergeten was, dat Rose Lyman gezworen had dat jij bij haar en Benjamin in Jeruzalem was toen Reuter en Leah werden gedood. Ik had eraan moeten denken,' gaf hij toe, 'maar dat deed ik niet.'

'Dat is begrijpelijk. In de trein had je Allison om je zorgen over te maken. Waar is Hamid nu?'

Brets stem klonk vlak. 'Dood. Achter de kastdeur. De kwestie zal moeten wachten.'

Neal zei iets in zichzelf, kwaad dat Hamid net als zijn zus slachtoffer was geworden van de vijand. Toen stond hij in twee grote stappen naast generaal Blaine en bukte zich om hem te fouilleren.

Allison kon het niet aanzien en wendde zich af, ging bij Bret aan het bureau staan waar hij het boek bestudeerde onder de flakkerende olielamp. 'Heb je iets gevonden?' fluisterde ze gretig.

'Nee.' Zijn opwindende blauwe ogen ontmoetten de hare boven het licht. 'Dat codewoord dat hij hier op het bureau voor Leah achterliet, was daar iets ongewoons aan? Hoe het geschreven was bijvoorbeeld?'

'Ja.' Ze pakte het potlood op en schreef het woord uit op papier: *HITTIETENebg.*

Bret bestudeerde het woord.

Neal kwam naar hen toe. 'Niks op Blaine. Nog geen muntje. Hij was voorzichtig.' Hij schudde ongelovig zijn blonde hoofd. 'Het verbaast me dat hij het was. Een innemende, gepensioneerde majoor-generaal die graag praatte over zijn oude veldslagen in India.'

'Dat was allemaal toneelspel,' zei Allison. 'Hij is geboren in Berlijn. Hij verafschuwde het Britse leger. Hij is jarenlang spion geweest.'

Bret luisterde niet. 'Dat "ebg" moet iets duidelijks betekenen.'

Hij gaf Neal het vel papier. 'Jij bent de archeologiedeskundige. Wat maak jij ervan?'

Allison wilde zich graag bewijzen. 'Ik heb altijd gedacht dat dat "ebg" belangrijk was.'

Bret keek haar met een klein lachje aan.

Neal bestudeerde het woord. 'Als het een locatie is, dan kan het "Eufraat" betekenen, maar dan slaat het "bg" nergens op. Misschien staat er een woord in het boek van Woolly dat met die letters begint,' zei Neal. Hij keek vlug achterin bij de index. 'Nou, er is geen "ebg". Trouwens, de agent die zich voordeed als Reuter was geen archeoloog.'

'Het moet iets eenvoudigs zijn,' zei Bret. 'Hij heeft geen tijd gehad om iets heel ingewikkelds te verzinnen.'

'Jammer dat het in het geheim moest,' zei Allison. 'Anders had hij gewoon een paginanummer kunnen geven. Maar dat zal wel te eenvoudig zijn.'

'Weet je…' peinsde Bret, 'de drie letters staan allemaal in het eerste deel van het alfabet. Er is er geen verder dan de negende letter. Stel dat "a" voor "1" staat en "b" voor "2". Dan zou "ebg"… "527" zijn. Heeft het boek zoveel bladzijden?' vroeg Bret tegen het bureau geleund.

Neal bladerde. 'Niet helemaal, tenzij je de index meerekent.' Hij keek op. 'Hij heeft Carchemish onderstreept.'

Allison bekeek de onderstreping. 'Zwarte inkt, dezelfde als Leahs codewoord.' Ze straalde triomfantelijk. 'En Leah zei dat majoor Reuter de expeditiehut had bezocht voordat hij hier kwam om jou te ontmoeten op de club. Zouden de papieren in het huis kunnen zijn?' Ze keek naar Bret. 'En dan te bedenken dat we daar waren de nacht dat we aan kapitein Mustafa ontsnapt waren! Maar wáár in het huis? We hebben overal gezocht.'

Bret keek Neal aan. 'Welk paginanummer staat er onder Carchemish?'

'Meerdere, te beginnen met 238. Ik zal ze allemaal nakijken. Er staat nog een onderstreping onder het woord "trap".' Neal aarzelde, alsof hij zich het huis voorstelde waar Leah en hij hadden gewoond. 'Ik begrijp het niet. Er is geen trap in de expeditiehut.'

'Nee, niet in de hut,' zei Bret. 'Ik durf te wedden dat het bij de Carchemish-opgravingen is.'

'Je hebt gelijk. Dat zou veiliger zijn,' zei Neal zacht. 'Waarom heb ik dat niet eerder bedacht? Leah vertelde me dat Reuter de opgravingen had bezocht vlak voordat hij hier kwam. Ze zei dat hij grote belangstelling had getoond voor de laatste Hittieten-vondst.'

'Waarom hebben we dat allemaal niet eerder bedacht?' zei Bret. 'Maar zonder het boek konden we het niet zeker weten. En wat is de laatste vondst?'

Neal aarzelde geen moment. 'De trap van het paleis.'

Bret glimlachte. 'Dat is het.' Hij stond op, greep het boek en sloeg het met een triomfantelijke klap dicht. 'We gaan.' Hij rende naar de achterdeur. Neal greep Allison bij de arm en ze volgden hem.

Bret had zijn revolver in zijn hand toen hij hen voorging het trapje af het zanderige erf op en wachtte daar, een donker silhouet, terwijl Allison het trapje af snelde de hete, donkere, winderige nacht in. Haar hart bonsde snel.

Als ze eens gevolgd werden? Was Jemal werkelijk ontsnapt, of was hij teruggekomen om hen in het donker gade te slaan? Was hij alleen? En als er iemand anders bij hem was?

22

De volgende middag was er, ondanks de stralende lucht van die ochtend, iets eigenaardig melancholieks in de bedompte hitte. Allison keek naar de horizon en zag dat er onheilspellende gele strepen aan de lucht waren. In de auto naast Bret die aan het stuur zat, keek ze naar de lucht. Er dansten bliksemschichten aan de hemel en achter de heuvels van de wildernis hoorde ze het gerommel van een verre onweersbui.

Allison keek naar de achterbank. Neal had de hele nacht gereden en lag uitgestrekt op de bank met zijn hoed over zijn ogen getrokken.

Bret keek grimmig. 'Er is een bui op komst.'

Allison schermde haar ogen af tegen de zon, die nog steeds helder scheen. Maar de vuilgele vlekken boven de woestijn breidden zich uit.

Bret zette zijn hoed recht. 'Laten we hopen dat de Turken te slim zijn om zich hierin te laten vangen. Als dat zo is, hebben we een kans onze klus te klaren en onopgemerkt weg te komen.'

Ze was kapitein Mustafa en de Turken en Duitsers niet vergeten. 'Het is gevaarlijk hier terug te komen nadat je je hebt voorgedaan als kolonel Holman. Stel dat professor Jemal vooruit heeft getelegrafeerd?'

Zijn zwijgen was antwoord genoeg.

'Ik wou dat je overal zat behalve hier,' zei hij. 'Ik had geen andere keus dan je mee te nemen. Ik kon je niet alleen achterlaten bij de hutten of het risico nemen je op de trein terug naar Caïro te zetten.'

Ze verschoof rusteloos in haar stoel, haar rug deed pijn. 'Ik waag het er liever op met jou en Neal.' Ze dacht aan de verschrikking van het alleen zijn toen generaal Blaine was verschenen. Voorzichtig keek ze naar Bret. 'Stel dat de Duitsers de opgravingen in de gaten houden?'

Weer was zijn opzettelijke zwijgen het enige antwoord.

'Kun je me nu vertellen waar de informatie over gaat?' vroeg ze. 'Waarom is het zo belangrijk?'

Hij keek haar nadenkend aan. 'De Constantinopel-papieren zijn het bewijs van iets wat we het afgelopen jaar vermoedden, dat het Ottomaanse rijk aan de kant van Duitsland oorlog wil voeren tegen Engeland.'

'Turkije is altijd pro-Brits geweest,' wierp ze tegen.

'Ze willen dat wij dat denken. Het is jammer dat sommige leden van de regering in Londen hun kop in het zand wensen te blijven steken tot het te laat is.'

'Wil je zeggen dat het Ottomaanse rijk van plan is de partij te kiezen van de keizer?'

'Dat is precies wat ik bedoel. De documenten die onze agent in Constantinopel aantrof, zijn het bewijs. Ze laten ook zien dat Duitsland in het geheim toenadering heeft gezocht tot Constantinopel door delen van tsaristisch Rusland te beloven, grondgebied waar Turkije altijd al een oogje op had. Wat Constantinopel niet weet, is dat ook de keizer trek heeft in Sint Petersburg – samen met grote delen van Frankrijk, België en Engeland.'

Ze staarde hem aan, haar maag draaide om. 'Duitsland zal Engeland de oorlog verklaren?'

'Uiteindelijk. Als het de keizer goed uitkomt. Egypte is wel wat dichterbij waar wij zijn, hè?'

'Je bedoelt toch niet –'

'De Duitse generaal in Constantinopel heeft plannen om heel Palestina in te nemen. We hebben lang onze vermoedens gehad over de spoorweg die vanaf Bagdad wordt gebouwd.'

'Ja, Leah had het erover.'

'Weet je nog dat je me in Al-Arish vroeg waarom het me zo interesseerde wat die bedoeïen te zeggen had? Hij had nieuws dat onze vermoedens bevestigde. De spoorweg, inclusief de Hidjaz, zal worden gebruikt om troepen en voorraden voor de Duitsers naar Beersheba en Gaza te vervoeren. En de documenten die Reuter meebracht uit Constantinopel zijn het officiële bewijs dat de Duitsers van plan zijn Egypte binnen te vallen via het Suezkanaal – zo gauw Duitsland België binnenvalt.'

Ze staarde hem verbijsterd en angstig aan. Even kon ze niets zeggen. Oorlog, niet alleen in Europa maar ook in Arabië en Palestina – zelfs in Egypte.

'De documenten,' vervolgde hij, 'zijn het bewijs om te tonen aan de hardnekkige optimisten in Londen en Caïro. Zie je nu in waarom ze zo essentieel zijn? Egypte heeft op dit moment onvoldoende manschappen om een inval in Suez door Turkije te weerstaan.'

'Geen wonder dat de andere kant majoor Reuter wilde tegenhouden,' zei ze. 'En dan te bedenken dat het voor korte tijd allemaal berustte bij Neal en Leah.'

'En bij jou,' zei hij ernstig. 'Een tijdlang hield jij alleen de sleutel in handen om die documenten te lokaliseren.'

Ze dacht hier even vol ontzag over na. Maar nu naderden ze Carchemish. De documenten zouden gauw in Brets handen zijn.

'Er kan van alles misgaan,' zei ze.

'Niet als wij er iets aan kunnen doen.'

'Dus je twijfelt er geen ogenblik aan dat de keizer een oorlog begint,' zei ze ontzet.

'Mijn persoonlijke opinie? Ik twijfel er niet aan. Maar anderen in Londen zijn het niet met me eens. Jarenlang heeft Duitsland zijn leger opgebouwd en de verovering voorbereid.'

'Ja,' zei ze zacht, denkend aan generaal Blaine. 'Om Rex te citeren: "Het is Duitslands tijd." De tijd voor het Arische ras om een wereldrijk te bevelen. Tijd voor Engeland om haar commando van de zeeën op te geven, haar koloniën, haar dromen.'

Bret stak zijn hand uit en pakte haar pols. Met een ruk keek ze op, alsof ze ontwaakte uit een verdoving. 'Vergeet Blaine.'

'Over Sarah,' fluisterde ze. 'Zij weet niet dat hij een Duitse agent was. Kunnen we dat op een of andere manier voor haar verborgen houden? Het zal haar hart breken.'

'Die beslissing is niet aan mij, maar ik zal doen wat ik kan. De inlichtingendienst zal dit trouwens toch in de doofpot willen stoppen. En ik ben het met je eens dat ze het inderdaad niet wist.'

'Wist jij het, Bret? Heb je hem ooit verdacht?'

'Eigenlijk niet, eerst niet. Niet voordat we elkaar tegenkwamen in Helga's winkel in Oud-Caïro. Ik heb navraag gedaan bij de Britse consul – Arlington. Hij liet me per telegram weten dat het Blaine was die geregeld had dat de kisten met medische spullen voor je tante van Luxor naar Caïro gestuurd moesten worden. Maar Blaine beging een verschrikkelijke blunder. Hij dacht niet dat ze naar Helga's winkel zouden worden gestuurd. Dat was een vergissing die haar bedrijfsleider beging toen hij dacht dat er opium in de kisten zat die hij kon verkopen. In plaats van de kisten naar een collega van Jemal te sturen, liet de bedrijfsleider ze eerst naar Helga's winkel brengen. Dus Blaine moest daarheen. Toen ik hem zag en hoorde dat hij eerder was gekomen dan jij, begon ik hem te verdenken.'

'Dus je volgde me naar Luxor,' zei ze. 'En toen naar de Hidjaz-spoorweg?

'Ik verwachtte dat Blaine je ook zou volgen, maar dat deed hij niet. Dat deed Jemal. Ik moest kiezen of ik bij Blaine bleef of Jemal ging volgen. Zonder Neal om me te helpen, en Hamid die in Aleppo zat, had ik niemand om Blaine in de gaten te houden terwijl ik jou en Jemal schaduwde. Helga was er nog niet.'

'Ik sta versteld over de barones. Ik had haar helemaal verkeerd ingeschat.'

'Ze is al jaren een grote aanwinst voor ons. Haar dinerpartijen in Caïro en Aleppo zijn verzamelplaatsen voor buitenlandse hoogwaardigheidsbekleders en hun echtgenoten. Ze heeft een hoop informatie voor ons kunnen vergaren omdat iedereen denkt dat ze de Duitse ambities aanhangt.'

'En de Berlijn-Bagdad-spoorweg? Wordt die niet gebouwd door Duitse bouwbedrijven die vroeger eigendom waren van Helga's echtgenoot?'

'Ja, en daardoor krijgen wij informatie uit Berlijn, omdat ze aan haar rapport uitbrengen over de vorderingen.'

'Dus je volgde Jemal in de trein?' vroeg ze.

'Ik moest wel. Ik kon hem niet laten instappen zonder jou te beschermen. Het was een schok toen ik Neal in dat treincompartiment aantrof in plaats van professor Jemal.' Hij keek haar aan. 'Weet je nog dat je het gevoel had dat er in Damascus iemand ingestapt was die je vijandig gezind was?'

Ze huiverde. 'Ja. Generaal Blaine?'

'Ik denk het. Hij zal Sarah er wel van overtuigd hebben dat hij jou ging zoeken omdat hij ongerust was. Tegen de tijd dat ze erachter gekomen was wat jou was overkomen, hadden ze al samen op een schip naar Berlijn gezeten.'

'Ze zou er vreselijk ongelukkig onder zijn geweest.'

'Ja, maar tegen die tijd zou het te laat zijn geweest voor haar om er iets aan te doen.'

De schemering was gevallen toen ze aankwamen bij de Carchemish-opgravingen, een enorme, ovaalvormige locatie omringd door wallen van wel acht meter hoog. In de noordoostelijke hoek ruiste de rivier de Eufraat langs, donker en geheimzinnig stromend.

Allisons eerste blik op de rivier in de naderende stormwind riep haar in gedachten wat de Bijbel over de oude rivier zei. Ze had in Genesis gelezen over de Eufraat en de Hof van Eden en in Openbaring, waar gesproken werd over vier engelen die werden losgelaten uit de Eufraat om ruimte te geven aan een groot leger.

Haar weg zoekend over de moeilijk begaanbare ruïnes, luisterde ze naar het brullen van de rivier, opgejaagd door de wind, en keek op in de donkere lucht die de maan en de sterren verhulde. De wind blies met harde, wilde vlagen die haar lange haren en haar rok lieten wapperen. Ze worstelde om Bret en Neal bij te houden, die hard liepen in hun verlangen de plaats te vinden waar majoor Reuter de documenten veilig had verstopt.

Neal liep door, maar Bret stond stil om op haar te wachten. Hij nam haar arm en hielp haar over de bergen steen en aarde te klimmen. Toen pakte hij haar hand stevig vast en trok haar voort in een sneller tempo.

Ze zag dat de hogere wallen de vestingwerken van de Hittieten beschermden, die van ruwe steen gemaakt schenen te zijn. Ze zag twee hekken, een aan de zuidelijke en een aan de westelijke kant van de opgravingen.

Binnen de borstwering, in het omheinde gebied van het terrein, was een veel hogere berg, waarvan het hoogste punt misschien wel vijf meter boven het niveau van de rivier uitkwam. Deze, zo had Neal haar in zijn brieven uitgelegd, had gediend als de acropolis van de Hittieten. Hij was misschien 350 meter lang van het noordwesten tot het zuidoosten en daalde steil af naar de Eufraat. De afgeplatte top vertoonde sporen van oude Romeinse en Syrische bouwwerken. Er waren enorme brokstukken af gevallen die op de helling aan de landzijde lagen.

Allison keek om zich heen naar de overblijfselen van bouwwerken van een Romeins-Syrische stad, voornamelijk gebouwd van vroege materialen. Er waren ook wat Arabische huizen, gemaakt van gebruikte oude steenblokken.

Bret trok haar over de afvalhopen en bouwresten van eerdere opgravers, en Allison voelde het trekken van de wind. 'Als iemand ons volgt, kunnen we hem nooit horen,' zei ze boven de wind uit.

'Loop maar door.'

Ze kwamen bij wat grotere Hittitische overblijfselen aan de voet van een berg waar Neal stond te wachten. Hij wenkte hen dringend op te schieten.

Bret rende vooruit en Allison volgde. Toen ze bij Neal kwam, had hij twee lantaarns tevoorschijn gehaald. De mannen staken ze aan. De vlammen dansten op, flakkerend in de wind, en Allison zag een grote trap.

'Hogarth van het British Museum begon hier een jaar geleden te werken,' zei Neal. 'Het leek hem logisch dat gebouwen in de buurt van een trap zouden zijn, en hij had gelijk. Voordat wij hier kwamen, hebben enkele archeologen hun vondsten herbegraven in hun geulen, omdat ze ze niet naar Engeland konden vervoeren. Wij hebben een enorme toegangstrap opgegraven met aan weerszijden enkele Hittitische platen steen.' Neal ging hen onder het praten voor met de lantaarn. 'We hebben een aardig poosje gewerkt aan deze trap. Reuter wist ervan. Hij kwam hier een paar dagen voordat hij naar de clubbijeenkomst in Aleppo ging.'

Allison wees. 'Daar, een leeuwenkop.' Artistiek gezien was het een uitzonderlijk werk. Ze zag ook enkele beelden van een afgod of een koning. Ze kwamen bij de trap.

'Dit is de plek,' zei Bret. 'Ga op de uitkijk staan, Neal. Het zal me een paar minuten kosten.'

Neal ging in de schaduw van de boog staan, de wind striemde tegen hem aan. Allison lichtte Bret bij met een tweede lantaarn. Ze keek voortdurend over haar schouder de duisternis in buiten de omheining en voelde de rilling over haar rug lopen. 'Vlug, Bret.'

'Aha,' zei Bret. 'Daar heb ik het!'

Allison draaide zich vlug om en zag hem een stenen omhulsel in de vorm van een doos weghalen. 'Daar zit een deksel,' fluisterde ze. Ze bukte om beter te kunnen kijken terwijl Bret een groot leren portfolio uit het omhulsel haalde. Hij tilde de map op en haalde er enkele officieel uitziende papieren uit Constantinopel uit. 'Hou de lantaarn eens bij.'

Ze deed het. De wind jankte door de kieren en spleten. 'En?' fluisterde ze hoopvol.

Hij keek haar glimlachend aan. 'We hebben ze. Kom, laten we maken dat we wegkomen.'

Neal stond te wachten en stopte zijn wapen in zijn schouderholster toen hij hen zag aankomen. 'Heb je het?'

Bret klopte op de portfolio. 'Hierin.' Hij ontmoette Neals blik. 'Neem met Allison de trein naar Caïro.'

Allison was ontzet. 'En jij dan? Waarom ga je niet met ons mee?'

'Ze herkennen me onmiddellijk als kolonel Holman. Ik heb vrienden onder de Koerden, daar ga ik een tijdje heen. Ik moet Hamids familie het bericht brengen van zijn dood. En ik moet deze informatie doorsluizen naar mijn superieur. Ik zal een poosje naar Londen moeten.'

Neal keek naar Allison en toen naar Bret. Toen hij hun gezichten zag, liep hij weg en liet hen alleen tussen de ruïnes.

*

Ze stonden onder de zwarte lucht en de wind striemde zand en stof tegen hen aan. Allison huiverde.

'Als je in Caïro bent,' zei Bret, 'ga dan terug naar de Mercy. Daar hoor je, weet je, in maagdelijk wit met een rood kruis op je borst en waardigheid en edelmoedigheid in je ogen. Jij hoort bij iets veel mooiers dan dit soort leven.'

Haar ogen waren in de zijne. Hij leek nog iets te willen zeggen, maar hij zweeg.

Allison wilde ook iets zeggen, maar ook haar woorden stierven in haar keel op het pijnlijke bonzen van haar hart. Tranen sprongen in haar ogen en ze hoopte dat hij het niet zag.

De Arabische wind waaide warm en hard en blies zand omhoog. Er stond een nieuw lied te beginnen nu het oude geëindigd was in tragedie en overwinning tegelijk. Maar het nieuwe lied was nog geen lied van vreugde en hoop; het was een klaaglied dat sprak van de oorlog die kwam, van menselijke razernij. Een nieuwe roep om dapperheid en opoffering klonk ook in de aanstormende wind.

'David vertelde van een joodse traditie,' zei Bret. 'Elke morgen voordat ze opstaan, hoe donker de dag ook is en hoe hopeloos alles er ook uitziet, zeggen ze: "Sta op als een leeuw, voor de dienst van God!"'

Allison keek hem aan, haar hart sloeg over. Hij geloófde dus.

Met woordeloos begrip hielden hun blikken elkaar vast en zacht nam hij haar gezicht tussen zijn handen. De wind speelde met haar haren en hij kuste haar teder, een lang verrukkelijk ogenblik.

'Ik vind je terug, Allison,' fluisterde hij zacht. 'Wacht op me. Ik kom zo gauw mogelijk terug uit Londen.'

Ze knikte sprakeloos. Toen liet hij haar los, draaide zich om en liep naar de wachtende Neal.

Ze keek naar het oosten in de zwarte lucht. Ondanks het dreigende noodweer brak een eenzame, zilveren ster door en knipoogde zijn belofte dat achter de duisternis de hemel wachtte. Ook zij zou wachten... op zijn terugkeer. Allison draaide zich om en keek naar Bret, een silhouet op de stenen ruïnes met achter zich het licht van de sterren. De wind rukte aan zijn shirt.

'Sta op als een leeuw voor de dienst van God,' fluisterde ze.

Van de auteur

Geliefde lezer,

Nadat ik onderzoek had gedaan naar de geschiedenis van die periode, heb ik enkele gebeurtenissen samengevat die het begin van de Eerste Wereldoorlog vormden, eindigend met de inname van Jeruzalem in 1917. De geschiedenis zelf is nauwkeurig en de standpunten van de verschillende landen worden vertegenwoordigd door de hoofdfiguren in de serie.

Hieronder volgen enkele historische feiten over gebeurtenissen die gebruikt zijn in *Onder de woestijnhemel*:

- De aankomst van Oswald Chambers om de Britse en Australische soldaten in Egypte te helpen, is historisch (en fantastisch!)
- De aanleg van de Berlijn-Bagdad-spoorweg is feitelijk, evenals de zorg van de Britten, die vreesden dat de Duitse keizer hem zou gebruiken om voorraden en troepen binnen te brengen om Brits Egypte in te nemen, met name het Suezkanaal.
- De omstandigheden rond de verbanning van David Ben-Goerion en de Russische joden uit Jeruzalem door de Turken is waar. Er werd inderdaad een joodse spionnenring gevormd om de Britse soldaten te helpen.
- T.E. Lawrence – Lawrence of Arabia – werkte in deze tijd aan de archeologische opgravingen in Carchemish en ging uiteindelijk werken bij de inlichtingendienst in Caïro. De archeologische feiten over de Hittieten zijn correct beschreven.

De Britse, Duitse en Turkse spionnen, de moord en de romance zijn allemaal ideeën die gebaseerd zijn op enkele historische wetenswaardigheden, maar het verhaal is niet meer dan dat – een vertelling die ik bedacht heb en die me 's nachts uit de slaap hield!

Ik wil jullie vertellen hoezeer ik tijdens het werken aan dit boek heb genoten van het onderzoeken van interessante geschiedenisfeiten over een periode en een locatie (Palestina) waarin de hand van God tijdens de Eerste Wereldoorlog zo duidelijk te zien is. Ik ben er weer eens aan herinnerd dat Hij werkelijk de Koning is van de geschiedenis, en alle dingen, zelfs de wereldse, laat samenwerken voor de vervulling van Zijn eeuwige doel.

Terugkijkend op de Eerste Wereldoorlog in Arabië dacht ik na over de toekomst, en ik raakte er nogmaals van overtuigd hoezeer ook wij leven in een strategische tijd. Zoals de christenen die in voorbije gevaarlijke tijden leefden dapper en sterk moesten zijn om stevig stand te houden, zo moeten ook wij hetzelfde doen in onze tijd. We hoeven niet bang te zijn want Hij heeft alles volledig in de hand.

Met christelijke liefde,

Linda Chaikin

p/a Questar Publishers, Inc.
P.O. Box 1720
Sisters, Oregon 97759
USA

BP 11/05
VE 11/06

Ki 04/08

kA 10/10

Ki 03/2012

Ni 11/2016